LOS SUSPIRANTES
2018

JORGE ZEPEDA PATTERSON
(COORDINADOR)

LOS SUSPIRANTES
2018

temas 'de hoy.

Diseño de portada: Óscar O. González
Fotos de portada: Procesofoto
Diseño de interiores: Carmen Gutiérrez

© 2017, Jorge Zepeda Patterson

Derechos reservados

© 2017, Editorial Planeta Mexicana, S.A. de C.V.
Bajo el sello editorial TEMAS DE HOY m.r.
Avenida Presidente Masarik núm. 111, Piso 2
Colonia Polanco V Sección
Delegación Miguel Hidalgo
C.P. 11560, Ciudad de México
www.planetadelibros.com.mx

Primera edición: mayo de 2017
ISBN: 978-607-07-4053-4

Impreso en los talleres de Litográfica Ingramex, S.A. de C.V.
Centeno núm. 162-1, colonia Granjas Esmeralda, Ciudad de México
Impreso y hecho en México – *Printed and made in Mexico*

ÍNDICE

INTRODUCCIÓN

Hace 12 años propuse a un grupo de periodistas destacados hacer un ejercicio de investigación sobre los precandidatos que buscarían la presidencia en 2006. *Los Suspirantes* ofreció una radiografía de carne y hueso de todos los pretendientes a la silla presidencial. El éxito de esa obra y sus frecuentes reimpresiones nos llevaron a reincidir en este ejercicio para los comicios de 2012 y ahora para los de 2018. Entendemos que trabajos como éste ayudan a cubrir el vacío que se instala entre los productos mediáticos que fabricarán las campañas y las trayectorias reales de aquellos que aspiran a gobernarnos.

Creemos que indagar en las vidas de los responsables de la cosa pública se ha convertido en una necesidad. Las maquinarias políticas electorales convierten a los candidatos en héroes o villanos y al final terminamos votando por perfectos desconocidos, aun cuando conozcamos hasta la saciedad sus rostros. Atrapados entre la difamación o la glorificación de estos personajes, los ciudadanos se ven obligados a elegir entre meros productos del *marketing* político.

Lo que veremos en los siguientes meses será un intenso realineamiento de fuerzas a favor y en contra de los precandidatos. Muchos medios de comunicación tomarán partido y las vidas de estas personas serán distorsionadas para homenajear o vituperar de acuerdo con los diversos intereses políticos. De allí la necesidad de que la opinión pública pueda contar con perfiles mesurados, realizados profesionalmente y sin ánimo partidista.

En este libro el lector podrá enterarse de pasajes biográficos de estos suspirantes, que nos muestran cómo y por qué construyeron sus carreras públicas. Por ejemplo: los mitos y realidades de la salud de López Obrador o la manera en que le ha cambiado la vida su nueva familia; la permanente tensión entre Osorio Chong y Luis Videgaray y por qué las biografías de ambos son como agua y aceite; el catolicismo de Margarita Zavala y sus difíciles relaciones con las feministas; el trabajo para escalar el poder cuando no procedes de Atlacomulco, sino de Ecatepec, como Eruviel Ávila; la manera en que piensa Aurelio Nuño cuando no está cerca de Los Pinos; el priismo oculto de Narro y su intento por pintar su raya.

La selección de los precandidatos para elaborar estos perfiles es una tarea que reclamó tanto del analista como de la pitonisa. Más fácil en la izquierda con Morena y con el PRD, donde resultan candidatos obvios Andrés Manuel López Obrador y Miguel Ángel Mancera, respectivamente, aun cuando este último pueda cambiar de parecer en el último momento.

Tampoco resultó difícil precisar los suspirantes por parte del PAN, pues Margarita Zavala y Ricardo Anaya llevan meses disputándose el partido con uñas y dientes. Rafael Moreno Valle se mantiene a distancia, en un tercer sitio, acechando una oportunidad que a estas alturas del calendario parece distante.

El campo de batalla del PRI, en cambio, carece de cualquier certidumbre. A estas fechas hace seis años era evidente que nadie le quitaría la candidatura a Enrique Peña Nieto. Hoy la caballada está flaca, para recurrir al viejo adagio. Son tantos los tiradores que nos vimos obligados a desarrollar perfiles de Miguel Ángel Osorio Chong, Eruviel Ávila, José Narro, Aurelio Nuño y José Antonio Meade, en calidad de capítulos, y fichas biográficas para Luis Videgaray, Manlio Fabio Beltrones e Ivonne Ortega. Y eso si no se apunta algún gobernador más en el último minuto. La falta de un gallo fuerte lleva a pensar que todos ellos tienen una oportunidad.

El orden de los capítulos fue decidido en razón directa a la posibilidad de estos personajes para llegar a ser finalistas en la lucha por las candidaturas, a juicio de este editor: Andrés Manuel López Obrador, Margarita Zavala, Miguel Ángel Osorio Chong, Ricardo Anaya, José Narro, Eruviel Ávila, Miguel Ángel Mancera, Aurelio Nuño y José

Antonio Meade. Cierra la lista el capítulo de "Otros": Luis Videgaray, Rafael Moreno Valle, Manlio Fabio Beltrones, Emilio Álvarez Icaza, Ivonne Ortega y Silvano Aureoles.

Agradezco su disposición para sumergirse algunos meses en la vida pública y privada de estos precandidatos a las y los periodistas Sandra Lorenzano (Margarita Zavala), Ricardo Raphael (Osorio Chong), Salvador Camarena (Ricardo Anaya y Aurelio Nuño), Humberto Padgett (Eruviel Ávila), Rita Varela (José Narro y el capítulo "Otros"), Alejandro Páez (Miguel Ángel Mancera), Maite Azuela (José Antonio Meade). Aunque partimos de una metodología común, el desarrollo de cada capítulo obedece al estilo e impronta de sus autores. Eso sí, todos y cada uno de los textos gozan de la solidez que deriva de la honestidad y calidad profesional que caracteriza a los periodistas aquí convocados. Agradezco a Alma Delia Murillo por su disposición para zambullirse en las redes sociales de los suspirantes y mostrarnos sus hallazgos en el cuadro anexo al final del libro. Hago un reconocimiento a la laboriosidad y meticulosidad del periodista Mario Gutiérrez, quien ofreció apoyo hemerográfico y documental a todos los autores.

La redacción de este libro concluyó a finales de marzo de 2017. Lo que pase en la vida de los protagonistas a partir de esta fecha escapa a los alcances de nuestra investigación. Nos encomendamos a las musas de las artes políticas para que no surjan contendientes de último momento, ausentes en estas páginas. Con esta salvedad, lo invitamos a zambullirse en los hechos, dichos, obras, milagros e infamias de esta quincena de suspirantes. Uno de ellos será su próximo presidente. Conózcalo.

Jorge Zepeda Patterson
30 de marzo de 2017

ANDRÉS MANUEL LÓPEZ OBRADOR

Y su Morena

JORGE ZEPEDA PATTERSON

Los astros parecen estar alineados a favor de Andrés Manuel López Obrador para que su tercer intento de llegar a la presidencia sea el bueno. O así parece. La primera vez, aquel histórico 2006, el Partido Acción Nacional (PAN) le arrebató un triunfo que parecía inminente; en el segundo, un menos memorable 2012, el regreso del Partido Revolucionario Institucional (PRI), con Enrique Peña Nieto a la cabeza, volvió a frustrar sus esperanzas. Hoy, dicen muchos, ha llegado la hora del Peje. El fracaso de los gobiernos panistas y priistas para responder a las expectativas de los votantes hacen preguntarse a los ciudadanos si ha llegado el momento de darle la oportunidad a un gobierno de izquierda. La persistencia de la pobreza y la desigualdad, y las muestras de impaciencia y rabia entre los sectores populares parecerían abonar a favor de esta hipótesis.

Incluso el triunfo de Donald Trump y su empeño en satanizar y hostilizar a nuestro país ha sido interpretado como un refuerzo de las posibilidades del líder del Movimiento Regeneración Nacional (Morena). La agresión de Trump y la indignación resultante insufla el discurso nacionalista que ha sostenido durante años López Obrador. Esa narrativa, que muchos consideraban trasnochada en tiempos de globalización y apertura petrolera, de repente se convierte en estrategia de supervivencia. La prédica nacionalista y populista del candidato de la izquierda empata con el agravio de muchos mexicanos ofendidos y preocupados por el *bullying* del vecino. Fortalecer el mercado interno y recurrir a la sustitución de importaciones, banderas tradicionales de AMLO, adquieren actualidad a la luz de los embates de la Casa Blanca y sus políticas proteccionistas. Por no hablar de la preeminencia de otras dos reivindicaciones identificadas con el tabasqueño: el combate a la corrupción y la revisión de las políticas petroleras. Ambas alimentadas por los escándalos de la actual administración y el aumento en el precio de la gasolina y la dependencia energética de México, respectivamente.

Por lo demás, Andrés Manuel López Obrador intenta convencernos de que ha cambiado. El otrora "peligro para México" se presenta como el candidato de la fraternidad y la amnistía. Su discurso sigue siendo a favor de los pobres, pero ya no en contra de los ricos; en su equipo de trabajo de cara a 2018 proliferan empresarios y figuras vinculadas a los dueños de la televisión mexicana, presunto origen de todos los males. En suma, un AMLO 3.0.

Sus detractores afirman que se trata de un lobo con piel de cordero y que sigue siendo una amenaza para México. Tampoco temen al liderazgo que exhibe en las encuestas de intención de voto. "López Obrador ya ha estado aquí y perdió", pregonan, recordando los diez puntos de ventaja que el líder de la izquierda ostentaba en 2006, cinco meses antes de la elección. "El sistema no lo va a permitir, él mismo se pegará un tiro en el pie, como lo hizo antes".

Versiones encontradas de este polémico personaje. Las siguientes páginas muestran que está lejos de ser un cordero o un lobo. López Obrador es alguien mucho más complejo, como corresponde a un personaje cuya tozuda voluntad ha terminado por definir una buena parte de la historia política actual y futura. A lo largo de su vida, López Obrador ha sido llamado de muchas maneras. Fue *el Molido*, en la primaria; *el Americano*, en la secundaria, y *Piedra* en la universidad; fue *Lesho*, para los chontales, y *el Comandante*, para los priistas de Tabasco. En las siguientes páginas se relata la manera en que López Obrador se fue despojando de todos estos apodos para convertirse en *el Peje*, el fenómeno político y social que se ha propuesto modificar la historia del país.

EL MOLIDO: EL NIÑO DEL RÍO

En la Semana Santa de 2004, Andrés Manuel llevó a su hijo Gonzalo, entonces el más pequeño, a conocer Tepetitán para convencerlo de que se trataba del pueblo más bonito de México. Y podría tener razón. Se levanta en un recodo del río y se acoge a las grandes sombras de una alameda creada por la naturaleza. Tepetitán es un pueblo pequeño y limpio, de apenas tres calles de ancho que se alargan siguiendo la orilla de un amplio y arbolado río. Se encuentra a 40 kilómetros de Macuspana, cabecera del municipio, que a su vez dista 65 kilómetros de Villahermosa, la capital del estado. Desde tiempos fundacionales la población se mantiene de la pesca en el río, de las estancias de ganado de los alrededores y del comercio de los pueblos ribereños. Justamente para poner una tienda llegó ahí el abuelo materno, José Obrador Revuelta, originario de Ampuero, Santander, España. Venía de Veracruz, pero ya con familia mexicana: doña Úrsula González, su esposa, y seis hijos entre los que se encontraba Manuela, la madre del ahora precandidato presidencial. Con los años, el abuelo destacó entre los poco más de 1 000 vecinos (cifra que apenas se ha doblado en las últimas décadas). Además de comerciante, fungía como doctor improvisado y mecenas del deporte. El pequeño parque de beisbol lleva su nombre.

Su hija Manuela creció ayudando en las tareas de la tienda y terminó heredando la vocación mercantil de su padre. Años más tarde, cuando conoció al señor Andrés López, padre de Andrés Manuel, un veracruzano que había llegado como velador de un depósito de Pemex, lo convenció de cambiar de profesión y establecer una tienda por su cuenta. Andrés y Manuela fundaron "La Pasadita", a unos metros del local de su padre, y habilitaron la trastienda para vivir y multiplicarse: Andrés Manuel, el primogénito, nació el 13 de noviembre de 1953, y con diferencias de uno a dos años llegaron otros seis hermanos: Ramón, en diciembre de 1954 (†); José Ramiro, *Pepín*, en marzo de 1956; Arturo, en octubre de 1957; Pío, en mayo de 1959, y los gemelos Carmen y Martín, en noviembre de 1964.

Andrés Manuel creció en un ambiente bucólico y paradisiaco. Iba por las mañanas a la primaria "Marcos Becerra" (la única que existía) y jugaba beisbol, nadaba y pescaba en el río por las tardes. Lo apodaban *el Molido*, aunque nadie recuerda el motivo. Desde pequeño lo acostumbraron a atender la tienda, donde se vendía de todo: abarrotes, zapatos, ropa. Los vecinos coinciden en señalar a don Andrés como un hombre generoso y apacible. Doña Manuelita también era buena, aseguran, pero no tenía nada de apacible. Salía a las cuatro de la mañana en su cayuco (pequeño bote de remos) para vender arroz a lo largo de los poblados río abajo. Acompañada por un peón, su energía era infatigable; no regresaba hasta terminar su bastimento.

Cuando Andrés Manuel terminó la primaria, los padres decidieron enviarlo a la única secundaria de la región, la de Macuspana, a casi dos horas de distancia en aquellos tiempos. Comparado con el millar de vecinos de su pueblo, los 10 000 que encontró en la cabecera del municipio debieron parecerle una metrópoli. El joven tuvo que quedarse en casa de unos amigos de la familia, Carmita Domínguez y José Hernández, y regresar al pueblo solamente los fines de semana, cuando podía. El autobús llegaba hasta la comunidad de San Fernando, donde terminaba la carretera, lo cual lo obligaba a caminar entre lodazales una brecha de 15 kilómetros para llegar a su casa.

Quizá la soledad o la presión de su madre para impedir que el niño se desbalagara lo llevaron a convertirse en monaguillo de la iglesia San Isidro Labrador, allí en Macuspana. Un año más tarde, cuando el siguiente hijo llegó a la edad de cursar la secundaria, el matrimonio decidió mudarse a Villahermosa. Es por ello que la primera parte de la secundaria, Andrés Manuel la hizo en la escuela "Rómulo Hernández García", de Macuspana, y la segunda en la secundaria federal, en la capital del estado.

La familia poco a poco se fue desarraigando de este rincón del edén. El abuelo murió en 1967 y la abuela seis años más tarde, en 1973, cuando Andrés Manuel ya estudiaba en la Universidad Nacional Autónoma de México (UNAM). En los últimos años visitaba el pueblo de vez en vez, mientras aún vivía un hermano de su madre, ya fallecido. Ningún familiar reside en Tepetitán actualmente, y la sencilla y hermosa casa del abuelo contempla abandonada el amplio río. La casa donde nació y vivió Andrés Manuel, a unos cuantos metros, la otrora "Pasadita", en cambio, es hoy una cantina de rompe y rasga.

EL AMERICANO: LA PRIMERA CONMOCIÓN

Hacia mediados de los años sesenta la familia se estableció en un barrio céntrico y popular de Villahermosa, y a los pocos meses habían logrado instalar el almacén de ropa "Novedades Andrés" y la zapatería "La Gota", a unos cuantos pasos, en la calle Primavera.

En los primeros años parecía que el hijo mayor estaba destinado a convertirse en un próspero comerciante. Era bueno para los números y muy ingenioso para inventar formas de mercadear productos. En esa época sus compañeros de escuela le apodaron *el Americano*, porque se vestía distinto a los demás: podía usar la ropa de fayuca que se vendía en su tienda y en otros negocios similares denominados *chetumalitos* (en aquellos tiempos Chetumal era zona exenta de impuestos y hasta allá iban los comerciantes de Tabasco para abastecerse de mercancía de importación y venderla en locales de Villahermosa).

—Qué bonita camisa —le decían.

—Es americana —respondía Andrés Manuel alzándose el cuello.

Pronto sus compañeros se desquitaron asestándole el apodo.

Un incidente a los 15 años, en 1968, y no precisamente el 2 de octubre, le cambió la vida. Una calurosa tarde, mientras sus padres comían en casa y Andrés Manuel y su hermano Ramón hacían la guardia en la tienda, este último sacó una pistola que el padre había dejado meses atrás escondida entre los estantes de las camisas. La había recibido en prenda de una deuda nunca saldada y se había convertido en una reliquia temida, porque se sabía que con ella un hombre había asesinado a su esposa. Ramón, de 14 años, cortó cartucho, pero quitó el cargador, con lo cual se creía a salvo para hacer piruetas de pistolero. En el proceso el arma escapó de sus manos, cayó al suelo y disparó el tiro que quedaba en la recámara: entró por el cuello del joven y salió por la sien en trayectoria de abajo arriba. Murió en el acto. Andrés Manuel estaba a cinco metros, en la caja, y vio la escena pasar ante sus ojos.

Las empleadas del almacén corroboraron los hechos, pero unos judiciales del estado quisieron extorsionar a la familia involucrando a Andrés Manuel (un pariente afirma, socarronamente, que los complots en su contra no son de ahora). Los adversarios políticos han querido ver este incidente como algo similar a lo que sucedió en la infancia de Carlos

Salinas, cuando una mujer del servicio doméstico fue muerta por la negligencia de dos niños que jugaban con armas. Los testigos afirman que en este caso se trató de un accidente a la vista de todos, provocado por la propia víctima. Eso no fue un consuelo para la familia, y en particular para Andrés Manuel. Sus amigos de la adolescencia recuerdan que se volvió taciturno, mucho más reflexivo.

Poco tiempo después, en 1969, los padres decidieron desmontar la tienda e irse de la ciudad, porque doña Manuela era incapaz de soportar la tristeza. Se mudaron a Agua Dulce, en el estado de Veracruz, a poco más de dos horas de distancia, donde vivía Gloria, una hermana de doña Manuela. Andrés Manuel y Pepín, los dos hijos mayores, se quedaron en Villahermosa, viviendo en la propia tienda, para que Andrés pudiera cursar la preparatoria y Pepín, la secundaria. Dos años más tarde, a principios de 1972, la familia volvió a mudarse, esta vez a Palenque, de donde nunca más salieron. Aquí vivía otro hermano de la madre de Andrés Manuel, quien les ayudó para que la pareja se hiciera cargo de un restaurante, "El Palomar", al cual le fueron construyendo, al pasar los años, cuartos adjuntos hasta convertirlo en un pequeño hotel, el "Ki Chan", que significa "amigo". Aunque nunca residió en Palenque, el hotelito de sus padres se convirtió en refugio de Andrés Manuel en las victorias y los fracasos a lo largo de los siguientes 30 años.

Durante su adolescencia en Villahermosa, el Americano compartió su tiempo entre la escuela, el beisbol, las amistades y sus originales estrategias comerciales. Con su mejor amigo, José Enrique Aguirre, compañero de clases y posteriormente subgerente en la oficina de Transporte Eléctrico del Gobierno de la Ciudad de México durante la gestión de López Obrador, adquirieron un Renault rojo para comprar mercancía en Chetumal y venderla en los ranchos de los alrededores. Distribuían de todo: quesos, mantequilla, ropa, medicinas. Un accidente en carretera, sin consecuencias, los persuadió de dejar el comercio ambulante y concentrarse en la ciudad.

No fue un estudiante asiduo en la preparatoria. Los compañeros insisten en que Andrés Manuel trabajaba demasiado. Con todo, se hizo de una novia entre los amigos que se juntaban en el parque Las Palomas. Durante más de un año salió con Lupe, una chica trigueña y de ojos verdes, de la que se ha perdido el rastro. En la preparatoria estatal "Manuel

Sánchez Mármol", de Villahermosa, donde estudió, recuerdan sus compañeros que era "buen bate" en el equipo de beisbol los Centauros del Sureste, nombre adquirido de la empresa transportista que les patrocinaba el uniforme color gris con el logotipo de un centauro en el pecho.

Los ecos del movimiento del 68 apenas si llegaron a la escuela. Pero fueron un estímulo para comenzar a interesarse lejanamente en política y participar en algunas actividades culturales. Con un grupo de compañeros comenzó a frecuentar la casa del poeta Carlos Pellicer, quien los impresionaba con su vozarrón y sus invectivas para que se pusieran a leer. A Andrés Manuel no le interesó mucho la literatura, pero llamó su atención la historia política de México, lo cual resultó decisivo para que eligiera la Facultad de Ciencias Políticas de la UNAM al terminar la preparatoria. Años más tarde, el poeta Pellicer sería el puente para ingresar en la política.

Piedra.
La segunda conmoción

Un día de agosto de 1972, a los 19 años, Andrés Manuel se despojó del apodo *el Americano*, como antes se había quitado el del *Molido* o el del *Monaguillo*. A las cinco de la mañana, enfundado en una chamarra de los Pumas, tocó en la puerta de una casa de la calle Violeta 123, en la colonia Guerrero de la Ciudad de México. Le abrió Heber Sánchez, a quien años después convertiría en diputado.

Heber atinó a enterarse de que el joven deseaba hospedaje sin mayor credencial o trámite que su cerrado acento del trópico. Fue suficiente: era la Casa del Estudiante Tabasqueño. Ahí vivió durante casi año y medio con otro centenar de paisanos, y compartió cuarto con el futuro diputado y otros dos compañeros.

Se le recuerda como un huésped más. Era de los más jóvenes, así que difícilmente podía aspirar a algún liderazgo. Sin embargo, le cayó en gracia a Isidoro Pedrero Totosaus, presidente estudiantil de la Casa, conocido por su inteligencia y facilidad de palabra (en su juventud se convertiría en un periodista afamado en Tabasco, antes de que el alcohol y el dinero público lo dejaran al servicio de los políticos). Fue Pedrero quien le inventó el apodo de *Piedra* a Andrés Manuel, en parte por la tozudez que lo caracterizaba desde entonces, en parte porque afirmaba que todavía había que pulirlo y en parte por convertirlo en un aliado de su propio nombre.

El primer año, la vida estudiantil en México le pareció aburrida. Una y otra vez Piedra decía que él quería hacerse beisbolista profesional. Era un buen fildeador y lo demostraba cada fin de semana. "No era malo; bateaba bien, pero sobre todo dejaba el pellejo para atrapar una bola". Un compañero de cuarto recuerda que con frecuencia no iba a la Facultad de Ciencias Políticas porque prefería quedarse a dormir en su cuarto.

Probablemente padecía, sin reconocerlo, algún tipo de depresión. El 11 de septiembre de 1973 dejó de padecerla. Esa mañana y los días siguientes se pasaron oyendo en la radio los sucesos del golpe de Estado en Chile. Andrés Manuel tomó como algo personal la muerte de Salvador Allende y repitió una y otra vez las últimas frases del presidente chileno. Ese día escribió en el pizarrón del comedor: "Viva el pueblo de Chile". Al día siguiente cambió. "Nunca más faltó a la escuela y comenzó a interesarse a fondo en las clases", dice su excompañero de cuarto. El beisbol perdió un dudoso *pitcher*, y la UNAM ganó a un estudiante de tiempo completo. Probablemente la anécdota es exagerada en atención a la fama actual del personaje, pero lo cierto es que en algún momento, a mitad de la carrera universitaria, López Obrador comenzó a interesarse más decididamente en sus estudios y en la política.

El hecho coincide con su mudanza de la Casa del Estudiante a un departamento en Copilco, rentado por varios paisanos, entre ellos el famoso Pedrero Totosaus. El barrio le acomodó a López Obrador desde el principio. Se integró al mundillo cultural y político de los alrededores de la UNAM, con sus peñas y sus canciones de protesta, las librerías y los *picnics* improvisados en el campus universitario. Algún detractor podría decir que, en realidad, López Obrador nunca ha abandonado del todo esa particular cultura de peña y mítines que habita en los alrededores de Ciudad Universitaria.

POLÍTICO EN TABASCO

Pero incluso sus críticos tendrían que admitir que el *timing* de López Obrador ha sido afortunado a lo largo de su vida. Los procesos electorales de 1976 coincidieron justo con la terminación de su licenciatura (aunque no se recibiría sino hasta 1987), lo que le permitió integrarse al equipo de trabajo de Carlos Pellicer en su campaña para llegar al Senado por su estado natal. El poeta agradeció la participación de tres o cuatro jóvenes que recorrieron el estado en su nombre, planteando programas, enterándose de agravios y recogiendo peticiones.

A sus 23 años, Andrés Manuel fue el más entusiasta. Pellicer estaba obsesionado con la idea de hacer una gran obra reivindicativa entre los indígenas y seguramente contagió a su joven colaborador. Durante los siguientes 18 meses López Obrador recorrió diversas oficinas públicas con el proyecto para la Chontalpa que había concebido durante la campaña de Pellicer.

Al principio no corrió con suerte. El joven no había participado en la campaña para la gubernatura de Leandro Rovirosa Wade (en Tabasco las elecciones eran en octubre o noviembre, tres meses después de las federales), entre otras cosas porque había apoyado la de su amigo Víctor López Cruz para la presidencia municipal de Macuspana. El gobierno estatal no le debía nada. Durante meses ocupó un puesto de auxiliar en la Secretaría de Gobierno, sin pena ni gloria. Sin embargo, Pellicer no fue ingrato. Gracias a su insistencia, el gobernador apoyó su nombramiento como delegado del Instituto Nacional Indigenista para Tabasco en 1977. Allí comenzó la leyenda.

Lesho y Rocío

Fue el trabajo perfecto para Andrés Manuel. Tenía 24 años y lo tomó como un apostolado. Luego de los meses transcurridos como secretario del secretario en la grilla interminable de Villahermosa, de repente ponían en sus manos un trabajo que muy pocos querían, pero que a él le resultaba el paraíso.

La sede de la delegación se encontraba en Nacajuca, apenas a 30 kilómetros de Villahermosa, pero en el corazón de la Chontalpa. El lugar idóneo para comenzar una carrera y, más tarde, una familia. Conoció a Rocío Beltrán en calidad de alumna en 1976, cuando aceptó dar clases en la Universidad Juárez Autónoma de Tabasco al regresar de México. Aunque originaria de Teapa, trabajaba como secretaria en la delegación de la Secretaría de Educación Pública (SEP) y cursaba una licenciatura en ciencias de la educación, en la que López Obrador impartió el curso de Introducción a la Sociología.

Le llevaba tres años de edad y un poco de experiencia en las cosas de la vida, ella era guapa, con temperamento firme y muy maduro. Sólo tenía un defecto: no quería un novio que estuviera metido en la política o simplemente no le gustaba el Americano. Fueron necesarias muchas idas y venidas entre Nacajuca y Villahermosa para convencerla de contraer matrimonio y trasladarse a la Chontalpa.

No debió de ser fácil. La casita donde vivía el flamante delegado era poco más que una choza sin agua corriente que obligaba a sus ocupantes a bañarse con jícara. Las fuentes coinciden en describir la vida de la joven pareja como totalmente integrada a la región luego de la boda, el 30 de marzo de 1980. Andrés Manuel salía desde las seis de la mañana y recorría los pueblos hasta el anochecer. A las seis de la tarde había que encerrarse en las casas porque las nubes de mosquitos devoraban a todo ser viviente. Un testigo afirma que prefería guardar silencio porque daba la impresión de que "si abrías la boca, comerías mosquitos".

Sin embargo, echó raíces. José Ramón, el hijo mayor, nació en marzo de 1981, aunque los padres esperarían otros cinco años antes de tener al siguiente. Estos años en la Chontalpa fueron un periodo "fundacional" del animal político en que se convertiría Andrés Manuel. Muchos de los atributos, buenos y malos, que lo perseguirán el resto de la vida, surgen de esa primera responsabilidad. Aquí formó su primer equipo de trabajo con jóvenes veinteañeros a los que logró infundir una pasión inexplicable. "Ganábamos poco, trabajábamos de sol a sol y casi no lo veíamos, porque salía a los pueblos a las seis de la mañana y regresaba al caer el día. Y, sin embargo, teníamos la sensación de que estábamos haciendo algo diferente, algo importante", dice Jesús Falcón, quien sería su brazo derecho y chofer en periodos posteriores.

Aquí comenzó el hábito de hacer consultas. Cada vez que se atoraba o estaba indeciso, se iba a platicar con los ancianos de los pueblos. A juzgar por las entrevistas y plebiscitos que más tarde haría en el Gobierno del Distrito Federal, y posteriormente en el Zócalo, da la impresión de que esas pláticas tenían el propósito de confirmar para sí mismo algo de lo que ya estaba convencido. Lo cierto es que López Obrador regresaba sereno y tranquilo de esas conversaciones y no volvía a dudar de la decisión tomada. Resulta curioso que, pese a la inclinación de Andrés Manuel por las consultas populares, siempre ha sido poco afecto a explicar o justificar frente a sus subordinados los motivos de sus actos. Se informa puntualmente del estado de cosas que cada cual tiene a su cargo, normalmente de uno a uno; solicita una opinión técnica a alguno de ellos. Pero acto seguido, el jefe toma la decisión y la ejecuta sin dar mayores explicaciones, asumiendo que todos deben compartir sus ideas y entregarse a ellas con similar pasión.

Aquí también López Obrador desarrolló otra impronta de su estilo político: la de concebir programas novedosos, con impacto popular. Fundó una estación de radio, que transmitía en español y en chontal, que llegó a convertirse en el instrumento de articulación de los pueblos dispersos. Entre otros programas sociales, fundó "los camellones chontales", que eran largos terraplenes ganados a las aguas pantanosas en los que se cultivaban productos de la región. Treinta años después, un colega recuerda que López Obrador los mostraba extasiado a sus visitantes, con la convicción del que jura haber inventando el agua tibia.

A los pocos años se había convertido en un personaje legendario entre los chontales. Lo llamaban *Lesho*, como suelen designar en Tabasco a los de nombre Andrés. Su relación con la gente era muy al estilo de Cárdenas, el Tata Lázaro: conocía a todos por nombre, se interesaba por sus esposas enfermas, sabía de sus hijos. El analista Mauricio Merino, crítico de muchas ideas de Andrés Manuel, reconoce que era conmovedor ver salir a Rocío de la casita amamantando a su hijo, viviendo como otros chontales.

Fue un periodo extrañamente tranquilo y fructífero. La "administración de la abundancia" del régimen de José López Portillo propició un flujo importante de recursos a las zonas indígenas, que el joven funcionario canalizó con ardor e ingenio. Por lo demás, nadie aspiraba a su puesto, ni él deseaba el de otros, lo que le permitió convertirse en una leyenda entre la clase política local, entre otras cosas porque resultaba inofensivo para el resto. O eso creían.

SEGUNDA CAMPAÑA ELECTORAL... AJENA

El político e intelectual Enrique González Pedrero había sido senador por el PRI (1970-1976), pero no era del agrado del presidente José López

Portillo (1976-1982). Al terminar su periodo como legislador se recluyó en la Facultad de Ciencias Políticas de la UNAM, donde llegó a ser director. De allí lo llamó Fernando Solana, secretario de Educación, para que se hiciera cargo de la Comisión Nacional de Libros de Texto Gratuitos (Conaliteg) a fines del sexenio lopezportillista. Para sorpresa de muchos, Miguel de la Madrid le ofreció la gubernatura de Tabasco.

Por su escasa vinculación con los cuadros políticos locales, el nuevo candidato tuvo que recurrir a un equipo integrado para la ocasión. Por un lado, incorporó a intelectuales que habían trabajado con él en la academia y en la SEP, y por otro llamó a unos pocos tabasqueños no demasiado encumbrados. Entre estos últimos estaba López Obrador, a quien se consideró útil para la campaña por su ascendencia en la zona indígena.

Enrique González Pedrero había sido su profesor en la Facultad de Ciencias Políticas de la UNAM cuando el joven de Tepetitán cursó la carrera; como tabasqueños se habían reconocido y se veían muy de vez en vez. El reencuentro fue excitante para López Obrador. El candidato y su esposa, la socióloga cubana Julieta Campos, constituían una pareja singular en el entramado político de la época. Se habían conocido estudiando en París y resultaban más cultos y progresistas que el común de los políticos.

Un colaborador recuerda un discurso de González Pedrero a su pequeño equipo, en que les planteó la necesidad de cambiar la historia regional, retomar los principios de los ideólogos fundadores del nacionalismo en México y amalgamarlos con las necesidades de la modernidad. El equipo de campaña vibraba con estas ideas y se aprestaba para una cruzada de renovación social, política y moral. Nadie lo creyó con más fervor que López Obrador.

En ese ambiente, Julieta Campos quedó fascinada con los relatos del joven político sobre su gestión en la Chontalpa y lo adoptó con entusiasmo. Andrés Manuel aportó al equipo de campaña la relación con las bases, el conocimiento de la región y sus muchos contactos personales. Pronto fue uno de los miembros centrales del equipo de González Pedrero durante la campaña (los otros eran Mauricio Merino, Gustavo Rosario, Lico Buendía, Roberto Salcedo y Chelalo Beltrán). López Obrador era el más radical. Pidió hacerse cargo de la redacción de los documentos de campaña, en los que planteó muchas de las necesidades sociales que había recogido en su experiencia en la Chontalpa.

Algunas de las soluciones que allí se planteaban no eran compartidas por el resto del equipo de campaña. No era fácil, recuerda uno de los miembros del equipo, porque López Obrador era rijoso para discutir, inflexible con sus propuestas y muy poco sensible a las ideas de otros. Asumía que los demás hablaban de oído lo que él había experimentado en carne propia.

EL COMANDANTE: FUNDADOR DEL NUEVO PRI

Tras las elecciones de 1982 y con 30 años de edad, Andrés Manuel pidió y consiguió hacerse cargo de la dirigencia estatal del PRI; creía que podía hacer con el resto de la entidad lo que había hecho con los chontales. Duró poco menos de un año como líder del partido, pero sacudió todo el edificio partidista. O sería más justo decir que lo destruyó y comenzó a construirlo desde abajo.

Buscaba fundar una nueva organización territorial con miles de cuadros arraigados en sus comunidades. Vale la pena detenerse en esta portentosa, aunque algo ingenua maquinaria que puso en movimiento, porque de alguna forma será el modelo que perseguirá casi 30 años más tarde en la organización de su movimiento nacional.

Primero, se trajo a medio centenar de jóvenes para recorrer el estado con el propósito de levantar desde cero los comités seccionales. Diseñaron una estructura de cinco puestos en cada uno de los casi 1 200 comités. Querían formar un ejército de más de 5 000 funcionarios priistas emanados de los barrios y comunidades. Para ello, lograron más de 1 000 asambleas con sus respectivos nombramientos.

Una vez integradas estas células (presidente, tesorero y tres secretarios), se dieron a la tarea de capacitarlos. Organizaron largos seminarios para cada una de las posiciones: cursos sobre la Constitución, historia de México, derechos de las comunidades, principios de administración y finanzas, etcétera.

Una vez construida la maquinaria, cortaron cartucho: cada célula fue encargada de hacer una gran hoja que pegaban en la plaza pública con los datos de las obras indispensables para la comunidad, la fecha de inicio y de ejecución, y el presupuesto. Se trataba de que la propia comunidad fuera responsable de evaluar la tarea de las autoridades: "regresarle el poder a las bases". López Obrador encargó un nuevo himno para el PRI, con consignas brigadistas, pero a ritmo tropical.

Sus seguidores le pusieron el mote de *el Comandante*. El ejercicio provocó un síncope a los presidentes municipales. A los pocos meses, 15 de los 17 municipios pidieron al gobernador la destitución del líder priista y la supresión de la endemoniada revolución que había desatado. No fueron los únicos. El secretario de Gobierno demostró que López Obrador se había convertido en un secretario de Gobierno paralelo, pues por su ascendencia con los indígenas y con los movimientos sociales, el gobernador le solicitaba cada vez con mayor frecuencia que resolviera los conflictos con los grupos contestatarios.

El 15 agosto de 1983 González Pedrero llamó a López Obrador para reconvenirlo, separarlo del puesto y designarlo oficial mayor del gobierno. Sabiendo que no tenía opción, el Comandante acudió a la Oficialía Mayor, aceptó el cargo e inmediatamente presentó su renuncia. En el texto de la misma, y no sin cierta burla, citó frases del presidente Miguel de la Madrid con las que éste convocaba a revolucionar al partido para convertirlo en un verdadero instrumento del pueblo. Unas horas más tarde, salió de la capital para visitar a sus padres en Palenque. Casi simultáneamente renunciaron los cuadros directivos del PRI, cerca de 60 personas. Luego de algunos días decidió tomar distancia, separarse del gobierno de González Pedrero y trasladarse a la Ciudad de México.

EL EXILIO

Fue el primer gran fracaso político en la vida de López Obrador. No sólo se había desplomado un proyecto que lo apasionaba; también había salido derrotada una perspectiva de país. Él formaba parte de la minoría priista que consideraba errónea a la corriente modernizante que encabezaba De la Madrid. López Obrador había creído que el modelo aplicado en Tabasco mostraría la eficacia de las tesis populares y nacionalistas para impulsar el desarrollo de México.

El exilio fue doloroso. El edificio político que había construido a lo largo de 225 días al frente del PRI local fue desmantelado en semanas por los políticos tabasqueños, quienes borraron todo rastro de su paso por el partido. Pasarían 15 años para que reanudara relaciones con González Pedrero. Fue hasta 1999, siendo ya presidente del Partido de la Revolución Democrática (PRD), que López Obrador buscó al exgobernador para ofrecerle una candidatura al Senado por el partido del sol. Sin embargo, nunca dejó de respetar a Julieta Campos, quien lo defendió hasta el último momento. Buena parte del equipo que dejó de laborar en el PRI habría de refugiarse en el DIF, dirigido por la cubana como primera dama del estado. Dieciséis años más tarde, la señora Campos sería secretaria de Turismo en el gobierno de López Obrador en el Distrito Federal.

Al llegar a la Ciudad de México López Obrador se entrevistó con Ignacio Ovalle, quien había sido su jefe en calidad de director del Instituto Nacional Indigenista, y lo respetaba y conocía su trabajo. Ovalle lo recomendó con Clara Jusidman, directora entonces del Instituto Nacional del Consumidor. Unas semanas más tarde ingresó a este organismo y terminó convertido en director de Promoción.

En los siguientes cinco años (1984-1988), mientras concluía el sexenio delamadrista, López Obrador leería mucho, compraría un departamento en Copilco con su sueldo de burócrata, tendría a su segundo hijo, Andrés Manuel, y escribiría dos libros de historia: *Los primeros pasos: Tabasco 1810-1867*, publicado en 1986, y *Del esplendor a la sombra: la República restaurada, Tabasco 1867-1876*, en 1988. En 1987 presentó la tesis *Proceso de formación del Estado nacional en México 1821-1867*, con Paulina Fernández Christlieb como asesora, para recibir su título de la UNAM. Pero más importante aún, como responsable de las campañas de difusión, aprendería importantes lecciones sobre comunicación, mercado y opinión pública. Hizo famosa la *Revista del Consumidor* y lanzó el reconocido estribillo con los números telefónicos del instituto. Fue un exilio provechoso.

EL REGRESO AL EDÉN

En 1988, a medida que se acercaban los comicios para cambio de presidente y de gobernador, algunos priistas tabasqueños comenzaron a peregrinar a las oficinas de Andrés Manuel. Se había corrido la voz del aprecio que el candidato presidencial, Carlos Salinas, tenía por Clara Jusidman, jefa de López Obrador, y asumían que el de Tepetitán influiría en la definición de las candidaturas a municipios y diputaciones en la entidad. Aunque era una apreciación exagerada, la relación de Jusidman alcanzó para que Andrés Manuel fuera invitado a un acto de campaña en Chiapas sobre temas indigenistas.

Las pocas esperanzas que podría haber depositado en Salinas como agente de un cambio priista hacia la izquierda murieron en el acto. López Obrador presentó una ponencia con sus tesis sobre la Chontalpa; minutos más tarde, Salinas planteó justamente lo contrario. El tabasqueño regresó convencido de que lejos de acercarse a sus posiciones, el partido se estaba alejando.

Sin embargo, el peregrinaje de paisanos y su repentino reposicionamiento removieron su interés por la política en Tabasco. Semanas más tarde, cuando Graco Ramírez comenzó a buscarlo para pedirle que renunciara al PRI y aceptara la candidatura por el Frente Democrático Nacional (FDN) para competir por la gubernatura de Tabasco, su negativa fue ambigua. Graco recuerda que el proceso para convencerlo llevó semanas.

El ahora gobernador de Morelos y Andrés Manuel se conocían desde tiempos universitarios, en los que habían frecuentado los mismos círculos en la Ciudad de México (Graco también es originario de Tabasco). Finalmente fue Cuauhtémoc Cárdenas —también desencantado del PRI— quien terminó por cautivarlo. Lázaro Cárdenas era uno de los grandes héroes de López Obrador.

La familia no opinó lo mismo. Su esposa Rocío le hizo ver la locura que significaba regresar al campo de batalla. Por vez primera su compañera se resistía a aceptar una decisión de Andrés Manuel. La familia se había instalado en Copilco, tenían una vida estable, dos hijos y un ingreso fijo; cambiarlo todo por una candidatura condenada a perder era una idea descabellada.

Andrés Manuel aceptó las razones de su mujer y comunicó a Graco su negativa final. Días más tarde, decidió quitarse la presión de encima y alejarse de la ciudad. Quería ir a Cuba a visitar a su amigo Ovalle, embajador de México en la isla, aunque primero hizo escala en Palenque para ver a sus padres. Don Andrés y doña Manuela, más cercanos a la situación de Tabasco, lo convencieron para revertir su decisión.

No debió de ser fácil persuadir a Rocío. Mucho menos volver con Cárdenas para informarle que siempre sí aceptaba la invitación. De hecho, el plazo para el registro de candidatos había vencido. Para fortuna de Andrés Manuel, la ley permitía el cambio de nombre en los casos en que un candidato registrado renunciaba a su candidatura. Graco recuerda que debieron hacerse grandes concesiones al partido de Talamantes para lograr que el Partido del Frente Cardenista de Reconstrucción Nacional (PFCRN) accediera a retirar a su personero.

El regreso del Comandante causó conmoción en Tabasco. Primero, entre sus antiguos colaboradores. Heber Sánchez, quien posteriormente llegaría a ser diputado, afirma que López Obrador le pidió que citara en México a varias docenas de aquellos que habían renunciado a la dirigencia del partido cinco años antes. Acudieron todos, sin saber de qué se trataba. Los más optimistas creyeron que les ofrecería una diputación por el PRI. Andrés Manuel los recibió uno a uno para comentarles su decisión de desafiar al partido y les aseguró que perderían sus empleos y comprometerían sus carreras políticas. Les dijo que no habría posibilidad de vencer al PRI en esta primera batalla, pero que era importante arrancar un movimiento para lograr en el mediano plazo lo que habían comenzado cinco años antes. La mitad rechazó el ofrecimiento. Con la otra mitad arrancó su campaña.

Jesús Falcón, conductor y jefe de logística en la campaña de 1988, lo recuerda como un acto de locura. Emprendieron las giras sin dinero, con un Dodge Volare blanco, bautizado como *el Palomo de Obrador*. El automóvil fue un regalo de Nicolás Mollinedo, del municipio de Teapa, amigo de la familia y padre del famoso Nico, futuro chofer del tabasqueño y protagonista de posteriores escándalos.

Los comicios federales de 1988 habían terminado bajo enormes sospechas de fraude electoral, cuando "se cayó el sistema", y existía una gran efervescencia dentro de la izquierda, no exenta de belicosidad. Todavía no estaba claro si Cárdenas haría movilizaciones en defensa de su presumible triunfo.

Todo ello provocó que la campaña en Tabasco adquiriera un tono desafiante y sumamente ideologizado. López Obrador estaba en su elemento. El arranque de campaña fue en su territorio, en la Chontalpa, y Andrés Manuel fue recibido como un apóstol. El impacto fue inmediato. El candidato del PRI, Salvador Neme Castillo, y el presidente local del partido, Roberto Madrazo, se pusieron nerviosos. El centro del país envió refuerzos y el sistema se cerró sobre los disidentes. El Palomo y su pasajero siguieron recorriendo pueblos con su discurso incendiario, pero al final la estructura tradicional del PRI logró imponerse sin mayores apremios.

En la campaña de 1988 López Obrador comenzó a mostrar un rasgo que nunca más abandonaría: su fascinación por los actos públicos de pueblo en pueblo. Es una actividad que parece resultarle placentera en sí misma. Tanto en esta campaña, como en la de 1994, o la marcha de los 1 000 pueblos en 1999, sus colaboradores se sorprenderían ante la insistencia de su jefe en hacer discursos completos incluso en las plazas de pueblos donde no aparecía un alma. No le afectaba el ánimo ni la energía. "Podía pasarse semanas completas saliendo cada día desde las seis de la mañana para completar tres o cuatro actos en distintos pueblos", afirma *el Gelo*, José Ángel Jerónimo, su chofer y jefe de logística en la campaña de 1994. Al final, al FDN le reconocieron 22% de la votación, según cifras oficiales en esa primera incursión en las urnas.

EL PRD, O LA REFUNDACIÓN DEL PRI————

Durante este periodo su vida familiar entra en equilibrio dentro de la vorágine política. Compra una casa modesta pero en una colonia de clase media o media alta (calle Júpiter 123, fraccionamiento Galaxia), y aquí nace y crece el tercero de sus hijos, Gonzalo (1991). Rocío logra sostener un ambiente hogareño, entre las idas y venidas de Andrés Manuel, aunque siempre complicado por la diferencia entre las edades de sus tres hijos: de diez años el mayor, cinco años el siguiente y un recién nacido. José Ramón, el más grande, es enfermizo, y ella misma comenzará pronto con los primeros síntomas de lupus, que acabará con su vida años más tarde.

Los siete años que median entre 1989 y 1996 serán una etapa de interacción familiar más o menos plena, y la última que gozará el matrimonio López Beltrán. En los siguientes tres años, luego de las elecciones de 1988, López Obrador se dedicó a hacer para el recién fundado PRD lo que había intentado para el PRI seis años antes. En calidad de primer presidente del partido en la entidad, otra vez recorrió los poblados de Tabasco y recordó los nombres de pila de los jefes de cada comunidad. Una vez más, extenuó a sus colaboradores y arruinó varias veces el motor del esforzado Volare modelo 1980. Dedicó la mayor parte de sus esfuerzos a la construcción de los comités de base en todo el territorio, pero descubrió que el resultado era muy diferente cuando se trabaja por afuera del presupuesto. Pocas personas querían integrarse a la estructura del nuevo partido: "Todavía no le sale carne al hueso", solía decir López Obrador sin desanimarse.

Con todo, los resultados fueron notables. Para los comicios intermedios el PRD estaba mejor preparado. Cuando terminaron las elecciones municipales, a fines de 1991, el nuevo partido reclamó el triunfo en varios ayuntamientos, y ante la negativa de las autoridades para reconocerlos, López Obrador organizó las tomas de Cárdenas, Nacajuca y Jalpa de Méndez, entre otros.

Luego tomó una decisión que le cambiaría la vida: emprender el primer éxodo. Recorrieron a pie la distancia hasta la Ciudad de México en 50 días, y en su camino fueron soliviantando zonas de Veracruz y Puebla. Desde entonces el discurso de López Obrador iba dirigido en contra de las medidas neoliberales del gobierno y la manera en que éstas golpean a los pobres y al sector rural. De la denuncia del fraude electoral perpetrado contra unos pueblos de Tabasco, los mítines pasaban muy rápido a convertirse en un cuestionamiento general al gobierno y, por ende, en actos de disidencia.

En Los Pinos no querían que el asunto se convirtiera en tema nacional, así que los disidentes fueron atendidos de inmediato cuando se instalaron en el Zócalo. Primero por Manuel Camacho y Marcelo Ebrard, entonces regente y secretario de Gobierno del Distrito Federal, respectivamente, y luego por Fernando Gutiérrez Barrios, secretario de Gobernación. Este último, luego de amenazar a AMLO infructuosamente, terminó por presionar al gobernador Neme Castillo para que dos municipios, Cárdenas y Nacajuca, fueran otorgados a la oposición.

El éxodo fue un triunfo para López Obrador. No sólo porque otorgó al PRD las primeras victorias electorales en un estado que había sido de "carro completo"; también porque lo proyectó, por vez primera, como un actor político de la escena nacional. Un efecto indirecto de esta negociación fue que precipitó la caída de Neme Castillo a la mitad de su gestión. El grupo encabezado por Roberto Madrazo consideró una concesión excesiva los triunfos otorgados al PRD, y lo destituyeron. Desde ese momento y durante varios lustros, Madrazo se convirtió en el hombre fuerte del priismo local.

1994: López Obrador vs. Madrazo

El duelo político tácitamente estaba pactado para los comicios del 20 de noviembre de 1994 por la gubernatura. Los dos contendientes se prepararon con todo, cada cual afinando sus propias armas. López Obrador hizo lo que mejor sabía hacer: recorrer durante dos años pueblo por pueblo, organizando células locales, dirigiendo mítines, fatigando al comatoso Volare. Madrazo también hizo lo que mejor sabía hacer: amarrar alianzas de alto nivel y conseguir ingentes fondos para la campaña.

Se dieron con todo, de poder a poder. Nunca se sabrá quién ganó cabalmente, pero las autoridades electorales declararon vencedor al priista. La versión de López Obrador está desarrollada en su propio libro: *Entre la historia y la esperanza*, publicado en 1995.

Según la investigación de los entonces consejeros ciudadanos Santiago Creel y José Agustín Ortiz Pinchetti, quienes fueron enviados por el gobierno de Zedillo para indagar lo que había pasado, 78% de las casillas registraron irregularidades. Paradojas de la vida: seis años después, el primero de estos dos "auditores" se convertiría en su rival de campaña por la jefatura del Distrito Federal, y el segundo en su primer secretario de Gobierno.

La reacción de los perredistas fue furibunda. De inmediato organizaron un segundo "exilio" en caravana a la Ciudad de México entre noviembre y diciembre, pero esta vez en *fast track*; utilizando autos y aventones, aunque no obtuvieron nada.

Decidieron regresar a Tabasco para impedir que Madrazo tomara posesión de sus oficinas en enero.

En su libro *El despertar de México*, Julia Preston y Sam Dillon, excorresponsales de *The New York Times* en nuestro país, reconstruyen largamente la tensión creciente entre Zedillo y Madrazo en enero de 1995. El presidente quiere inaugurar su sexenio con una nota democrática y presiona a Madrazo para que renuncie a lo que considera un triunfo desaseado a cambio de la promesa de una secretaría federal (Educación), ello lo hace regresar a Villahermosa a comunicar su renuncia. Pero la élite priista local y una charla con Carlos Hank González lo disuaden y lo convencen de que desafíe al presidente. Para presionar a Madrazo los priistas locales también toman carreteras y protestan contra el Gobierno Federal para evitar una "concertacesión".

El 19 de enero de 1995 la policía tabasqueña y grupos de priistas desalojan a los adversarios de la plaza con violencia desmesurada, y el nuevo gobernador toma posesión de su oficina. Unas semanas más tarde, López Obrador arranca "la caravana por la democracia", primero recorriendo pueblos de Tabasco y luego marchando sobre México, siguiendo la ruta de tres años antes. Todo el verano de 1995 hicieron plantón en el Zócalo. En términos de resultados electorales la marcha fue un fracaso. Regresaron como habían llegado, sin ninguna de las reivindicaciones. La Secretaría de Gobernación prometió una investigación a fondo y fue entonces cuando envió a los consejeros ciudadanos.

Pero para efectos de *marketing* político constituyó un enorme éxito de temporada. En la primera marcha se había protestado por los fraudes electorales de algunos ayuntamientos tabasqueños; en esta segunda el PRD luchaba por su primera gubernatura, y el escenario de fondo era, ni más ni menos, que la primera rebelión de un gobernador priista contra un presidente del país y, por ende, jefe del partido. La cobertura por parte de los medios fue abrumadora y López Obrador se convirtió repentinamente en una figura nacional del partido amarillo.

Más aún cuando en pleno Zócalo, en junio de 1995, en medio de un mitin de López Obrador llegó una camioneta con docenas de cajas con la contabilidad confidencial de la campaña de Madrazo. Era la primera vez que la oposición tenía todos los documentos internos que daban cuenta del financiamiento ilegal en una campaña del PRI. López Obrador entregó la documentación a la PGR para que procediera legalmente al demostrar que el priista había gastado el equivalente a 38.8 millones de dólares, 33 veces el tope de campaña; 135 dólares por cada voto obtenido. La PGR reconoció la legitimidad de la documentación y confirmó los datos. Pero justo en esos días, luego de un pulso de varios meses y en el contexto de la crisis económica, Zedillo decidió no tener más frentes abiertos; viajó a Tabasco, levantó el brazo de Madrazo y afirmó: "Gobernaremos juntos hasta el 2000".

Aunque el asunto se llevó a tribunales y terminó en una controversia entre el gobierno estatal y el federal en la Suprema Corte, políticamente la acusación en contra de Madrazo estaba liquidada.

La última marcha tabasqueña————————

En el proceso de perder una gubernatura, Andrés Manuel ganó la presidencia del PRD y la Jefatura de Gobierno del Distrito Federal. Para finales de 1995 era la estrella ascendente del perredismo nacional. El hijo de Tepetitán estaba listo para los grandes escenarios. Pero antes, todavía escenificó otra caravana tabasqueña.

En los siguientes meses López Obrador conformó un supuesto gobierno paralelo. Otra vez, un ensayo regional de lo que haría con su "gobierno legítimo" en 2006. Dio a conocer programas sociales, fundó la Universidad de la Chontalpa y promovió proyectos de comercialización para los ejidos. Fueron más buenos deseos que otra cosa, pero terminó convirtiéndose en promotor o intermediario de reivindicaciones de los movimientos regionales. El más importante de ellos, el relativo a las afectaciones e indemnizaciones de Pemex en Tabasco.

El pacto ribereño constituía un acuerdo político y económico para asegurar que la explotación de Pemex se convirtiera en fuente de desarrollo para los tabasqueños y no sólo en un factor de desequilibrio ecológico y social. Había muchos motivos para estar preocupados. El monto correspondiente a las afectaciones a los ejidos había sido paupérrimo y la explotación era tan descuidada que muchos kilómetros del territorio estaban contaminados.

Tabasco se había convertido en el mayor productor de petróleo del país, pero muy poca de la actividad pasaba por la economía local. Muchas comunidades exigían una porción del pastel que sus tierras generaban. Pemex ofreció migajas, los líderes pedían una buena tajada y, de ser posible, la cereza del pastel.

López Obrador articuló esa reivindicación, le dio micrófono y proyectores, y para evitar que la ayuda se convirtiese en limosna propuso un proyecto de empresas locales prestadoras de servicios a Pemex, por parte de los ribereños. A principios de 1996, en nombre de 40 000 campesinos afectados, los perredistas tomaron los accesos de más de 500 instalaciones de Pemex (pozos, depósitos, oficinas). No penetraban el perímetro, pero impedían el acceso, con lo cual paralizaban o disminuían la producción petrolera. El tema atrajo la atención nacional e internacional.

Inicialmente, cuando se dieron los primeros bloqueos, la dirección del PRD en México vio con nerviosismo una medida tan radical. Pero cuando las autoridades comenzaron a reprimir y a detener a los manifestantes, y otras oleadas de tabasqueños llegaban a sustituirlos, se dieron cuenta de que el movimiento tenía músculo. En uno de los tantos zafarranchos, López Obrador recibió un macanazo en la cabeza, sin consecuencias pero escandaloso, foto incluida, y el líder comenzó a adquirir ribetes heroicos para una parte de la prensa.

Cuauhtémoc Cárdenas y Porfirio Muñoz Ledo, a la cabeza del comité ejecutivo del PRD, acudieron a Tabasco en solidaridad. La toma de pozos fue apoyada, además, con otra marcha al Zócalo, para impedir que la noticia cayera de las primeras planas de la prensa nacional. Al final, se logró un acuerdo de compromiso, mediante el cual la Federación aumentó las participaciones a Tabasco, mejoró sus programas ecológicos y amplió la derrama económica a los pobladores. Un éxito político total para López Obrador. Estaba listo para convertirse en *el Peje* en la Ciudad de México.

LÍDER DEL PRD 1996-1999

La candidatura para la presidencia del PRD le ofreció a López Obrador la primera oportunidad para recorrer el país. Fue una campaña corta, pero alcanzó a cubrir las principales ciudades y hacer un primer contacto con perredistas de otras latitudes. Él era una celebridad conocida por sus hazañas en el sureste y en el Zócalo, pero le faltaban contactos y seguidores en otros bastiones perredistas.

Sus rivales en campaña eran el senador Heberto Castillo, un veterano de las legendarias luchas del 68, y la diputada Amalia García, quien surgió de las filas comunistas. Ambos procedían de la izquierda histórica, a diferencia del expriista tabasqueño, pero curiosamente el suyo era el planteamiento más radical.

Amalia y Heberto privilegiaron una estrategia moderada en su propuesta de partido, más en el espíritu de la negociación de los conflictos que en el de las manifestaciones en las calles. Ambos también cuestionaron la toma de pozos o lo justificaron como recurso de última instancia. Pero los militantes prefirieron la contundencia de López Obrador y la fama de la cual venía precedido. Zedillo se encontraba en su segundo año de gobierno y el país recién salía de la crisis del 95. Los ánimos de la izquierda no estaban para componendas.

En julio de 1996 Andrés Manuel obtuvo 77% de los votos contra 14% de Heberto Castillo y 9% de Amalia García. Un mes más tarde tomaba posesión. López Obrador se propuso formar un partido-movimiento y sacarlo de las cámaras y antesalas burocráticas en las que, a su juicio, lo había metido la presidencia de Porfirio Muñoz Ledo. Sin embargo, el calendario electoral operó en contra de los deseos del nuevo líder y tuvo que concentrarse en los comicios locales inmediatos y, sobre todo, en las elecciones federales para el Congreso del verano de 1997. Tres años antes el PRD había conseguido apenas 16% de la votación y, por ende, su peso en la Cámara de Diputados había disminuido. La peor de las pesadillas del PRD era el fantasma del bipartidismo. El PRI y el PAN habían aumentado su ventaja, y las elecciones intermedias de 1997 constituían una oportunidad para regresar al buen camino.

Con el ingenio mercadológico que lo caracteriza, López Obrador organizó el programa Brigadas del Sol: una estructura de varios miles de simpatizantes con sueldo de 600 pesos al mes, con el propósito de levantar el voto en 150 de los 300 distritos que tiene el país. Lo consiguieron. En 1997 lograron 125 legisladores y desplazaron al PAN como la segunda fuerza política en el Congreso; mejor aún, Cuauhtémoc Cárdenas ganó las elecciones de la Jefatura de Gobierno del Distrito Federal. En total, el PRD obtendría cuatro gubernaturas durante su periodo: Baja California Sur, Tlaxcala, Zacatecas y el gobierno de la capital.

Sin embargo, el mayor éxito de López Obrador fue sortear el complejo y visceral panorama de grupos y fracciones que conforman al PRD. Tenía a su favor que no pertenecía a ninguno de ellos, porque su trayectoria política había transcurrido en la periferia. También ayudó el hecho de que él mismo careciera de cuadros nacionales. Invitó a su comité a la mayoría de las fracciones (Amalia se convirtió en secretaria de Relaciones Internacionales) y en paralelo desarrolló la estructura de las Brigadas del Sol.

Llegó y se fue de la dirigencia sin necesidad de entregarse en brazos de alguna de las corrientes o tribus. Eso fue su virtud y también su defecto. A principios de 1999, cuando se planteó la sucesión, López Obrador carecía de un delfín o una corriente específica. Como presidente se hizo a un lado y aseguró que al terminar su periodo regresaría a Tabasco a organizar una caravana por los "mil pueblos" para reactivar el movimiento regional.

Para mostrar su desapego del proceso de sucesión, dejó que la burocracia del partido se hiciera cargo de los comicios internos: las fracciones se hicieron pedazos. Compitieron Amalia García, Jesús Ortega, Mario Saucedo e Ifigenia Martínez. Pero hubo tal cantidad de impugnaciones e irregularidades que los comicios tuvieron que ser anulados y celebrarse unos nuevos en octubre. Andrés Manuel rechazó alargar su permanencia en este periodo extraordinario y se retiró en abril de 1999, dejando una dirección provisional. La notable conducción que había realizado no cerró precisamente con un broche de oro.

El receso: Familia y Fobaproa

No está claro si López Obrador necesitaba volver a pueblear, o intuitivamente sabía que la mejor manera de conseguir la candidatura del Distrito Federal era tomar distancia de la disputa entre las fracciones. Lo cierto es que su retiro fue un eufemismo. Se concentró en ello un par de meses, pero ya se había convertido en un protagonista de la vida nacional.

Pasaba tanto tiempo en la capital como en su propio estado. Entre otras cosas, porque la familia, que se había trasladado a la Ciudad de México cuando ganó la presidencia del PRD, ahora era incapaz de seguirlo a Villahermosa. Los hijos eran adolescentes y, sobre todo, la enfermedad de Rocío ya había estallado. Cada vez requería mayor asistencia para cumplir las tareas más sencillas. No fue un periodo fácil para la familia; el padre y esposo no podía alejarse demasiado.

Lo cierto es que los "mil pueblos" no llegaron ni a 200, porque López Obrador tenía más pendientes en la capital de los que quería admitir. Además lo arrebataba una nueva pasión: su rechazo por el Fondo Bancario de Protección al Ahorro (Fobaproa). Se convirtió en aguerrido vocero en los medios de comunicación para repudiar la operación del rescate bancario. En julio de 1999 presentó a la opinión pública un listado con nombres de empresarios beneficiados por los préstamos dolosos que hizo la banca. Durante los siguientes meses se convirtió en el catalizador de las críticas al Fobaproa y en septiembre presentó su libro *Fobaproa, expediente abierto*.

El asalto a la capital

La candidatura al Gobierno del Distrito Federal era el platillo más apetitoso para los jefes de las tribus perredistas. No sólo porque se trataba de la segunda posición con más poder en el país, sino también porque el partido del sol era el favorito para volver a triunfar en 2000. Una vez más, las circunstancias favorecieron a López Obrador. El único candidato que podría haberle hecho mella, Porfirio Muñoz Ledo, prácticamente se había retirado del partido tras disputar y perder ante Cuauhtémoc Cárdenas la candidatura del PRD a la Presidencia del país. En lugar de optar por el Gobierno del Distrito Federal, Muñoz Ledo prefirió buscar otro partido que lo postulara a Los Pinos.

El resto de los contendientes no tenían la estatura política para disputarle la candidatura al tabasqueño. Excepto, claro, por el hecho de que era tabasqueño. Y justamente en eso basaron su campaña los contrincantes Pablo Gómez y Demetrio Sodi. El primero, incluso, lo denunció formalmente en el partido. En estricto sentido, la razón le asistía.

Durante los largos años en Tabasco la familia había puesto en renta el departamento que poseía en Copilco y no lo recuperó hasta después de ganar las elecciones por la presidencia del PRD en julio de 1996. Durante la campaña para conquistar la dirección del partido en ese año, López Obrador se había hospedado en el hotel Marbella, toda vez que la mayor parte del tiempo viajaba por el interior del país. Así pues, la familia apenas tenía poco más de tres años de residir, otra vez, en el Distrito Federal. El reclamo por la falta de residencia durante los cinco años previos al registro era correcto. Pero los alegatos no prosperaron. Con testigos y documentos que databan de las distintas épocas en que López Obrador había vivido en la capital, sorteó la impugnación primero ante las oficinas del PRD y luego, en la elección final, ante las autoridades electorales.

La precampaña apenas duró del 20 de octubre al 14 de noviembre. López Obrador barrió en la elección interna, pero tuvo que negociar con dos corrientes capitalinas: la del Grupo IDEA, de Armando Quintero, y la de la Corriente de Izquierda Democrática, de René Bejarano y Dolores Padierna.

En los siguientes meses compitió contra dos políticos pesados, pero no muy buenos candidatos: Jesús Silva Herzog, por el PRI, y Santiago Creel, por el PAN. El primero ha confesado que aceptó sin gusto esa candidatura y compitió con enfado. Silva Herzog era una figura prestigiada, pero hacía tiempo que se había alejado de las grillas internas del PRI y le atraía muy poco "mojarse" con la logística necesaria para organizar el voto. Su campaña fue débil y desarticulada. Santiago Creel, en cambio, tenía toda la energía necesaria, pero el *look* equivocado. El 2 de julio de 2000 López Obrador lo venció en los distritos populares y llegó a la Jefatura del Distrito Federal.

Tomó posesión el 6 de diciembre de ese mismo año de manos de Rosario Robles, quien ocupaba el cargo luego del retiro de Cuauhtémoc Cárdenas para dedicarse a su fallida candidatura a la presidencia. Nada menos que en el propio discurso de toma de protesta, López Obrador marcó un distanciamiento de Cárdenas y de Robles, al hacer críticas veladas al desempeño financiero del gobierno anterior. En su libro de memorias, *Con todo el corazón*, Rosario Robles se lamenta de lo que califica como ingratitud, pues ella había apoyado abiertamente desde su gobierno la candidatura de Andrés Manuel y había sido una activa gestora para incorporar a organizaciones femeninas en su campaña electoral.

EL PEJE

A partir de ese momento, López Obrador se convirtió en principal figura de oposición y material presidenciable. En parte fue resultado de la importancia de la Jefatura del GDF, pero también derivó de la naturaleza controvertida de algunos programas y acciones de su administración y, desde luego, de su llamativa personalidad.

Desde mediados del sexenio comenzó a encabezar todas las encuestas de preferencia para llegar a Los Pinos en 2006. La popularidad de López Obrador había sido un fenómeno capitalino hasta 2003, pero dos años más tarde había ganado terreno en todo el país.

El vertiginoso ascenso de la figura de Andrés Manuel se debió a varios factores. Primero, al impacto de las acciones de un gobierno febril e hiperactivo, en el marco de la parálisis que caracterizó a la administración de Fox. Supera los límites de este espacio evaluar los beneficios reales —o el fracaso— del rosario de programas que aplicó el gobierno del Peje, pero su sola mención no deja de ser impresionante: el subsidio a los ancianos, las verbenas en el Zócalo, los sorteos del transporte público, las becas de desempleo, la remodelación y activación económica del Centro Histórico, el rescate de Chapultepec y la remodelación del Paseo de la Reforma, el distribuidor vial y los segundos pisos del Periférico, la fundación de la Universidad de la Ciudad de México y las preparatorias populares, el préstamo de libros en el Metro, la ayuda a madres solteras, el programa de créditos para la remodelación y construcción de viviendas.

El resultado de todas estas acciones puede ser objeto de controversia, pero no hay duda de que fueron programas aplicados, con beneficiarios visibles e impactos concretos, a diferencia de muchas de las promesas de Fox, que quedaron en meros buenos deseos. Para propios y extraños resultó incontrovertible que el rostro de la Ciudad de México había cambiado antes de que terminara el sexenio.

Un segundo factor fue la obcecación del entonces presidente Vicente Fox por López Obrador, lo que lo convirtió en su gran rival y, en esa medida, en una figura de tamaño presidencial. A fines de 2007 Fox presentó un libro, *La revolución de la esperanza*, con las memorias de su sexenio, en honor "al pueblo de México". Pero a juzgar por el contenido, la dedicatoria bien podría haber sido algo así como "dedico este libro a toda la humanidad, excepto a López Obrador". Las menciones del tabasqueño son casi tantas como las que hace de la primera dama.

Buena parte de la parálisis del gobierno de Fox residía en la obsesión del presidente por mantener su popularidad. Nunca puso en juego su capital político en aras de alguna causa importante y arriesgada simplemente para no abollar "el cariño del pueblo". Las críticas de Andrés Manuel y el ascenso de su popularidad se los tomó Fox como una afrenta personal. Las encuestas de Los Pinos solían medir regularmente la aprobación de ambos y pocas cosas satisfacían tanto al mandatario como la noticia de que había mejorado su posición con respecto a su rival. Una y otra vez el presidente, contra la opinión de sus asesores, respondía públicamente a las provocaciones del jefe de Gobierno, hasta convertirlo en su gran interlocutor público. Hacia 2004, López Obrador era ya la gran sombra del gobierno panista, en buena parte provocada por ellos mismos. El intento del desafuero hizo el resto.

El desafuero

El 9 de noviembre de 2000 Rosario Robles expropió un predio denominado El Encino con el propósito de construir el acceso a un hospital privado. El dueño objetó la decisión y consiguió detener provisionalmente las obras hasta que los tribunales decidieran en definitiva. El GDF continuó la construcción, pese a la suspensión jurídica, lo cual en 2004 llevó a un juez a solicitar la intervención de la PGR para investigar y detener a los responsables. Lo que podría haber sido un asunto menor, susceptible de resolverse en oficinas de tercer nivel, se convirtió en el tsunami político del sexenio. Primero, porque López Obrador lo hizo suyo y se ocupó personalmente del tema, afirmando que el bien común estaba por encima de los derechos de un particular enriquecido y de sus gestiones tramposas ante los tribunales. Sus adversarios políticos consideraron que la coyuntura era perfecta para deshacerse de la pesadilla por el simple expediente de hacer cumplir la ley. Como en el ajedrez, cinco jugadas obligadas conducían inexorablemente al jaque mate; es decir, a la eliminación de la candidatura del Peje.

Instigada por operadores de Los Pinos, la PGR hizo el examen jurídico y reportó al presidente que el desacato al juez llevaba "en automático" a un juicio de desafuero por razones estrictamente jurídicas. Y una vez desaforado, López Obrador no podría ser candidato presidencial por estar sujeto a un juicio. Fox aprobó la estrategia.

La historia es conocida: el 7 de abril de 2005, el PRI y el PAN votaron unidos en la Cámara de Diputados para desaforar a López Obrador y, en consecuencia, impedirle ejercer sus funciones como jefe de Gobierno; dos semanas más tarde fue consignado penalmente.

En teoría, la estrategia había resultado perfecta. En la práctica fue un fracaso mayúsculo. Una megamarcha cercana al millón de personas en el Zócalo sacudió a la opinión pública al presentarse como el primero de un rosario de actos de protesta. También la opinión pública internacional cuestionó duramente al gobierno de Fox por utilizar una falta menor para deshacerse de su principal rival (algo que no hace una democracia, le dijeron al presidente).

Pero la pieza clave en el descalabro fue la táctica jurídica que siguió López Obrador para asegurarse de ser encarcelado, gracias a posibles actos de desacato y al no pagar su fianza. Las encuestas de opinión revelaron que simpatizantes o no, la mayor parte de los mexicanos consideraron que López Obrador había sido víctima de una maquinación política desproporcionada. Fox había creado a un prototipo de Mandela, o por lo menos así lo supuso el *cuarto de guerra* del Peje. Su popularidad subió como la espuma.

Fox reculó rápidamente. En el libro de Rubén Aguilar (vocero de Fox) sobre el sexenio, que escribiera en coautoría con Jorge Castañeda, refiere que por su conducto el presidente invitó a su pesadilla a reunirse en privado para resolver el conflicto. López Obrador rechazó la invitación. El 27 de abril, apenas 20 días después del desafuero, Fox anunció que cancelaba el proceso y despedía a su procurador, Rafael Macedo de la Concha. Para mayo del 2005 López Obrador era ya el gran favorito en la carrera por la silla presidencial.

EL ESTILO PERSONAL

Una tercera explicación de su ascenso remite a su carácter. A la laboriosidad heredada de doña Manuela, López Obrador adjunta su fuerte personalidad y organización notables. Su equipo no fue mejor o peor que el de cualquier otro gobernador (incluidos personajes como René Bejarano o Gustavo Ponce, quienes serían llevados a tribunales, acusados de delitos de corrupción), pero lo maneja con mano de hierro. Un colaborador durante esta gestión señala: "Es abrupto en el ejercicio del mando y se hace obedecer. Es difícil ser su subordinado porque exige lealtad, disciplina y mucho trabajo". "Te hace saber cuando estás equivocado, pero nunca humilla; no es rencoroso, pero es de buena memoria, que no es lo mismo, pero a veces sabe igual", dice un miembro de su equipo actual. "No es expresivo con sus estados de ánimo ni muestra ira cuando reprende. Le gusta tener personas inteligentes alrededor, pero se asegura de que no compitan con él, que acepten su liderazgo sin vacilación".

Otros coincidirían en rasgos que caracterizan su manera de operar. No trabaja con estructuras paralelas, ni pone a competir a unos contra otros. Por el contrario, evita hablar mal de sus subordinados y no permite que otros critiquen a sus colegas, lo cual inhibe grillas y golpeteos. No es cálido con el personal, pero suele ser justo. Le cuesta correr a alguien que ha fallado. Siempre hay un responsable al que exige cuentas. Incluso en tareas que abarcan varias dependencias, invariablemente deja claro quién es el responsable y a ése le exige.

Opera por igual con hombres y con mujeres, y de hecho sorprendió al país cuando designó a nueve mujeres y sólo seis hombres para integrar su primer gabinete al tomar posesión como jefe de Gobierno. Al margen de esos nombramientos, su equipo de confianza se organizó con docenas de antiguos colaboradores: Octavio Romero, oficial mayor, y Óscar Rosado, tesorero, lo acompañaron desde Tabasco. Raquel Sosa, directora de Desarrollo Social, es amiga cercana desde hace años. Fueron importantes Eduardo Cervantes, responsable de estructura vecinal; Alejandro Ezquerra, secretario particular, y Alberto Pérez, director de Patrimonio Inmobiliario. Sus principales asesores fueron José Zamarripa, Chema Pérez Gay e Ignacio Marván que, entre otras cosas, redactaban sus discursos, aunque él se empecinó en escribir personalmente los más importantes. Rogelio Martínez de la O era el asesor para asuntos económicos y Samuel del Villar para temas jurídicos. Salvo por los fallecimientos de estos últimos, de Zamarripa y Pérez Gay, la mayor parte se ha mantenido cerca del Peje.

Un error de López Obrador, sin embargo, es creer que sus principales cuadros están cargados igual que él, con baterías de litio. Da por hecho que comparten con la misma intensidad su pasión casi mesiánica por el compromiso social y ético, lo cual lo lleva a descuidar los riesgos de malas prácticas y vicios internos.

Una combinación de todos estos rasgos lo llevó a minimizar en su momento el daño que le ocasionaría el escándalo de los videos presentados por el empresario Carlos Ahumada, en marzo de 2004. En ellos René Bejarano, Carlos Imaz y Ramón Sosamontes, colaboradores cercanos del jefe de Gobierno, aparecían recibiendo dinero en efectivo, presuntamente a cambio de acuerdos ilícitos. El desdén y hostilidad que invariablemente mostró López Obrador hacia Ahumada, a quien se negó a recibir cuando éste era contratista, permiten suponer que el líder desconocía tales arreglos. Pero su tibia reacción ante la revelación de los hechos y la crítica furibunda al complot del que estaba siendo víctima cuestionaron duramente la imagen de integridad que hasta entonces lo había caracterizado.

Y con todo, dos años más tarde, en marzo de 2006, López Obrador se había recuperado y lideraba con amplio margen la carrera por la Presidencia de la República.

La gran derrota

A media tarde del 2 de julio de 2006, día de las elecciones, López Obrador recibió una llamada de Bernardo Gómez, vicepresidente de Televisa, para decirle que iba adelante en las *exit-poll* de la empresa y para felicitarlo de manera sutil por el triunfo. Fue lo más cercano que estuvo Andrés Manuel de llegar a ser presidente del país. Aunque en los últimos días las encuestas de previsión de votos se habían cerrado entre los dos punteros, los perredistas se habían dormido en la víspera con la sensación de que aún tenían dos puntos de ventaja sobre Calderón. Las encuestas de salida del día siguiente confirmaban la tendencia… por lo menos hasta las seis de la tarde. López Obrador agradeció la llamada, colgó el teléfono y dio indicaciones sobre quiénes hablarían en el acto que se desarrollaría unas horas más tarde en el hotel "Marquis" para anunciar el triunfo. Pero a partir del cierre de casillas y la consolidación de tendencias, las siguientes horas revelaron que se trataba de una elección cercana al empate técnico. Lo que siguió fue su peor pesadilla.

El resto de la noche transcurrió entre el desencanto y la desconfianza. Desencanto por no poder celebrar el triunfo largamente esperado, y la desconfianza por la sensación de que algo extraño estaba sucediendo. Al caer la noche, el Programa de Resultados Preliminares (PREP) arrojaba una ventaja para Felipe Calderón, que se fue reduciendo paulatinamente, pero nunca desapareció. En la madrugada la delantera se había estacionado en alrededor de 0.5% de los votos.

Los siguientes días los perredistas denunciarían diversas irregularidades. Primero, en el famoso algoritmo que presuntamente se habría implantado en el sistema para que el PREP favoreciera al candidato panista. Posteriormente, en el proceso electoral mismo, dada la enorme cantidad de casillas que arrojaban algún tipo de inconsistencia. Poco a poco las impugnaciones quedaron resumidas en la exigencia a las autoridades de un recuento de voto por voto y casilla por casilla. El Instituto Federal Electoral (IFE) aceptó hacerlo en apenas 3.5% de las 81 000 casillas que reportaron algún tipo de inconsistencia aritmética entre actas entregadas y sumas de voto de cada casilla.

Tres meses después el Tribunal Electoral del Poder Judicial de la Federación (TRIFE) revisó la actuación del IFE y amplió la revisión a un 15% de casillas con algún problema. El tribunal encontró faltas en el desempeño de las autoridades electorales, intervenciones inapropiadas de parte del Ejecutivo, participación ilegal de grupos del sector privado, pero juzgó que todas esas irregularidades eran insuficientes para afectar el resultado de la votación. El 5 de septiembre declaró presidente electo a Felipe Calderón. Las concentraciones en el Zócalo, el plantón en Reforma y la movilización nacional del recuento "voto por voto y casilla por casilla" que Andrés Manuel dirigió durante dos meses habían resultado inútiles.

LAS RAZONES DE LA DERROTA

Cuando se pierde por el 0.56% de los votos, la derrota puede ser encontrada en muchos sitios. Según el TRIFE, Calderón ganó por 233 831 votos de un total de 41 791 322 votos sufragados. López Obrador podría tener razón cuando dice que la victoria le fue arrebatada por la campaña ilegal que se orquestó desde el poder; seguramente perdió cientos de miles, quizá millones de votos, por la guerra sucia que medios y poderes *de facto* orquestaron en su contra. Aunque sus adversarios también podrían tener razón cuando aseguran que si hubiera participado en el primer debate no habría perdido preciosos puntos de la ventaja que sacaba a sus rivales. Andrés Manuel perdió cuando no quiso incorporar parte de la agenda del Partido Socialdemócrata (PSD), otro partido de izquierda, y condujo a Patricia Mercado a lanzarse a una candidatura: el 2.5% que obtuvo el PSD equivale a casi cinco veces la diferencia por la que perdió el PRD.

Pero hay muchos otros factores que habrían incidido en la derrota. Tiene razón José Antonio Crespo cuando asegura que el radicalismo en el discurso de Andrés Manuel, quien descalificaba indiscriminadamente a los grupos empresariales, y el "cállate, chachalaca" dieron pie para que muchos votantes dieran por buena la consigna de "un peligro para México" que le endilgaron sus adversarios. "Habría bastado [con] que Andrés Manuel se hubiera reunido con algunos empresarios", comentó uno de sus asesores. O en palabras de Crespo, "por dar gusto en la plaza a sus votantes duros (una minoría que de cualquier forma no iba a abandonarlo) López Obrador descuidó a sus partidarios moderados" (en su libro *2006: hablan las actas*, la mejor síntesis jurídica electoral de estos comicios).

Sin embargo, el margen de la derrota es tan estrecho que López Obrador está convencido de que le quitaron la presidencia. En la pérdida de diez puntos de ventaja en los meses que van de marzo a julio seguramente están presentes las buenas y las malas razones. Una explicación para todos los gustos. Y, en cierta forma, todas tienen algo de verdad.

EL "PRESIDENTE LEGÍTIMO"

Las duras e intensas reacciones de López Obrador antes y después de la decisión de los tribunales electorales no cambiarían un ápice el resultado oficial, pero fueron decisivas para que su imagen pública adquiriera un tinte mucho más radical en los siguientes años. El plantón en Paseo de la Reforma como vía de presión para exigir el recuento de votos, y que paralizó durante casi tres meses la vida de esa zona de la ciudad, le fue cobrado con amplios réditos por parte de sus adversarios y todos aquellos que buscaban realinearse con el candidato triunfador. Los medios de comunicación mostraron detallada y reiteradamente la molestia de vecinos, oficinistas y comerciantes cuyas actividades fueron afectadas por el plantón. Las instituciones que López Obrador mandaba al diablo aprovechaban la ocasión para fijar la idea en el público de que, en efecto, México se había salvado de un peligro.

Posteriormente López Obrador ha reconocido que la decisión del plantón podría no haber sido adecuada, pero era la menos mala de sus opciones. Por un lado, no quería parecer débil ante propios y extraños frente a lo que consideraba un robo del tamaño de la presidencia. No deseaba ser criticado como Cuauhtémoc Cárdenas en 1988, quien a su juicio renunció muy pronto a luchar y exigir el poder que se le había quitado. Pero, del otro lado, estaba consciente de que la indignación y el coraje de sus seguidores fácilmente podía desbordarse en la violencia, y posteriormente, en la represión. López Obrador tenía que canalizar el ímpetu de los que exigían acciones radicales de una vez por todas. La síntesis de estas tensiones dio pie a la decisión de paralizar Reforma.

La lógica de mantener una estrategia de rechazo radical al gobierno "usurpador", pero sin llegar a la violencia, es lo que da lugar a la ceremonia de "investidura" del presidente legítimo, banda presidencial incluida, el día 20 de noviembre del mismo 2006. Algunos colaboradores han querido ver en esta ceremonia una escenificación meramente simbólica, y no un acto de un gobierno *de facto*. La opinión pública recibió la noticia más bien divertida, gracias a los medios de comunicación que ridiculizaron la noción de un gobierno paralelo haciendo preguntas irónicas como a cuál de los dos gobiernos se pagarían los impuestos, si el presidente "legítimo" tendría ejército o policía y si sería responsable de expedir el pasaporte.

Durante los primeros días López Obrador mismo pareció tomar más o menos en serio lo de su "gestión", al hacer algunas alusiones al gobierno legítimo y errante de Benito Juárez durante la usurpación. La designación de un gabinete formal extendió esta noción equívoca entre los mismos lopezobradoristas durante algunos meses.[1]

Poco a poco Andrés Manuel fue esquivando el tema, sin rechazarlo por completo, y concentrándose en su papel de líder opositor y, sobre todo, en preparar el terreno para lograr la revancha en 2012.

MORENA: EL "ASALTO" A 2012... O A 2018

Lo que comenzó como un largo recorrido por todo el país para explicar y explicarse, pronto empezó a transformarse en el inicio de un proyecto para ascender al poder, desde abajo y sin depender de las "instituciones", partidos incluidos. Para ello, López Obrador delineó a lo largo de 2007 y 2008 una estrategia basada en dos ejes.

El primero y más importante, la formación de una gran base social independiente de los partidos, pero con estructura orgánica y cohesión programática, a lo largo de un árbol cuyas raíces son los comités municipales. Para ello actualizó las ideas ensayadas en el PRI tabasqueño y luego, infructuosamente, en el PRD. Su objetivo era llegar a cinco millones de personas que se denominan "protagonistas del cambio verdadero",

---

[1] El gabinete "de sombra" quedó constituido por: José Agustín Ortiz Pinchetti, Secretaría de Relaciones Políticas; Bernardo Bátiz, Secretaría de Justicia y Seguridad; Octavio Romero Oropeza, Secretaría de la Honestidad y Austeridad Republicana; Mario Alberto di Costanzo Armenta, Secretaría de la Hacienda Pública; Luis Linares, Secretaría de Desarrollo Económico y Ecología; Claudia Sheinbaum, Secretaría de Patrimonio Nacional; Bertha Elena Luján Uranga, Secretaría del Trabajo; Martha Elvia Pérez Bejarano, Secretaría para el Estado de Bienestar; Raquel Sosa Elízaga, Secretaría de Educación, Ciencia y Cultura; Asa Cristina Laurell, Secretaría de Salud; Laura Itzel Castillo Juárez, Asentamientos Humanos y Vivienda.

todos con credencial y datos básicos. En marzo de 2011 los organizadores aseguraban contar con tres de los cinco millones requeridos y afirmaban que en la mayoría de las entidades el movimiento tenía más *credencializados* que el número de personas que milita en los partidos. Un programa sofisticado, llamado Sistema Nacional de Protagonistas del Cambio Verdadero (SINAPCV), permite ver en cualquier teléfono móvil las metas y el avance de la inscripción de esta enorme base de datos, persona por persona, municipio por municipio.

En teoría, cada uno de estos cinco millones tendría que ser capaz de llevar a otras cuatro personas a las urnas, para un total de 20 millones de votantes, lo cual "aseguraría un triunfo contundente en los próximos comicios".

En febrero de 2011, con el pretexto de solicitar licencia del PRD en protesta por el empeño de este partido en buscar alianza con el PAN para las elecciones del Edomex, López Obrador habló por vez primera de Morena. Con frecuencia había hecho alusiones a la organización que se estaba gestando, pero fue apenas en esta coyuntura cuando bautizó públicamente a su nueva creatura.

A lo largo de 2011 se hicieron toda suerte de especulaciones sobre el candidato que tendría que lanzar la izquierda para competir contra el regreso del PRI y la constelación de recursos que había aglutinado Enrique Peña Nieto, gobernador del Estado de México. Muchos apoyaron la precandidatura de Marcelo Ebrard, quien gozaba de la visibilidad que ofreció durante sus seis años como jefe de Gobierno de la Ciudad de México. Se aseguraba que sería una carta mejor vista por sectores medios y por votantes no politizados.

En noviembre de 2011, después de una supuesta consulta a los cuadros del partido, López Obrador derrotó a Ebrard, y asumió la candidatura oficial por parte del PRD. Para nadie fue un misterio que el dilema se había resuelto en una negociación política: Ebrard se retiraba presumiblemente a cambio de conservar para su grupo la Ciudad de México y una promesa vaga para competir por la presidencia en el año 2018.

En muchos sentidos la campaña presidencial para 2012 ofreció varios momentos *déjà vu*, pero también oportunidades de observar a un Peje distinto. Los recorridos por el país y las dinámicas en la plaza de armas de cada pequeña ciudad se parecían a las de seis años antes, pero el contenido de los discursos había bajado varios grados en términos de virulencia. La derrota lo había cambiado, lo había hecho más cauto. Seguía hablando de la mafia en el poder, pero ya no metía a todos los ricos en el mismo saco.

López Obrador hizo lo que pudo para demostrar que él no era un "peligro para México": se guardó mucho de volver a mandar al diablo a las instituciones, y esta vez buscó el diálogo con el sector privado. Hizo público, incluso, que había pedido la asesoría de Alfonso Romo, uno de los empresarios más adinerados de Monterrey. Y esta vez no rehuyó el diálogo con universitarios de instituciones privadas.

Pero la estrategia del tabasqueño para atraer votantes de los sectores medios y del centro político ideológico no fructificó, o al menos no del todo. Las instituciones tampoco olvidaron los agravios de 2006, plantón de Reforma incluido, y sobre todo porque el recuerdo fue continuamente nutrido por el grueso de los medios de comunicación, claramente inclinados a favor del candidato priista, Enrique Peña Nieto.

SEGUNDA DERROTA

Las elecciones del verano de 2012 estuvieron lejos del dramatismo que caracterizaron las de seis años antes. Durante todos los meses previos las encuestas de intención de voto hacían claro favorito al candidato del PRI, a tal grado que se hablaba incluso de un triunfo por más de dos dígitos. Al final, los resultados fueron menos onerosos de lo que se había anticipado. Impulsado por la alianza de PRD, PT y Movimiento Ciudadano (MC), López Obrador quedó en segundo lugar, a seis puntos porcentuales de Enrique Peña Nieto, con 3.5 millones de votos menos; pero también a seis puntos y más de tres millones de votos por encima de la abanderada del PAN, Josefina Vázquez Mota.

Por segunda ocasión había conseguido el segundo sitio en una contienda presidencial. Y aunque en esta ocasión había quedado a mayor distancia, López Obrador consiguió algo que nadie había anticipado: superó por más de un millón los votos conseguidos anteriormente. En 2006 sufragaron por él 14.8 millones de personas, en 2012 lo hicieron 15.9 millones. Eran una mala noticia y una buena. Quedaba claro que López Obrador contaba con un voto duro y leal de casi un tercio de los votantes; pero también quedaba claro que ése no alcanzaba para vencer.

Tras las elecciones, en el otoño de ese 2012, López Obrador se retiró a escribir para exorcizar la derrota, como tantas veces lo hizo en el pasado. A fines de ese año presentó su libro *No decir adiós a la esperanza*. En él ofrece una explicación de lo sucedido. En 2006, afirma, "nos robaron la victoria en las urnas. En 2012 lo hicieron a lo largo de la campaña gracias al financiamiento masivo e ilegal a favor del candidato priista y la compra económica y política de los medios de difusión. Era imposible ganar en una competencia tan desigual". El título de la publicación anticipa, sin decirlo explícitamente, la posibilidad de presentarse seis años más tarde, aunque ahora sí, impulsado por un verdadero movimiento de masas. Unos meses más tarde se retira del PRD para dedicarse de tiempo completo a la maduración de Morena. Tiempo después se escindirá oficialmente del partido amarillo y hará de sus dirigentes rivales personales.

Las elecciones de 2012 fueron las primeras en que las redes sociales y en general la blogosfera desempeñaron un papel significativo. La alta votación obtenida por el tabasqueño, inesperada en más de un sentido, puede ser en parte debida a este nuevo fenómeno. Con mucha distancia, la izquierda fue precursora y más activa en las redes sociales que los sectores oficiales y otras fuerzas políticas, mucho más vinculados a los círculos mediáticos tradicionales. La desconfianza de López Obrador de la televisión y la prensa institucional condujo a que buena parte de sus simpatizantes se volcaran a estas plataformas alternativas.

El portal *El sendero del Peje*, fundado por el periodista Federico Arreola, entonces cercano a AMLO, se convirtió en un vehículo no oficial pero masivo para difundir las posiciones del lopezobradorismo. Posteriormente Arreola se separaría de esta corriente política y refundaría el portal con el nombre de *SDP Noticias*, con una línea editorial favorable al gobierno priista.

¿Quién es López Obrador?

El Peje es un hombre retraído, introvertido. A lo largo de su vida ha hecho pocos amigos entrañables; la política devora toda su energía. Tiene aliados, rivales y subordinados. Tiene aprecios y desprecios. Pero su pasión son las ideas y los proyectos; no parece odiar o amar intensamente a las personas. Excepto a la familia.

En ese sentido ha pasado por muy duras pruebas. Entre 2000 y 2003 perdió a los tres personajes centrales en su biografía: madre, padre y esposa. Doña Manuela el 6 de mayo de 2000, al día siguiente del cierre de campaña en los comicios por la Ciudad de México, un impresionante acto multitudinario que el candidato no pudo celebrar. Don Andrés, cinco meses más tarde, el 7 de diciembre, un día después de la toma de posesión como jefe de Gobierno. Veinticinco meses más tarde, el fallecimiento de Rocío Beltrán, el 12 de enero de 2003, no fue inesperado, pero fue un remate devastador. Rocío fue una mujer muy cercana al tabasqueño y probablemente la única persona a quien escuchaba. "Mi mujer es mi gran apoyo. Es mi paraíso. Con ella he enfrentado siempre los momentos más difíciles de mi vida. Ella me ayuda, me apoya, me critica. Es mi consejera", afirmó en una entrevista de la revista *Proceso*, realizada por Armando Guzmán en julio de 2000. Su esposa era su vínculo con las realidades y el sentido común de la vida cotidiana.

En casi dos años López Obrador se hizo alcalde, huérfano y viudo a cargo de tres hijos. Si ya era retraído, terminó por aislarse de todo lo que no tenía que ver con la política y la atención a sus hijos.

En 2005 se dio a conocer la relación sentimental que entabló con Beatriz Gutiérrez Müller (Ciudad de México, 1969), exreportera desde Puebla de *El Universal* y otros medios, egresada de la carrera de comunicación de la Universidad Iberoamericana de Puebla y de la maestría en letras de la misma institución. Beatriz es hija de Nora Beatriz Müller Bentjerodt —de origen chileno y ascendencia alemana— y de Juan Gutiérrez Canet, administrador de empresas. Gutiérrez había trabajado como reportera del noticiario local poblano *Revista 105*, que conducía Sergio Mastretta, hermano de la escritora Ángeles Mastretta, integrante del grupo *Nexos*, publicación donde la poblana haría algunas colaboraciones. Miembros de esta revista cercanos al jefe de Gobierno la habrían propuesto, con éxito, como directora de Difusión en el equipo de su futuro esposo, y posteriormente trabajaría directamente con él como promotora del libro *Un proyecto alternativo de nación*, en 2004.

Se casaron el 16 de octubre de 2006 y siete meses más tarde, en el Hospital Santa Teresa de la Ciudad de México, un 23 de abril del año 2007, nació el cuarto hijo de Andrés Manuel y primero de Beatriz, lo llamaron Jesús Ernesto. Desde el primer momento ella externó su deseo de mantenerse al margen de la vida pública y política de su marido. Así lo hizo, se concentró en la escritura y en 2012 publicó la novela *Larga vida al sol*, basada en la vida de Francisco I. Madero; años antes había dado a conocer *Viejo siglo nuevo*, su primera novela.

La relación con una pareja 16 años más joven ha llevado a López Obrador a salir un poco del ostracismo en materia de vida social que caracterizaron los breves años de su viudez. Si bien es una persona de ideales, durante la mayor parte de su vida sus lecturas estuvieron centradas en historia política, con poco espacio para cultivar otros temas culturales. Algo de eso cambió gracias a la convivencia con una cónyuge dedicada a la escritura y a los "exilios temporales" que dejaron tras de sí las derrotas. En los siguientes años el tabasqueño comenzó a desgranar el fruto de sus lecturas en sucesivas entrevistas: su pasión por los autores rusos clásicos (Tolstói y Dostoyevski, entre otros), clásicos griegos y letras mexicanas de la primera mitad del siglo xx. Aunque poco dado a frecuentar museos, conciertos, actividades artísticas o incluso el cine, en los últimos años ha sido visible su interés en ampliar su agenda cultural y en establecer relaciones de amistad en círculos artísticos e intelectuales.

Y si bien siempre ha sido un padre y esposo atento a la vida familiar, es cierto que con la edad y una relativa relajación de los años de vorágine política, se advierte una mayor preocupación de Andrés Manuel por participar y estar presente en la vida de sus hijos. "El mayor, José Ramón, es el más serio, más introvertido, muy respetuoso; el segundo es Andrés; es candela pura, me cuestiona, debatimos, es contestatario, muy inteligente; y el chiquito, Gonzalo, es el que más extraña a su papá", confesó en una vieja entrevista. Pero desde que nació Jesús Ernesto, hoy de diez años, el niño se convirtió en el centro de su vida familiar.

En octubre de 2009 Andrés, el hijo intermedio de su primer matrimonio, protagonizó un escándalo mediático cuando fue fotografiado en un mitin en contra del alza de impuestos portando tenis Louis Vuitton, con valor aproximado de 11 000 pesos. Eso, y alguna foto con amigos en un yate, avivaron un debate mediático en contra de López Obrador, por mediación de su hijo. El joven canceló sus cuentas de Twitter y posteriormente se mudó a Cancún.

Sin embargo, la imagen personal de austeridad que proyecta López Obrador ha resistido estos embates. Más allá del énfasis demagógico que ha tenido su publicitada insistencia en no trasladarse en otro vehículo que no sea un modesto Tsuru o equivalente, su frugalidad es auténtica. Quizás excesiva. Un amigo de la familia se ha preguntado si López Obrador no llevó demasiado lejos el tema de la austeridad en su propia casa, incluso durante la enfermedad de Rocío. Contaban desde años anteriores con el apoyo en el servicio doméstico de María del Carmen García, pero la primera esposa del tabasqueño hacía personalmente de chofer de sus hijos, a pesar de la creciente atrofia en sus articulaciones, típica del lupus que padecía. Durante años el pequeño departamento de Copilco resultó insuficiente para las necesidades familiares, hasta que se mudaron a otro un poco más grande, en la misma zona.

Todos sus hermanos han pertenecido al PRD en algún momento de su vida, y tres de ellos han tenido alguna gestión política: José Ramiro, Pepín, hoy de 62 años, fue presidente municipal de Macuspana ("contra la voluntad de Andrés Manuel, que ni siquiera quiso venir a mi toma de posesión"); Arturo, de 59, intentó ser candidato a una diputación federal por Tlaxcala en 2009, pero fue impugnado, lo cual más tarde lo conduciría a abandonar al partido y apoyar al candidato priista perdedor por la gubernatura de Puebla, Javier López Zavala; y Pío, de 57, quien reside en Chiapas y ha sido delegado en oficinas públicas de mediana importancia. Martín, con 52 años, se ha acercado varias veces para intentar hacer vida en torno a su hermano mayor, pero con poco éxito.

En realidad, ninguno de ellos llegó a formar parte del primer círculo de la dirigencia nacional, ni con el PRD ni con Morena. Todo indica que el Peje no vio con buenos ojos que sus familiares se incorporaran a su movimiento e incluso que lo convirtieran en actividad profesional y, esporádicamente, en su fuente de ingresos; la mayoría ha entrado y salido de la política a lo largo de estos años. Pero es evidente que prefirió mantenerlos distanciados de los círculos del poder y de su propia vida pública.

Al pasar los años, Arturo se convirtió en el hermano incómodo. En los primeros meses de 2016 colaboró en la campaña del candidato priista a la gubernatura de Veracruz, Héctor Yunes, en varios *spots* donde utilizaba ostensiblemente sus apellidos. La respuesta de Andrés Manuel fue fulminante: lo acusó de traición y concluyó que él "ya no tenía hermanos", que su familia eran los que participaban en la lucha por sus ideales.

Algunos de sus excompañeros se quejan de una especie de desapego de Andrés Manuel, y los más críticos incluso lo acusan de algo cercano a la deslealtad. No reconoce méritos pasados o éstos pierden peso frente a las exigencias políticas del momento. El caso de Rosario Robles, justificado o no, es ilustrativo del sentir de algunos que han apoyado su trayectoria. Es solidario con su equipo, pero pierde el interés cuando un colaborador deja de serlo. Pareciera que sólo es leal a sus ideales y proyectos.

Fue bautizado y creció católico, aunque en materia religiosa Andrés Manuel es más bien agnóstico o cristiano no practicante, como él dice. Al final de la vida, su madre se hizo protestante cuando vivía en Palenque, y Andrés Manuel llegó a acompañarla en alguna de sus reuniones. Pero en el sepelio de su mujer, en 2003, pidió el oficio de un sacerdote.

Tiene gustos, pero muy pocas aficiones. Fumaba Raleigh, como su padre, pero nunca en público. Tiene debilidad por el pescado fresco, en especial el pejelagarto, un pez de río de su tierra, en honor al cual los periodistas le pusieron el mote de *el Peje*. El beisbol sigue siendo su pasión, aunque cada vez es menos frecuente que se escape los miércoles por la noche a Iztacalco a su "cascarita".

UNA EXQUISITEZ PEQUEÑOBURGUESA

En diciembre de 2013 López Obrador sufrió un infarto agudo al miocardio, días antes había festejado su cumpleaños número 60. Fue intervenido en el Hospital Médica Sur, en la Ciudad de México, y dado de alta cinco días más tarde. Durante los siguientes tres meses debió guardar reposo y seguir una dieta moderada. En su primera entrevista afirmó, en tono de sorna, que hasta entonces había creído que el estrés era "una enfermedad pequeñoburguesa".

El susto lo llevó a guardar una mayor cautela en la programación de sus frenéticas giras durante buena parte del siguiente año. Pero en 2015 ya había regresado a su rutina tradicional de permanecer en la Ciudad de México de lunes a miércoles para actividades familiares y de organización, y dedicar el fin de semana largo a las giras por el territorio: es en sábados y domingos, sobre todo, cuando la gente acude a sus mítines. No obstante, sus colaboradores afirman que López Obrador ya no incurre en los maratónicas actividades que caracterizaban las giras de años anteriores; en ocasiones, con actos en cinco localidades distintas el mismo día.

LA IZQUIERDA, ¿PERO CUÁL IZQUIERDA?

Tras la experiencia de 12 años de gobierno panista y seis de mandato priista, se afirma que ahora es el turno de la izquierda para intentar un gobierno que responda a problemas en los que se ha avanzado poco o nada: pobreza, desigualdad e injusticia, entre otros. Ahora es el tiempo de López Obrador, afirman sus seguidores, el momento de un gobierno de izquierda. Pero no todos coinciden en que él sea precisamente de izquierda o de la izquierda que necesita el país.

En materia de concepción social y política, López Obrador es, sin duda, un progresista, pero su visión del mundo y sus códigos personales siguen estando más cerca de sus antecedentes campiranos que de las agendas de la nueva izquierda urbana. Los temas de género, homosexualidad, atención a discapacidades o incluso ecológicos no forman parte del núcleo de su discurso político, salvo cuando el auditorio de ocasión así lo requiera.

La precandidatura ciudadana por parte de Emilio Álvarez Icaza, como 12 años antes la de Patricia Mercado, es sintomática. Hay una izquierda civilista y democrática que no se siente representada por el líder de Morena y desconfía de sus rasgos populistas. Una tendencia que a juicio del activista y exsecretario ejecutivo de la Comisión Interamericana de Derechos Humanos es poco propicia para la maduración de instituciones democráticas.

El propio López Obrador ha alimentado esta fricción con señalamientos antagónicos a algunas de las propuestas de estos grupos. La más sonada, quizá, fue su afirmación de que la iniciativa 3de3 "era una tomadura de pelo". Se trataba de una solicitud, firmada por 600 000 ciudadanos y finalmente convertida en ley, para obligar a todo servidor público a hacer una declaración pública de patrimonio, de conflictos potenciales de interés y de impuestos. La iniciativa formaba parte de un paquete de medidas en contra de la corrupción, impulsado por grupos críticos de los abusos de la clase política en el poder. Se trataba de segmentos intelectuales y activistas vinculados a diversas ONG pertenecientes a la sociedad civil. Por donde se le viera, representaba grupos exasperados por la corrupción y urgidos de hacer algo al respecto; una oportunidad para que López Obrador intentara hacer puentes y establecer intereses en común. Y en efecto, no desaprovechó la oportunidad, aunque lo hizo para pintar su raya y descalificarlos.

Hace tanto tiempo que López Obrador combate a la defensiva, en contra de algo o de alguien, que pareciera no entender la vida pública de otra manera. Cuando se exhibieron los videos con las corruptelas de Ponce y Bejarano, ni siquiera se planteó una estrategia de evaluación, de contención de daños o de comunicación, afirma en privado uno de sus asesores. Mucho menos de aceptación del error. Respondió como responde un combatiente en el campo de batalla: devolviendo el golpe, contraatacando. Sin plantearse si el enemigo tenía la razón o si las evidencias en contra de su equipo eran ciertas. A López Obrador le bastó creer que tenía la razón moral, que estaba en el bando correcto de la historia; es decir, del lado de los pobres. Lo demás salía sobrando.

La noción del "complot" no es una táctica, sino una convicción destilada por un pasado de activista y opositor que muchas veces lo ha hecho sentirse víctima de las maquinaciones del poder. Desde los policías que intentaron inculparlo del asesinato de su hermano a los 15 años, hasta la resistencia infructuosa en los fraudes electorales y las campañas electorales ilegales convalidadas por los tribunales.

LA REPÚBLICA DEL AMOR

Pero es difícil negar que López Obrador sea un animal político en el mejor de los sentidos. Tras dos experiencias fallidas, sabe que su proyecto de país no tiene posibilidad de llegar a Los Pinos a menos que logre concitar algo más que el voto duro de sus seguidores. Ya desde la campaña de 2012 intentó presentarse como un candidato conciliador, para contradecir a todos aquellos que lo consideraban un peligro para México.

Ha dado varios pasos más en esa dirección. Ahora, incluso, se presenta como el candidato del perdón y la amnistía. Una y otra vez ha hablado de la reconciliación, la fraternidad y la necesidad de unidad. Con motivo de la primera reunión en Washington de Enrique Peña Nieto con Donald Trump como presidente (posteriormente suspendida), el líder de Morena afirmó que eran momentos en que los mexicanos mantuvieran la unión con el presidente del país. Una postura radicalmente distinta de aquella que 12 años antes mandaba al diablo a las instituciones o profería el famoso "cállate, chachalaca" dirigido al entonces presidente Vicente Fox.

Imposible saber cuánto de este giro obedece a una mera estrategia narrativa para ampliar su mercado electoral y cuánto a la evolución de la visión del mundo de nuestro personaje. Pero hay quien ha tomado por bueno este cambio. Algunos empresarios, por ejemplo. En enero de 2017 López Obrador sorprendió a la opinión pública cuando presentó al equipo responsable de preparar su plataforma de campaña presidencial. Un equipo encabezado por Alfonso Romo, el empresario regiomontano, secundado por Esteban Moctezuma, exsecretario de Gobernación con Ernesto Zedillo y actual colaborador de Ricardo Salinas Pliego, cabeza del grupo de TV Azteca. No eran las únicas sorpresas, también se vinculaban a la precampaña Marcos Fastlicht, empresario destacado y filántropo, además de suegro del dueño de Televisa, y Miguel Torruco, consuegro de Carlos Slim.

Esto último llama la atención. En sus dos derrotas anteriores López Obrador se dijo víctima de la manipulación y los ataques de la televisión mexicana, siempre a favor de "la mafia en el poder". Y no es que Marcos Fastlicht y Esteban Moctezuma vayan a dictar en las próximas elecciones el contenido político de Televisa y de TV Azteca (que controlan en la práctica el 100% de la audiencia de la televisión abierta). Pero difícilmente se habrían involucrado en una campaña al lado del líder de la izquierda sin un espaldarazo de los grupos mediáticos con los que están vinculados.

¿UN RAYITO DE ESPERANZA?

Sus virtudes y defectos están a la vista. Ha cometido errores graves: tanto al ignorar el comportamiento delictivo de funcionarios de primer nivel, como su tibieza y tardanza en condenarlos. Fue políticamente incorrecto al ridiculizar la gran marcha ciudadana contra la violencia del 27 de junio de 2004, o al denostar, sin necesidad, a los impulsores de la ley 3de3. Se equivocó, y casi le cuesta la candidatura, al violar un amparo expedido por un juez en relación con el predio El Encino. No fueron muy afortunadas sus frases "Al diablo las instituciones" ni "Cállate, chachalaca"; y menos aún colocarse la banda presidencial "legítima" y designar un gabinete de gobierno alterno, en lo que muchos calificaron como un acto de demencia. Algunos consideran que López Obrador es más un peligro para sí mismo que para México, vista su propensión a autoboicotearse en los momentos críticos.

A pesar de sus defectos —o quizá debido a ellos— para muchos otros constituye efectivamente un rayo de esperanza. Su activismo, el tono contestatario y provocador, su capacidad para realizar e imaginar, la austeridad de la que hace gala y su identificación con los pobres lo convierten en un candidato vigente. Su rabia empata con la de muchos; su hartazgo es el hartazgo de multitudes. Es la vía para el cambio, por una ruta distinta a aquella que ya se intentó. Muchos se espantan y otros se entusiasman. A nadie deja indiferente. Sigue siendo el candidato de izquierda con mayor intención de voto, pero ninguno de los precandidatos inspira tal nivel de reprobación abierta en las encuestas. Y con razón. Quiere llegar para emular a Benito Juárez o a Lázaro Cárdenas, o mejor ni llegar.

No es un intelectual y nunca ha pretendido serlo. Sus lecturas, de historia y política, no buscan expandir la visión de un mundo complejo y ambivalente, sino confirmar las viejas certezas enraizadas en convicciones inamovibles. Son lecturas selectivas de la realidad, encaminadas a documentar una docena de ideas básicas: "el pueblo", la injusticia social, la austeridad, la perversidad de los poderosos, el Estado benefactor, la honradez, el nacionalismo. Ésa es su limitación, ésa es su fuerza. López Obrador no es otra cosa que lo que es. Y lo que es resulta fascinante y terrible a la vez, según quien lo mire.

FUENTES Y BIBLIOGRAFÍA CITADA

La investigación para este texto se realizó en tres impulsos distintos. El primero, en 2004, para la elaboración del libro *Los Suspirantes*, publicado en 2005 para los comicios del siguiente año. El segundo, para documentar los años transcurridos hasta 2011 (febrero) para la elaboración de Los *Suspirantes 2012*. El tercero, a principios de 2017, para la elaboración de *Los Suspirantes 2018*. La redacción se apoya en una extensa investigación hemerográfica y en conversaciones con vecinos de Tepetitán y Villahermosa; y amigos, colaboradores, rivales y familiares de Andrés Manuel López Obrador. Algunos prefirieron que su nombre fuera omitido. No están en ese caso: Graco Ramírez, Ignacio Marván, Pepín López Obrador, Heber Sánchez, Mauricio Merino, Jesús Falcón, José Ángel Jerónimo y José del Carmen Frías Cerino. Todos ellos en 2004. Posteriormente el perfil se ha enriquecido y actualizado gracias a entrevistas con diversos miembros de la clase política y a la copiosa hemerografía que dejan tras de sí los pasos de López. Agradezco la invaluable ayuda del periodista tabasqueño Roberto Barbosa.

Castañeda, Jorge y Aguilar, Rubén, *La Diferencia. Radiografía de un sexenio*, México, Grijalbo Mondadori, 2007.

Crespo, José Antonio, *2006: hablan las actas*, México, Debate, 2008.

Fox, Vicente y Allyn, Robert, *La revolución de la esperanza*, México, Aguilar, 2007.

Preston, Julia, y Dillon, Samuel, *El despertar de México*. Episodios de una búsqueda de la democracia, México, Océano, 2004.

Robles, Rosario, *Con todo el corazón*. Una historia personal desde la izquierda, México, Plaza y Janés, 2005.

Trelles, Alejandro, y Zagal, Héctor, AMLO. *Historia política y personal del jefe de Gobierno del D. F.*, México, Plaza y Janés, 2004.

JORGE ZEPEDA PATTERSON

Es economista por la Universidad de Guadalajara, maestro en Sociología por la Facultad Latino Americana de ciencias sociales (FLACSO) y candidato a doctor en ciencias políticas por la Sorbona. Actualmente es director de *SinEmbargo.mx*. Fue director editorial de *El Universal* y director fundador de *Siglo 21* y *Público* en Guadalajara. Es columnista de *El País* los jueves y de *SinEmbargo.mx* y otros 20 diarios el domingo. En 1999 la Universidad de Columbia le otorgó el premio Maria Moors Cabot. Es autor o coautor de una docena de libros, entre ellos *Los amos de México* y *Los Suspirantes 2012*. Sus novelas han sido traducidas a una decena de idiomas, la más reciente es *Los usurpadores* (Planeta, 2016). *Milena o el fémur más bello del mundo* obtuvo el premio Planeta 2013.

MARGARITA ZAVALA

Soy como cualquiera de ustedes

SANDRA LORENZANO

Leo el desgarrador libro de Javier Sicilia, *El deshabitado*, y me estremezco. En él, al testimonio del dolor y la lucha del padre ante el asesinato de su hijo se suma la crítica implacable a los políticos de nuestro país.

Felipe Calderón lo llama por teléfono:

—Estoy muy consternado, Javier. Me duele mucho lo que ha ocurrido [...].

—Esto es fruto de su política de guerra, presidente. Ni esto ni nada de lo que está sufriendo la nación debió haber sucedido.

No hay político que no sea sacudido por la pluma del poeta. Con una excepción: Margarita Zavala, alguien a quien siente cercana, compasiva, solidaria. Ésa es la imagen que ella transmite para muchos, incluso para un buen número de sus opositores. Sin embargo, como escribe el propio Sicilia: "No se puede cargar con la monstruosidad, los crímenes y los numerosos desaparecidos, asesinados y desplazados de este país que inició su marido, le guste o no le guste. [...] No se puede tener las dos cosas. Si quiere representar a este país, tiene que hacerlo con toda la dignidad, y su marido, que es un afecto, se vuelve un obstáculo para eso. Ella tendrá que decidir entre su vida familiar y su vida política". [1]

---

[1] Javier Sicilia en *La Jornada*: http://www.jornada.unam.mx/2016/11/19/politica/012n-4pol.

59

Recuerdo entonces una escena vista en televisión, en ella Margarita habla con una sonrisa sobre la película *En el nombre del padre*: "Si me preguntas cuál es una de mis películas favoritas, no lo dudo, es *En el nombre del padre*, con Daniel Day Lewis". Así les responde a Leo Zuckerman y Javier Tello. La película, basada en el libro autobiográfico de Gerard Conlon, *Proved Innocent*, cuenta la historia de una injusticia cometida por el sistema británico, más interesado en encontrar un culpable que en descubrir la verdad (¿suena familiar?). Los llamados "cuatro de Guilford" son acusados de cometer un atentado como miembros del Ejército Revolucionario Irlandés y encarcelados. Su inocencia será probada finalmente 30 años después gracias al trabajo excepcional de una abogada representada en el film por Emma Thompson. "Lo que importa de ella es su compromiso con la justicia —cuenta Zavala—. Su papel me recuerda las memorias de la irlandesa Bernadette Devlin, *El precio de mi alma*, que me regaló mi mamá".

La elección como modelos de una abogada y una diputada, fundadora del Partido Socialista Republicano Irlandés, nos da una idea de lo que quiere transmitir de sí misma. Como todo personaje público, Margarita construye cuidadosamente su imagen. Hacer que esa imagen coincida con la realidad no es un reto menor. Lograr que el peso de la memoria reciente del horror no sea un obstáculo, decidir qué caminos tomar para ello, cuáles evitar o directamente esquivar o negar, marca su quehacer cotidiano.

¿Y USTED DE QUÉ PARTIDO ES?

La primera imagen que elijo es una que me permite definirme como mexicana; una anécdota especial que tiene que ver con la política, porque en realidad yo al país lo conocí a través de la política, a través de las ganas de hacer algo por México. Es 1984, estoy en un campamento de Guías —esa asociación similar a los *scouts*, que también fundó Baden Powell, pero para niñas— y escucho una plática extraordinaria de un hombre que fue presentado como un "político de oposición", pero sin que especificaran de qué partido. Yo ya había ido a reuniones del PAN y me entusiasmaba su propuesta. Mi primer curso lo había tomado en mayo y esto fue en agosto. Cuando terminó de hablar yo pensé: "Ojalá sea panista, porque si no, reviso mi decisión". Entonces me presenté, con un poquito de riesgo, y le dije: "Oiga, y usted ¿de qué partido es?". Y me contestó: "De Acción Nacional", fuerte y duro como era él. Ese hombre era Carlos Castillo Peraza, que llegó a hablar con todas nosotras sin ínfulas de poder de ningún tipo. Finalmente había sido candidato de oposición; no representaba al poder, sino a la idea misma de nación. Ahí caí en la cuenta de que había decidido bien, muy bien.

Así es Margarita: un animal político. Ésa es su primera señal de identidad. Y la refuerza una y otra vez eligiendo siempre para compartir los comentarios, las anécdotas, las imágenes que tienen que ver con eso: con el país, con el compromiso, con un proyecto de gobierno.

Vuelvo a la idea de la construcción del personaje público. Escritores, pensadores, gente del espectáculo y, por supuesto, políticos, construyen su imagen. No hablo en términos del trabajo de las agencias de publicidad o de los medios y sus opinadores, sino de aquello que quieren transmitir a los demás. La destacada crítica literaria Sylvia Molloy habla de la "escena de lectura" como imagen fundacional construida por los escritores: el escritor se presenta a sí mismo con un libro en la mano, en circunstancias específicas (en la biblioteca del abuelo, como Sor Juana; junto a la madre trabajadora, en el caso de Sarmiento, por citar sólo dos ejemplos paradigmáticos) como momento inicial de lo que será su vida. En un caso como el de Margarita, yo hablaría de la "escena militante" como base de la construcción de su ser político.

Esta escena se inaugura —en la narrativa que construye sobre sí misma— dentro del mundo de la resistencia y la oposición que fue durante décadas Acción Nacional. Ese mundo representa para ella la "idea misma de nación", y es en este sentido que la historia del abuelo se convierte en "divisa" familiar, en santo y seña en el cual los pares se reconocen. Cuenta Margarita que la máxima autoridad moral de Diego Homobono Zavala

era el general Juan Andreu Almazán, principal opositor al candidato oficial, el general Manuel Ávila Camacho, en la elección presidencial de 1940; era tanta su popularidad que el régimen organizó uno de los fraudes más escandalosos y sangrientos para mantenerse en el poder; de hecho, mi abuelo lo apoyó en su campaña electoral. Toda su familia era almazanista, opositora por convicción [...]. Pasó un tiempo en la cárcel y en casa de mi mamá está colgada la orden de arresto. Siempre me pareció una heroica advertencia para todos: el amor a la Patria puede significar pérdida de la libertad y no sólo de la vida (*Mi historia*, pp. 12-13).

En la construcción de esa imagen, el amor a la patria aparece como sello de identidad de la oposición. Cuando le pido que elija algún momento de su vida que sea especialmente significativo, no lo duda y, junto con la escena adolescente de Castillo Peraza, recuerda el año 1986, la lucha por las elecciones en Chihuahua y una manifestación en Los Pinos. Quien la guía es una mujer, Blanca Magrassi, militante histórica del partido, y esposa de Luis H. Álvarez. Ambos personajes, cercanos a la familia Zavala Gómez del Campo, serán clave en la formación y el compromiso político de Margarita.

Cuando llegamos y cruzamos la puerta de Los Pinos, sí sentí que algo estaba pasando, que yo iba a ser testigo de muchas cosas. Sí fue una sensación muy importante de la validez y utilidad de mi lucha por la democracia. Al mismo tiempo sabía que nos estábamos presentando a lo desconocido, iba a aparecer el Estado Mayor Presidencial porque era un gobierno muy autoritario. Pero fui con mucho valor, aceptando el miedo, que es algo que también te acompaña. Te diría que ese día pasé, para decirlo de algún modo, de la teoría a la práctica, fue un momento fundamental en el que decidí no volver a "soltar" al país nunca [entrevista personal].

En la charla, su relato autobiográfico sigue con 1988. "Una imagen importantísima para mí es en el Zócalo, cantando el Himno, agarrados de la mano, volteando a ver al Palacio Nacional. Y mira, ahí estaba cerca Felipe, estaba cerca mi mamá, por ahí estaba Mónica, mi hermana, por ahí estaban mis hermanos. O sea, desperdigados... pero juntos" (entrevista personal).

Estas dos últimas imágenes pueden ser leídas como el origen de su propio camino a la presidencia: en ese momento el Partido Acción Nacional es uno de los actores principales en la transición a la democracia. Allí está Margarita: en Los Pinos primero, y luego en el Zócalo, frente a

Palacio Nacional, recibiendo con el Himno la llegada de Carlos Salinas de Gortari a la presidencia.

En la cuidadosa construcción que hace de su imagen pública, se presenta como una mujer en quien la militancia política, así como la preocupación y amor por México, definen todo lo demás: la familia, la pareja, la profesión, el compromiso. Son frecuentes los comentarios de quienes la han entrevistado en el sentido de que difícilmente se mueve de ese espacio hacia otro más personal o íntimo. Frente a una cultura aún forjada en la misoginia y el machismo que reclama a la mujer muestras permanentes de su femineidad apelando a lo doméstico y familiar, el movimiento de Zavala es un gesto importante. Ella, como otras políticas visibles en el espectro nacional —pienso en Patricia Mercado, en Beatriz Paredes, en Cecilia Soto o en Rosario Ibarra de Piedra, por nombrar sólo a algunas—, busca escapar de los estereotipos de género. Y en este sentido, el no hablar de cómo eligen su ropa o de qué cuento les contaban a sus hijos antes de dormir es un gesto político. Frente a la idea de que "lo personal es político" del primer feminismo, las políticas actuales reivindican la de "lo político es personal".

Por eso el relato de sus comienzos refuerza de manera permanente la "escena militante". Me interesa subrayar la importancia del concepto de *militante* frente al de *política*. Pareciera ser otra de las características de estas mujeres que han accedido a la esfera pública no como funcionarias o servidoras públicas, sino desde la base del activismo. Si bien en el caso de Margarita esta militancia se enmarca sólidamente en el campo de Acción Nacional —a diferencia de Patricia Mercado, por ejemplo, cuya independencia con respecto a un partido es notoria—, en momentos de relación difícil con el PAN, como los actuales, ella reivindica su independencia y su pertenencia a las bases.

En charla con la periodista Katia D'Artigues dijo claramente que, en caso de no contar con el apoyo de su partido, podría lanzarse como candidata independiente a la presidencia. Con esta declaración hace dos movimientos, cada uno de los cuales se dirige a un interlocutor diferente: el primer interlocutor, evidentemente, es la propia dirigencia de Acción Nacional, a la cual le muestra que su proyecto político no depende del apoyo del partido. Sobre todo si el partido sigue generando desconfianza en la sociedad. Y es ésta, la sociedad mexicana, hacia quien se dirige su segundo movimiento. "La desconfianza que lastima a la democracia", dice Zavala. ¿Qué ha pasado? ¿De dónde surge esa desconfianza? Los dirigentes se han desprestigiado, se han alejado de los ciudadanos, y han perdido, entre otras cosas, la capacidad para marcar las diferencias de Acción Nacional con respecto a los otros partidos. A todo este desprestigio no es ajena la corrupción, reconoce. Ninguna mujer es una extensión de su marido —tal como le respondió en algún momento a López Obrador— ni, en su caso, del partido. Y esto implica también querer diferenciarse de los políticos actuales: ella se presenta como honesta, comprometida con el país, con fe en las leyes y en el Estado de derecho.

Las declaraciones de Margarita Zavala buscan mostrarla como una *rara avis* dentro del panorama político nacional, ajena a las acusaciones de corrupción que cubren al PAN. Comenta con Katia D'Artigues en el programa *Katia 360*: "La transparencia ayuda a cambiar las cosas, pero no evita la corrupción. Hay gente transparentemente corrupta". Frente a esta realidad, sus declaraciones parecen decir: "Soy como cualquiera de ustedes: estoy harta de la deshonestidad, de la falta de sensibilidad hacia los verdaderos problemas de la sociedad, de la corrupción". "Soy como cualquiera de ustedes", una más: una mujer de clase media preocupada por la realidad de nuestro país. Ése es el mensaje que ella quiere hacerle llegar al electorado. Aunque es difícil que la mexicana o el mexicano medio considere como una "igual" a quien ha sido primera dama, diputada, esposa de exsecretario de Estado [...].

SOY COMO USTEDES

¿De dónde viene Margarita Zavala? ¿Qué orígenes rescata en esta construcción de la "escena militante" que la diferencie de los políticos tradicionales? En noviembre de 2016 apareció el libro *Margarita. Una historia*. Ahí están las respuestas a estas preguntas. "Considero que los protagonistas de la vida pública debemos mostrar quiénes somos, más aún si pretendemos ejercer alguna suerte de liderazgo o actividad política que implique representar a otros". ¿Quién es ella? Las raíces llegan hasta sus bisabuelos. Se distancia así desde el comienzo, de los políticos que presumen de "abolengo" virreinal o incluso porfiriano, y fortalece la imagen moderna resumida en la frase "Soy como ustedes".

Los abuelos maternos son Enrique Gómez del Campo y Mercedes Martínez. El abuelo creció entre San Luis Potosí y Saltillo, y murió poco antes de que los padres de Margarita se casaran. A ella, a la abuela *Tata*, es a quien Margarita recuerda mejor: "Era una persona impositiva; le gustaba —como dice mi mamá— que camináramos por el mismo senderito". (*Mi historia*, p. 17).

Por su parte, los Zavala eran originarios de Yucatán. El abuelo Diego "se casó con Ester Pérez, una normalista nacida en Parras, Coahuila, que era hija adoptiva de un médico […] e hijastra de una ciudadana alemana" (*Mi historia*, p. 13). El segundo nombre de Margarita es Ester también. "La verdad, no me gustaba nada, pero no me bautizaron así por mi abuela: resulta que todos mis tíos tenían una hija Ester. Yo conservaba la Biblia con la que hice la primera comunión y un día, harta de que me quejara de mi nombre, mi mamá me pidió que leyera el libro de Ester…" (*Mi historia*, p. 13). Descubrirse como "heredera" de la princesa judía que salvó a su pueblo, marcó a la pequeña Margarita. "A partir de esa lectura me reconcilié con mi nombre."

La vocación por el derecho es también parte de su herencia: "Quería ser abogada, como mis papás: me gustaba escucharlos hablar de derecho. Mi mamá en la Libre [la Escuela Libre de Derecho] y mi papá en la UNAM; se conocieron en una reunión de líderes estudiantiles" (*Mi historia*, p. 25).

Diego Zavala Pérez y Mercedes Gómez del Campo tuvieron siete hijos. Diego, que es el mayor, le lleva ocho años a Mónica, la menor. Entre ellos "estamos Pablo, Mercedes, Juan Ignacio, Rafael y yo (Margarita nació en la Ciudad de México el 25 de julio de 1967). Juan es un año y dos meses mayor que yo, y Rafael un año 10 meses menor; vamos seguiditos" (*Mi historia*, p. 26).

Cuando Mónica cumplió dos años, la madre volvió a dar clases al Colegio Asunción; el mismo en que da clases Margarita y donde estudiaron sus hijos (María, nacida en 1997, Luis Felipe, en 1999, y Juan Pablo, en 2003).

"Como soy la quinta de siete, pues aprendí a usar… a reciclar ropa, digamos en términos modernos; aprendí a convivir; a ejercer la solidaridad también (un poco de manera obligada), y también a encontrar ahí mis fortalezas. Muy querida por mis padres, por los dos. Entonces sé lo mucho que puede dar una familia" (entrevista personal).

Una casa alegre, llena de gente, hermanos, amigos de ellos y de los padres, perros, risas, juegos. Eso es lo que cuenta Margarita de su infancia. En esa "novela de formación" (*bildungsroman*) la vida familiar es tranquila y feliz.

"Mis papás han vivido prácticamente toda su vida en la misma casa, en la colonia Del Valle. Nunca necesité llave de la reja verde que da a la calle porque me encantaba saltármela; lo hacía hasta cuando algún galán me llevaba. No me gustaba avisar que había llegado, me daba una sensación de autonomía" (*Mi historia*, p. 27).

La realidad a veces puede tener reglas un poco rígidas que chocan con ese deseo de autonomía. Como cuando la madre hacía que don Everardo, el peluquero, les cortara el pelo igual de cortito a los siete. Y no importaba que Mónica y ella suplicaran que se los dejara crecer. "Así es más práctico", contestaba.

Una vez por semana doña Mercedes subía a los siete hijos al coche y los llevaba al entrenamiento de futbol americano. Margarita es, desde entonces, una fanática de este deporte. Aunque en el México de los años setenta, con su rígido establecimiento de roles, las niñas no jugaban; eran porristas. "Yo detestaba la porra, en las películas en Super 8 que grababa mi papá se nota a leguas: la cámara me atrapó mil veces viendo el juego mientras Mercedes y las otras bailaban" (*Mi historia*, p. 33). La política le permitirá de algún modo cumplir su deseo: "Quiero ser la *quarterback* de México", confiesa a Adela Micha en una entrevista.

Sin duda uno de los temas fundamentales de la identidad familiar es la religión. La familia materna tiene raíces cristeras; la del padre es un poco más laica. "Por suerte, mis papás nos introdujeron al catolicismo como una religión muy amable. Nada persecutoria ni limitativa" (*Mi historia*, p. 38). En el seno de la familia se celebraban todas las festividades religiosas, se leía la Biblia, se discutían las lecturas.

"Creo que Dios nos puso en este mundo maravilloso para que fuéramos felices y disfrutáramos de la vida. La felicidad no procede de ser rico, ni siquiera del éxito en la propia carrera, ni de concederse uno todos los gustos […] el camino verdadero para conseguir la felicidad pasa por hacer felices a los demás."

Las monjas del Colegio Asunción son conocidas por su compromiso social que cumplen en asilos, hospitales y zonas indígenas. Lo aprendido en casa es reforzado por el colegio y por los lineamientos de las Guías

("Intenten dejar este mundo un poco mejor de como lo encontraron y, cuando les llegue la hora de morir, podrán morir felices sintiendo que de ningún modo habrán perdido su tiempo, sino que habrán hecho todo lo posible", escribió Baden Powell en el que se considera su "testamento *scout*"). Así va moldeándose la religiosidad de Margarita.

Esta religiosidad tiene su primer choque fuerte con la realidad a raíz de la explosión de San Juanico, en noviembre de 1984. La ineficiencia, la corrupción, la pobreza, el dolor y un gobierno ausente son las coordenadas. Quizá, piensa entonces Margarita, ser voluntario no sea suficiente. Ya había ido a su primera convención del PAN. "Mi mamá había militado en el partido y me llevó…" (*Mi historia*, p. 37), ya había tenido lugar la escena del discurso de Castillo Peraza… Empieza a pensar que el camino puede tener más que ver con la política que con acciones individuales o de pequeños grupos que no cambian las cosas de raíz.

"Si quieres mi opinión —le dijo el padre Rafael Checa, un carmelita libanés cercano a la familia—, tienes que escoger entre la política o la vida religiosa, pero de lo que no tienes duda es en la vocación de servicio, que es claramente lo que más te llama la atención. Si eliges la primera, eso no descarta que lleves una vida de oración" (*Mi historia*, p. 43).

Así, Margarita crece entre retiros y misas, pero sin olvidar las necesidades del prójimo. Cuando le pregunto quiénes son sus interlocutores, a quiénes lee o a quiénes busca para hablar cuando tiene dudas o problemas que resolver, responde rápidamente: "Dios".

¿Cuál es el dios de Margarita? La pregunta es para Rafael Estrada, un hombre cercano a ella por tradición —es nieto de Miguel Estrada Iturbide, uno de los fundadores del PAN—, pero también por elección; son buenos amigos. La respuesta de Estrada, el prestigioso abogado, exdirector del Instituto Nacional de Ciencias Penales, tiene más que ver con la Iglesia que con la religión en sentido estricto.

Margarita lee a Pedro Casaldáliga, eso quiere decir que la teología de la liberación y la opción preferencial por los pobres no le son ajenas. He platicado con ella sobre la Compañía de Jesús. Quisiera ver la excelencia jesuítica en las universidades de la Compañía, y sabe que la mayoría de los jesuitas no está con ella. Hace tiempo tuvo un diálogo con el padre David Fernández, hoy rector de la Universidad Iberoamericana, a propósito de Pasta de Conchos. Al gobierno le preocupaban las demandas de los familiares, no quería entrar a la mina por los cuerpos, algo técnicamente muy complicado. Margarita recibió muy bien a David Fernández en ese momento, pero la política del gobierno ya estaba decidida. Me parece que ella tiene posiciones más cercanas a las de la Compañía que a las del Opus Dei, y desde luego que a las de la Legión de Cristo. Pero tampoco creo que vaya a sacrificar mucho el discurso político de estabilidad constitucional en aras de la teología de la liberación o del cambio revolucionario de estructuras.

¿Entonces, qué parte de la Iglesia la apoya? ¿Ninguna?

La incomodidad de la Iglesia católica viene básicamente por dos actitudes que podrían considerarse casi antagónicas: por un lado, sus posturas más abiertas que las de la jerarquía eclesiástica con respecto a temas complejos, por ejemplo, la adopción de niños por parejas del mismo sexo.

Margarita está a favor, como bien se lo dice a Katia D'Artigues en entrevista, "de que se atienda al interés del niño, no del adulto, sea éste heterosexual o no". "¿Entonces, si hay una pareja homosexual que quiere adoptar no habría problema?", la cuestiona Katia. "La Corte ya lo resolvió —responde—; lo importante es la felicidad del niño o de la niña."

Ése es el tipo de cosas que no le perdonan. Con respecto al aborto, y a pesar de que Margarita tiene una posición conservadora, sobre la que hablaré más adelante, la extrema derecha la considera poco firme. "De Margarita mejor ni me hables —suelen decir—. Antes estamos con López Obrador." "Como si con la criminalización y la persecución de la mujer se fuera a conseguir algo", opina Estrada.

Pero la Iglesia tampoco le perdona su cercanía con los más conservadores y retrógrados grupos evangélicos. Como el encabezado por la activista y ex diputada federal Rosi Orozco y su marido, comprometidos en la lucha contra la trata de personas, ambos de la Casa sobre la Roca, quienes fueron muy cercanos a Felipe Calderón. Alejandro Lucas Orozco Rubio dirigió el Instituto Nacional de las Personas Adultas Mayores, donde se sabe que realizaba ceremonias religiosas y de adoctrinamiento, y otras actividades contrarias al Estado laico establecido en la Constitución.

Hoy son cercanos al gobernador del Estado de México, el priista Eruviel Ávila Villegas.

El afán por sumar votos y dinero puede ser muy peligroso. Los grupos evangélicos, como tantos otros, apoyan, pero cobran la factura. ¿Está dispuesta Margarita a pagarla?

Para Sabina Berman: "Los panistas tienen mal el mapa. Esos grupos no ofrecen la cantidad de votos que ellos imaginan".

Así que resulta demasiado abierta para la jerarquía eclesiástica. Y al mismo tiempo demasiado conservadora en sus vínculos políticos.

" ... LO QUE PASA ES QUE GANAMOS ... "

Margarita se entusiasma cuando habla del papa Francisco: "La opción preferencial por los pobres era algo que se platicaba en mi casa. El tema de misiones y servicio social; la posibilidad de convivir con otras religiones también; el ver natural un papa que fue a la celebración de los 500 años de la Iglesia luterana en Suecia, y verlo con orgullo; ver un papa que pide perdón a la comunidad judía y verlo con orgullo". En sus posiciones se adivina un cierto ecumenismo y la cercanía con la Doctrina Social de la Iglesia.

Sin embargo —me dice uno de sus colaboradores más cercanos—, para ella "Ratzinger es Ratzinger". No olvidemos que Benedicto XVI visitó México en marzo de 2013 y fue recibido por el presidente y su familia. Tampoco olvidemos la política interna del Vaticano que lleva a que algunos, como el secretario de Benedicto XVI, Georg Gänswein, hablen de dos Papas que actúan de manera simultánea: "Uno activo y otro contemplativo".

En términos ideológicos, a Zavala no le es ajeno el "humanismo político" de uno de los fundadores de Acción Nacional, Efraín González Luna, quien, por cierto, tradujo largos fragmentos del *Ulises* de Joyce, así como a Claudel.

El propio Gómez Morín contaba que le había dicho a su entrañable amigo: "Escribe tú los fundamentos del partido, Efraín; tú que tienes buena pluma, a mí eso nomás no se me da". Y solía repetirles a los nietos de González Luna: "Su abuelo era un asceta. A pocos he visto yo vivir con tal austeridad".

69

El resultado fue un partido que juntaba en sus orígenes la postura modernizadora y secular de Gómez Morín, por un lado, y la corriente social-católica —cuyo liderazgo fue recayendo en la figura de Efraín González Luna— por el otro.[2]

Aunque este último nunca se sumó a la rebelión cristera "porque estaba en contra del uso de la violencia", sí fue miembro de la Acción Católica de la Juventud Mexicana (ACJM). Era un intelectual que consideraba que la salvación del alma podía darse a través de la búsqueda del bien común. Su oposición a las políticas liberales de la Constitución Mexicana era desde el lugar de un humanismo bastante progresista que lo acerca a las posturas del Movimiento Demócrata Cristiano internacional. Afín a la tradición neotomista del concepto de Persona, fue un lector convencido de la obra de Jacques Maritain. Incluso el título de su doctrina, "Humanismo Político", hace referencia directa al título de la doctrina de Jaques Maritain: "Humanismo Integral".

En esta línea, y hablando de los inicios del partido, escribe Margarita: "El PAN luchaba por el Estado de derecho, la justicia, las leyes; era un partido de ciudadanos, muchos de ellos abogados extraordinarios que dieron batallas parlamentarias en ese sentido. Eso me inspiró profundamente, de ahí que hiciera mi tesis sobre la Comisión Nacional de Derechos Humanos" (*Mi historia*, p. 81).

¿Queda algo de este panismo "humanista" en el partido actual? ¿Busca Margarita Zavala volver a esos fundamentos? El discurso de la honestidad y del respeto a las leyes y al Estado de derecho que enarbola, abreva en esas fuentes. Sin embargo, poco de esto pudimos ver en los gobiernos encabezados por Acción Nacional. Ni Fox ni Calderón son ejemplo de la puesta en acto de este marco teórico-ideológico. Y para el común de los mexicanos la herencia de los gobiernos anteriores ensombrece el discurso de Margarita. Una herencia de la que ella aún no logra desmarcarse de manera convincente.

Hay quienes señalan que la verdadera esencia del PAN se vuelve impura o se desvirtúa cuando el partido llega al poder. En la entrevista, y después de escuchar el relato de sus inicios en la militancia, le comento: "Entonces te forjaste en la oposición", y me contesta riendo: "Sí…, lo que pasa es que ganamos".

---

[2] Ver "El humanismo político de Efraín González Luna": http://www.scielo.org.mx/scielo.php?script=sci_arttext&pid=S018516162010000200010.

Luis H. Álvarez, personaje fundamental en la formación política de Margarita, lo intuyó: "Nunca nos derrotó la derrota, que no nos derrote ahora la victoria".

No es raro escuchar a los panistas decir, por ejemplo, que Fox no era realmente parte del partido. La propia Margarita, quien venía de una historia de militancia, y que dedica largos párrafos de su libro a la compleja relación con el matrimonio Fox-Sahagún, lo dice sin ambages: "Como es sabido, lo peor en el equipo de transición era ser panista: la militancia no representaba ninguna ventaja. Me metí en ese grupo a puro codazo; cuando voltearon, estaba presente en el área social con mi bandera de mujer, lista para llevar los asuntos de género a todas las discusiones. [...] Me colaba a las juntas de manera cínica, me valía que me excluyeran" (*Mi historia*, pp. 104-105).

Dentro del equipo de Fox, la relación más difícil para Margarita fue la que sostuvo con Marta Sahagún. Desde la campaña que la entonces primera dama hizo contra la postulación de Felipe Calderón como candidato a la presidencia. "Marta expresó que si no era Creel, prefería que ganara el candidato de otro partido" (*Mi historia*, p. 126), hasta cuestiones domésticas como la entrega de la casa de Los Pinos, pasando por asuntos tan espinosos como el de los Bibriesca y sus muy poco claros negocios.

"Marta también me buscó cuando Fox, en uno de sus deslices, comparó a las mujeres con 'lavadoras de dos patas' durante una gira por Sinaloa. En la cámara había empezado a promoverse un exhorto para que el presidente se disculpara. Marta le habló a Pancho Barrio para que votáramos en contra; yo, por supuesto, me negué. 'Que los hombres voten como quieran, nosotras no vamos a votar en contra', le dije" (*Mi historia*, p. 123).

ESA RELACIÓN ———————————————————
"SÍ QUE SE RASPÓ..."

Margarita tenía 16 años cuando se incorporó al PAN siguiendo los pasos de su madre, la cual había entrado en 1949 con el apoyo de Salvador Nava Martínez. Los abuelos no estaban de acuerdo con la decisión de esa extraña hija que prefería la política a la vida en sociedad, pero el tío Salvador los convenció de que respetaran la opción de su sobrina favorita.

"Por eso mi mamá se puso muy contenta con mi decisión de convertirme en militante y me mandó precisamente con Salvador Nava…" (*Mi historia*, p. 55). La conversación que sostuvo con él sobre los valores en la política, en el servicio público, sobre el sacrificio que implicaba ser de la oposición, fue fundamental en el trazado de su camino político. Ella suele señalarlo como un momento clave. Al igual que el interés que sintió más o menos en la misma época por Lech Walesa y el movimiento Solidaridad, y que considera como uno de los motivos que la llevaron a decidirse por el derecho cuando tuvo que elegir carrera.

Otro momento clave en su vocación política es 1985. Los sucesos que se dieron en Sinaloa y en Nuevo León, a raíz de las elecciones en que Manuel J. Clouthier y Fernando Canales Clariond, respectivamente, contendían por el PAN, más el temblor que sacudió a la Ciudad de México y puso de pie a la sociedad civil por encima del Gobierno Federal, tienen en el imaginario de Margarita Zavala la función de preparar al país para el inicio de la transición a la democracia.

> Fue un año turbulento: hubo elecciones en Chihuahua, y allá también Luis H. Álvarez, Francisco Villarreal y Víctor Manuel Oropeza, asesinado en julio de 1991, hicieron una huelga de hambre y se declararon en resistencia civil. Mi vocación política se reforzó en las acciones frente al fraude de 1986 en Chihuahua; no me dejaron ir para allá —mi papá, porque mi mamá claro que me hubiera dejado ir—. Desde entonces nunca volví a preguntar si iba o no a una campaña… (*Mi historia*, p. 58).

Siendo todavía estudiante de la Escuela Libre de Derecho, empezó a trabajar en el despacho de Miguel Estrada Sámano, un dirigente de Acción Nacional, cuyo padre, Miguel Estrada Iturbide, había sido de los fundadores del partido. En 1990 se recibió con una tesis sobre la Comisión Nacional de Derechos Humanos, dándole cauce así a lo que serían sus intereses políticos fundamentales.

Tiempo después decide dejar el ejercicio privado del derecho para dedicarse totalmente al trabajo en el partido. "Allí fungió como directora jurídica del CEN y como secretaria de Participación Política de la Mujer […]. En 1994 fue diputada plurinominal en la Asamblea de Representantes del DF. El encargo era por tres años y en su última etapa coincidió con que su marido fue presidente nacional del partido".[3]

Como diputada federal plurinominal presentó siete iniciativas de ley, cuatro de ellas en materia de protección a grupos vulnerables, relacionadas con la discriminación laboral contra las mujeres, la protección de los derechos de los niños, los adolescentes y las personas con discapacidad, y sobre conductas discriminatorias en el ámbito educativo. Fue subcoordinadora de la comisión de política social y consejera en el Instituto Nacional de las Mujeres.

La causa de Zavala es, como lo ha sido en otros momentos la del PAN, una causa moral. "Sin embargo, en los últimos tiempos la autoridad moral del PAN, que fue en los años de la travesía del desierto su principal capital político, se ha visto minada por escándalos de corrupción que han involucrado a dirigentes y legisladores."[4]

Los "viejos panistas" —no hablo de edad, sino de los que se sienten herederos de los fundadores— extrañan un partido cuya divisa era la honestidad. Se lo escucho decir a Rafael Estrada Michel, a Irma Pía González Luna y, por supuesto, se lo escucho decir a Margarita Zavala. Para ellos la gran crisis de Acción Nacional tiene que ver con la corrupción que se ha instalado en su interior, "como en todos los otros partidos". "Hemos dejado de ser un referente de ética y honestidad", piensan. ¿Cuántos son? Tal vez la minoría dentro del partido, por lo menos dentro de su dirigencia. "Nuestros dirigentes —agrega Margarita— han dejado de marcar claramente las diferencias con los otros partidos. Se han alejado de los ciudadanos y dejaron de ser una oposición clara."

¿Existió alguna vez ese partido que ellos añoran? ¿Cómo era esa "oposición leal" de la que habla Soledad Loaeza y que tan funcional le resultaba al sistema? Habría que adentrarse en las entrañas de la historia de Acción Nacional para saberlo. Habría que volver a leer los documentos fundacionales de Efraín González Luna y Manuel Gómez Morín.

---

[3] Sara Sefchovich, "Margarita Zavala: la primera dama que no usaba maquillaje", en *Gatopardo*, 2008.
[4] Soledad Loaeza, "PAN: la unidad imposible", en *Milenio*.
http://www.milenio.com/tribunamilenio/nuevas_dirigencias—_—mas_de_lo_mismo/nuevas_dirigencias_partidos—Ricardo_Anaya—Manlio_Fabio_Beltrones—PRI—PAN_13_574872512.html?print=1

Zavala basa su estrategia en volver a los orígenes. Pero hay quienes sostienen que en esos orígenes la honestidad se combinaba con la inclinación hacia posturas filonazis o filofascistas. No hay que olvidar que la figura de Luis H. Álvarez comparte partido con El Yunque.

Así lo demuestra Rafael Barajas Durán, El Fisgón, en su libro *La raíz nazi del PAN*, a partir de investigaciones en archivos, en textos y testimonios de la época. Ahí, el autor analiza las relaciones de los fundadores del partido con la ultraderecha católica mexicana y sus vínculos con Charles Maurras, creador de la derechista Action Française que inspira ideológicamente al PAN. En este importante estudio realizado por El Fisgón salen a la luz, entre otras cosas, los vínculos de Acción Nacional con el nazismo, con el fascismo, con los sectores más retrógrados de la Iglesia, así como su anticomunismo y su oposición a la política de asilo cardenista.

> La derecha mexicana nunca ha practicado la autocrítica; niega y esconde sus horrores y errores. Ha hecho lo imposible por enterrar las pruebas de su pasado nazi, pero conserva su esencia dogmática y autoritaria. Mientras no se haga una revisión profunda y una autocrítica sincera, no podemos esperar nada mejor de esta derecha que el fanatismo, el atraso, la hipocresía y la crueldad. Esta autocrítica debería comenzar por una revisión de su pasado nazi.[5]

Para los panistas de viejo cuño este señalamiento no es compatible con los procesos democráticos que desde el primer momento permearon en Acción Nacional. Escribe Estrada Michel: "El PAN no nació conformista. Mucho menos fascista o antisemita, como se ha alegado últimamente.[6] Basta con mirar casi de reojo sus documentos fundacionales para postular aserto semejante con toda decisión".[7] La derecha tenía su partido corporativo y fascista, que era el sinarquismo. Mucho más fuerte que el

---

[5] Rafael Barajas, "La raíz nazi del PAN", en *La Jornada Semanal*
http://www.jornada.unam.mx/2013/06/09/sem-rafael.html
[6] Enrique Krauze, "Claroscuros del PAN", *Letras Libres*, núm. 161, México, mayo de 2012, p. 15. Para el autor, el vínculo con la filofascista Acción Francesa es el "pecado de origen" del PAN.
[7] Rafael Estrada Michel, "Cambio democrático de estructuras simuladas", copia mimeografiada.

PAN en ese momento, dicen. Evidentemente había algunos panistas que coqueteaban con el fascismo, pero no puede sostenerse que sean los únicos cimientos ideológicos, ni siquiera los más fuertes. Sin embargo, para Enrique Krauze, un intelectual apreciado por los panistas:

> En sus comienzos, el PAN fue un partido esquizofrénico, simpatizante del fascismo e impulsor de la democracia. […] Hoy vive la crisis más profunda de su historia. Para colmo, el más viejo fantasma ronda ahora sus pasillos en algunos estados del centro y el occidente: el fantasma del fascismo. El Yunque —me consta, por haber escuchado alguna vez, de viva voz, su basura antisemita— no es un grupo espectral, es una fuerza activa. El mejor PAN —el de Gómez Morín, Luis H. Álvarez, Juan José Hinojosa, Carlos Castillo Peraza y tantos militantes decentes— debe retomar la frase que tanto gustaba a Gómez Morín: debe refundarse desde los orígenes mismos, no los fascistas, los democráticos.[8]

¿Implica la postulación de Margarita un regreso a aquellos comienzos? ¿Cómo se conjugan con el pragmatismo político, o con las historias recientes de represión y violencia?

"Nos sumamos o la vemos pasar"

Mucha agua ha corrido bajo el puente desde las épocas en que Aquiles Elorduy hablaba de "los peligros que para la virtud de nuestras mujeres puede entrañar una participación activa en la política militante". A pesar de esta postura fundacional, el PAN tuvo desde sus orígenes una sección femenina porque, como lo planteó una militante, "el país es la patria también de las mujeres y hasta ahora ha caminado sin el concurso de nosotras, pero ya no podemos ver pasar a nuestro lado sin inmutarnos los acontecimientos políticos que a todos y a todas nos afectan".[9]

---

[8] Enrique Krauze, "PAN: el alma por el poder":
http://www.enriquekrauze.com.mx/joomla/index.php/ensayo/86-ensayo-critica-politica/777-pan-el-alma-por-el-poder.html
[9] Sara Sefchovich, *op. cit.*

El tema de género es una de las banderas de Margarita. En este sentido, el punto de inflexión en su vida lo constituye Pekín:

> [...] especialmente en términos de políticas públicas, en términos de desarrollo. Pekín fue como hacerle caer en la cuenta al mundo de que el desarrollo pasaba por la otra mitad. Que si no, no iba a haber desarrollo. Y se planteó de manera muy inteligente: a través de acciones. Por supuesto, subidos en los hombros de muchas mujeres; hay mucha historia atrás, muchos intentos. También fue una manera de decir "esto que va a favor de las mujeres en realidad está siendo a favor de mujeres y hombres" Eso es lo que hizo Beijing: hacernos caer en la cuenta. Lo hizo en muchos que después íbamos a tomar decisiones (entrevista personal).

A Margarita le gusta contar la anécdota que le permitió asistir a la Cuarta Conferencia Mundial de Naciones Unidas sobre la Mujer. Estamos en el año 1995 y Acción Nacional, a través de Promoción Política de la Mujer, convoca a un concurso de ensayo que ofrece a las finalistas el premio de un viaje a Pekín. Zavala, quien ya es diputada local, participa y obtiene el segundo lugar. Patricia Espinosa, futura titular del Instituto Nacional de las Mujeres, obtuvo el primero.

A partir de Pekín cobra conciencia del impacto social que producen las políticas públicas de género y por primera vez las piensa en los ámbitos económico y de desarrollo. "Mirar el mundo a través de los ojos de las mujeres", una de las consignas de la Conferencia, le permitió ir más allá de las cuestiones de equidad en el ámbito jurídico. Combatir el rezago de las mujeres fue un punto nodal de la Plataforma de Acción nacida en la Conferencia, de ahí que una de las primeras propuestas que Margarita encabeza en México tenga que ver con obtener información, así como con desagregar y analizar datos para poder diseñar las políticas pertinentes. Salud, educación, economía, violencia, fueron los primeros temas que la ocuparon.

"El desarrollo de las mujeres en México es evidente, incluso en términos de progreso económico, a partir de que aparecieron como beneficiarias de los programas sociales y no sólo asistenciales; creo que ha sido el gran punto de inflexión de las políticas públicas. Y cuando forman parte del proceso de desarrollo, las mujeres se empoderan" (*Mi historia*, p. 94).

En México, 20 años antes, en 1975, se habían abierto las puertas de estos debates cuando nuestro país fue la sede de la primera Conferencia Mundial de la Mujer.

Sin embargo, la llamada "igualdad *de facto*" no garantiza la verdadera paridad en términos políticos. Aún hoy, "el mundo de la política está escrito en masculino". Una sociedad patriarcal y machista como la mexicana exige a las mujeres una lucha permanente por espacios que trasciende las posturas partidarias. Quienes están en el campo político saben que —como bien lo dice Margarita— "la que logra un avance lo hace para todas las mujeres".

Imposible, en este sentido, no recordar a las pioneras.

> Apenas en 1953 se promulgó el decreto en el que se anunciaba que las mujeres tendrían derecho a votar y ser votadas para puestos de elección popular. 66 años antes, en 1887, la revista Violetas del Anáhuac, dirigida por Laureana Wright, planteó por primera vez la demanda del sufragio femenino. Después sería Hermila Galindo, en el primer Congreso Feminista en Yucatán, quien impulsó esta demanda en su discurso inaugural. A partir de entonces, mujeres decididas han dado la lucha para conseguir la paridad en la política, una condición indispensable para lograr una sociedad más democrática y la igualdad de género en muchos otros ámbitos.

Entre ellas destacan:

> En 1954, Aurora Jiménez Palacios, primera diputada federal; en 1964, María Lavalle Urbina y Alicia Arellano Tapia, primeras senadoras; en 1979, Griselda Álvarez se convierte en la primera gobernadora de una entidad, Colima; en 1982 y en 1988, Rosario Ibarra de Piedra es la primera candidata a la Presidencia de la República por el Partido Revolucionario de los Trabajadores; en 1989 es electa la primera senadora de oposición, Ifigenia Martínez, por el Frente Democrático Nacional.[10]

Margarita Zavala se siente sin duda continuadora de estas luchas. En su caso, esta herencia le llega a través de tres mujeres panistas a las que men-

---

[10] "Nos dicen bienvenidas, pero nos cierran las puertas", *op. cit.*

ciona de manera permanente: Blanca Magrassi, María Elena Álvarez y, por supuesto, su madre.

A partir de Beijing se incorporó definitivamente el tema de género a la plataforma política del PAN, un partido reconocidamente misógino, según la propia Margarita. Por supuesto, también pasó a formar parte de su trabajo como abogada. Esto la ha llevado a lograr acuerdos con mujeres de distintos partidos y posiciones ideológicas. "Mexicanas con visiones muy plurales. En algunos de estos casos había posiciones ideológicas que nos dividían, pero estaba clarísimo qué era lo que nos unía" (*Mi historia,* p.96). Entre las que menciona se encuentran Cecilia Loría, Beatriz Paredes, Marta Lamas, Patricia Mercado, Ángeles Corte y Paz Fernández Cueto.

> Como una vez nos dijo Tere Porcile, teóloga uruguaya, ahí viene la marcha de las mujeres: o nos sumamos o la vemos pasar, y podemos sumarnos dando codazos y patadas, pero también caminando, dialogando, acordando. Y eso hice. Todos los temas de mujeres los trabajé siempre con mujeres de distintos partidos políticos, con diferencias de ideas, de conceptos y hasta de derechos, pero dialogando y logramos muchas cosas para México y para las mujeres (*Mi historia*, p. 97).

En el PAN se hace cargo de la Secretaría de Promoción Política de la Mujer entre 1999 y 2004, con la interrupción del año en que vivió con su familia en Boston. Uno de los logros fundamentales de ese periodo fue la Ley del Instituto Nacional de las Mujeres, en la que trabajó con María Elena Chapa, Beatriz Paredes y Amalia García, entre otras diputadas. La postura de Zavala con respecto al Instituto estaba más vinculada a Pekín y a la idea de una oficina que dependiera directamente del titular del Ejecutivo; pero tanto el PRI como el PRD preferían un instituto. La izquierda reclamaba para sí el nombramiento de quien lo encabezara "porque tenía una larga historia de lucha, lo cual, hay que decirlo, es cierto, aunque pienso que la lucha es de las mujeres mismas, independientemente de su pensamiento o ideología" (*Mi historia*, p. 107). Después de mucho cabildeo, Vicente Fox nombró a la panista Patricia Espinosa al frente de Inmujeres, mientras Cecilia Loría, que era la propuesta del PRI, quedó al frente de Indesol.

En éste como en otros temas medulares, Zavala se presenta como alguien capaz de dialogar, de escuchar, de tejer redes, nada impositiva. El ecumenismo llevado también a las negociaciones políticas. *Conciliación y negociación* son dos palabras clave en su actuación, tal como lo comentan quienes han trabajado cerca de ella, incluso desde posiciones ideológicas diferentes.

Mucho del trabajo de Margarita en términos de género se dio dentro del PAN, desde Promoción Política de la Mujer. Ahí armó un programa que se llamó "Prepararse para ganar", que buscaba preparar candidatas con buena formación y compromiso. El resultado fue que en la legislatura de 2002 Acción Nacional fue el partido con mayor proporción de mujeres. Mujeres preparadas para legislar, no de las que van a "hacerle la chamba" a los diputados hombres.

En esa legislatura participó en las comisiones de Defensa Nacional, Justicia y Derechos Humanos, y Trabajo y Previsión Social, trabajando muy de cerca con los secretarios Josefina Vázquez Mota (Desarrollo Social) y con Julio Frenk (Salud Pública).

"La lucha es de las mujeres mismas, independientemente de su pensamiento o ideología" (*Mi historia*, p. 107), dice Margarita, resumiendo sus años de trabajo sobre la agenda de género.

¿QUÉ OPINAN LAS FEMINISTAS SOBRE ELLA?

En el artículo "Margarita Zavala, la primera dama que no usaba maquillaje", Sara Sefchovich señala que el equilibrio que puede percibirse en ella, incluso en sus épocas de primera dama, un cargo complejo, como bien lo muestra la académica de la UNAM en su libro *La suerte de la consorte*, proviene de dos fuentes: "de su experiencia personal en la política y de su manera de vivir la religión". Desde ese lugar, y guiada por el compromiso, "ha luchado por los derechos de las mujeres, no sólo para la apertura de espacios políticos sino también en lo que se refiere a terminar con la violencia, por la igualdad de salarios, la no discriminación, la educación y la salud. […]". Sin embargo, hay dos aspectos que son el corazón mismo del feminismo y en los que Zavala ha sido profundamente conservadora: en sus discursos sobre la familia y sobre los derechos sexuales y reproductivos.

En estos dos temas, insiste Sefchovich, parece pensar que sus valores personales, basados en la religión, son válidos para toda la sociedad, sin ser demasiado consciente de la diversidad.

En este sentido, ha mostrado tener una combinación contradictoria de pensamiento y discurso modernos en ciertos ámbitos y conservadores en otros. Esto último es el caso de sus opiniones sobre temas que le desagradan, como el aborto.

En su posición como primera dama, y puesto que sus palabras tienen especial significación, lo que ha expresado respecto a cuestiones como la familia, los valores y la educación, hace daño a los esfuerzos y triunfos conseguidos de muchos grupos organizados de la sociedad civil que insisten en los deberes del Estado y del Gobierno, en los derechos de los ciudadanos, en el reconocimiento de la diversidad en todos sus ámbitos, y en la necesidad de un país laico y respetuoso para todos los modos de pensar, actuar y vivir.

En torno al debate sobre el aborto, vale la pena recordar la polémica que sostuvo con Marta Lamas en 2001, en la revista *Arcana*, dirigida por Alberto Begné Guerra, y cuyo eje fueron las siguientes preguntas planteadas por la revista: *¿Puede hablarse de políticas de equidad entre los géneros sin abordar los temas de la reproducción?, ¿hay o no un espacio, un puñado de temas para generar un consenso de políticas públicas a favor de las mujeres?*

Así lo cuenta la propia Margarita: "Nadie que supiera lo mínimo de mujeres ignoraba quién era Marta Lamas. Si bien me parecía radical, no era cualquier radical: se trata de una mujer brillante, por eso me propuse hablar de lo que, según yo, nos unía. Comencé afirmando que había muchas cosas en las que ambas coincidíamos y Marta me paró en seco: 'No, perdón, pero no coincidimos en nada'" (*Mi historia*, p. 109).

Mientras Margarita se centró en la inequidad en el ámbito laboral y educativo, Marta lo hizo en los derechos sexuales y reproductivos como la frontera que separa "las convicciones de la gran mayoría de las feministas, de las de la gran mayoría de los y las panistas". Si bien es cierto que son fundamentales las leyes y las políticas públicas, no lo es menos que estas se dictan desde una concepción determinada, y es ahí —señala Lamas— donde las diferencias se vuelven relevantes.

Imposible llegar a acuerdos. Margarita lamenta que al volver obsesivamente al tema del aborto se cancele la posibilidad de hablar de temas medulares para las mujeres.

¿Más medular que la libertad y la autonomía del cuerpo?" —me dice Marta Lamas, 16 años después al preguntarle sobre esa polémica—. Cuando me invitaron a la revista no la conocía. Yo insistí todo el tiempo no en algo menor sino en algo fundamental. Los derechos sexuales y reproductivos se refieren a la posibilidad de la libertad en términos de la sexualidad, de los afectos, del erotismo, de la posibilidad de la autonomía corporal. Ella todo el tiempo insistió en encontrar los puntos de coincidencia y yo la frenaba porque me parece que sí puedo coincidir en que hay desigualdad salarial, en que hay que cerrar la brecha, y puedo coincidir en que qué horror la violencia, etcétera, pero dentro de las varias cosas que nos definen políticamente como derecha o izquierda, una fundamental en el feminismo, son los derechos sexuales y reproductivos. El tema no es sólo el aborto: es toda una posición ante la vida. Pienso que Margarita es una buena persona, es una mujer decente, es muy agradable en términos personales, pero —y aunque reconozco que es de lo más progresista dentro del PAN— no me gustan sus posiciones.

Lo que suele preocupar sobre estas historias, no sólo a las feministas, no son sus creencias personales, sino cómo repercutirían en el diseño de políticas públicas; eso es lo que interesa realmente a los ciudadanos. En qué medida está en juego la pervivencia de nuestro Estado laico o su debilitamiento. Decía Carlos Monsiváis que la sociedad mexicana es más moderna, abierta y tolerante que sus gobernantes. Y aunque esta afirmación resulta cada vez más dudosa, a la vista de nuestra realidad, muchos seguimos apostando a que realmente la ciudadanía sea una contención ante los movimientos más retrógrados que muchos pretenden realizar desde el poder.

¿DECIDIR ENTRE LA VIDA FAMILIAR Y LA VIDA POLÍTICA?

Hillary y Bill Clinton, Cristina y Néstor Kirchner… "son pocos, pero son", como dijera el poeta: hay matrimonios en los que ambos miembros tienen importantes carreras políticas y aspiran llegar a la presidencia. Comencé estas páginas diciendo que Margarita es un animal político. En realidad tendría que decir que la pareja Zavala-Calderón es una pareja política. En ese ámbito se conocieron siendo jóvenes, en ese ámbito han crecido, se han apoyado, han construido un proyecto. La complicidad que los une después de largos años de convivencia se percibe apenas se los ve juntos; han pasado por las buenas y por las malas. Han fundado una familia. Han enfrentado acusaciones y gobernado el país. Tienen admiradores y detractores. Juntos. Siempre. Pero vamos por partes.

La joven Zavala, esa chica que es "como nosotros", tiene 17 años cuando conoce a Felipe. Había ido con sus padres a una convención del PAN. "De pronto felicitaron por el micrófono al muchacho que había ganado el concurso de oratoria: se llamaba Felipe Calderón, se levantó y le aplaudieron. Estaba sentado atrás de nosotros, mis papás se levantaron a felicitarlo. No pertenecía al grupo de Pablo Emilio Madero ni de cerca, pero se me quedó grabado su nombre" (*Mi historia*, p. 65).

"Y aquí viene lo cursi", dice Margarita: llegan las primeras flores, el noviazgo, los versos de Rubén Darío. Se casaron siete años después "incluido un intervalo de un año y medio en el que terminamos la relación porque él estaba insoportable". El escenario es siempre la política y la camaradería que los une en ella. "Sólo alguien como Felipe podía entender que agarrara mis chivas y me largara con los de Acción Juvenil a hacer campaña."

Él era el más prometedor de los jóvenes panistas. "El más joven. En su biografía la frase parece un apellido más de Felipe Calderón: a menudo lo será. El más joven de su familia y el más joven presidente del PAN (en 1996 a los 33 años), así como en 2006 el más joven de entre los candidatos a la Presidencia de México (a los 42 años). El precoz, le ha llamado más de un cronista".[11]

Desde el comienzo ella deja claro que no es ni será "Susanita la de *Mafalda*". Cada uno seguirá su carrera política, y en ella se acompañarán y aconsejarán. En la boda le piden al sacerdote que les lea las Bienaventuranzas. "El Sermón de la Montaña es, para mí, el discurso más político de la Biblia; trata, para decirlo fácil, de miles de personas escuchando un programa social en lo alto de una montaña. Me encanta" (*Mi historia*, p. 68).

---

[11] (Sabina Berman, "Felipe Calderón, las tribulaciones de la fe", en *Letras Libres*: http://www.letraslibres.com/mexico-espana/felipe-calderon-las-tribulaciones-la-fe?page=0%2C2.

El primer aniversario de bodas lo celebraron en el arranque de la campaña de Diego Fernández de Ceballos. Felipe dio el discurso inaugural. "Fue un gran discurso, para mí era como un regalo de aniversario de bodas" (*Mi historia*, p. 68).

El trabajo político también le permitió a Margarita desde el comienzo de su matrimonio buscar una cierta independencia personal; esa autonomía que tanto defendía en la adolescencia.

Esto es clave en términos individuales y como pareja, ya que en un partido tan tradicional como el PAN las mujeres tuvieron que pelear su papel político con mucha energía y convicción. Desde que decidió presentarse a la Secretaría de Acción Juvenil supo que "ganara o no, era una forma de empezar a dejar huella en mi partido a nivel nacional [...]. Sabía que Felipe iba a adquirir muy pronto un nivel muy alto en la política del partido y en la política nacional; también que me iba a costar mucho más trabajo construir mi carrera si no quedaba claro que tenía una vida propia y tomaba decisiones personales, y eso hizo la gran diferencia en toda mi vida" (*Mi historia*, p. 69).

Dentro de estas decisiones personales, una fundamental es la docencia: "Las clases tienen para mí una importancia especial porque me hacen sentir que lo que sé es útil para otros; además me obligan a actualizarme, a estar al día, y en la vida pública me rijo por los mismos valores que transmito a mis alumnos. Mis clases son un compromiso de vida" (*Mi historia*, p. 75). Siempre comenta que para ella el aprendizaje significa el contacto con los estudiantes. Por eso no ha dejado en ningún momento de ser profesora de Derecho en el Colegio Asunción, ni aun siendo primera dama.

Campañas, cargos, proyectos, es lo que rodea al matrimonio, siempre la política, incluso en los momentos más íntimos, como los aniversarios de bodas, el nacimiento de los hijos, las angustias o enfermedades. El relato siempre tiene como eje la militancia, como lo comentamos al inicio de estas páginas. ¿Qué busca Margarita con esto? Su libro por supuesto no es inocente. Ella sabe que uno de los obstáculos mayores a su candidatura es ser mujer, por eso construye cuidadosamente su imagen. Mujer, sí, pero comprometida con la política desde antes de nacer. Panista, sí, pero del "viejo PAN", el de la honestidad y el respeto a las leyes. Política, sí, pero esposa y madre. La búsqueda del equilibrio es precisa, cuidadosa. El libro lo consigue. La hermenéutica literaria diría: el relato es verosímil. Ahora necesitamos saber si es verdadero.

Pero lo que no consigue —quizá porque aún no es consciente de la importancia que tiene ese gesto— es deslindarse del sexenio de Felipe. Deslindarse, fundamentalmente, del baño de sangre que cubrió al país durante ese periodo, como lo planteamos al inicio de estas páginas. "La guerra contra el crimen organizado en México dejó un saldo de 101 199 ejecutados y 344 230 víctimas indirectas, como hijos, esposas, padres o familiares de los occisos, esto, en cinco años", según el estudio del Centro de Análisis de Políticas Públicas México Evalúa. Demasiadas víctimas como para guardar silencio. Lo que está claro es que debe hacerlo, debe deslindarse, si desea ser la primera presidente mujer de México. ¿Podrá hacerlo? ¿Tendrá la fuerza y la convicción necesarias para hacerlo? ¿Le interesará? ¿La dejarán?

Ricardo Raphael es generoso en sus comentarios:

> Despierta simpatía rápido. Da la impresión de que es fácil acercarse a ella. Es prudente, no es frívola, entiende bien la complejidad de la política. Resulta artificial ligarla con la corrupción. Su nombre provoca reconocimiento amplio. Es mujer en una época de juegos de poder muy masculinos. Como primera dama fue sobria y responsable, no resbaló una sola vez en seis años. […] Margarita Zavala Gómez del Campo tiene sin duda atributos para regresar a la política. Credenciales que en esta época de enojo ciudadano, en contra de los líderes tradicionales del partido, pueden trocarse en oro molido.[13]

Pero […] "si quiere ser candidata a la presidencia, antes necesita trazar fronteras nítidas con respecto a su marido" […][14]

Por otro lado, en este país de "hermanos incómodos", Margarita tiene también el suyo: Diego Hildebrando. Las acusaciones de enriquecimien-

---

[12] Ricardo Raphael, "Margarita Zavala, el deslinde necesario":
http://www.eluniversal.com.mx/entrada-de-opinion/columna/ricardo-raphael/nacion/2015/06/18/margarita-zavala-el-deslinde-necesario
[13] *Idem.*

to de las empresas manejadas por su hermano mayor durante los sexenios de Fox y de Calderón, a través principalmente de adjudicaciones de contratos millonarios, de evasión al fisco y de tráfico de influencias, son un tema imposible de evitar.[15] Margarita escribe: "El 6 de junio de 2006 López Obrador acusó a mi hermano Diego de beneficiarse de contratos multimillonarios e ilegales con el gobierno mediante su empresa Hildebrando, la que empezó a edificar en casa de mis padres cuando era un muchacho; Diego es un buen hombre y un empresario honrado y talentoso" (*Mi historia*, p. 138). De ese modo parece cancelar una discusión sobre la cual la justicia aún tiene que pronunciarse.

Con respecto a su propio papel durante el sexenio, cuenta cómo tuvo que aceptar que durante esos años había que dejar "brillar" al presidente, y lo difícil que le resultó, dada su propia carrera política. "Debo confesar que es muy duro calcular, discurrir y actuar 24 horas en función de otra persona; es decir, que otro sea el centro de todo, así sea el presidente de la república" (*Mi historia*, p. 156).

En el libro se distancia de las decisiones tomadas por Calderón. Se sitúa cumpliendo las funciones nunca especificadas en nuestra historia —de "primera dama"— y, sabiendo cuáles son los puntos álgidos del sexenio, dedica algunas páginas a dos casos criminales: la Guardería ABC y Villas de Salvárcar.

El 5 de junio de 2009, en la ciudad de Hermosillo, se produjo el incendio de la Guardería ABC en el que murieron 49 niños y 106 resultaron heridos; todos ellos tenían entre cinco meses y cinco años de edad. El fuego se inició en una bodega del gobierno del estado de Sonora, contigua a la guardería. Este hecho, visto por los sectores oficiales como un "accidente", se trató en realidad de un terrible crimen que puso al descubierto el corrupto sistema de subrogación de guarderías por parte del Instituto Mexicano del Seguro Social, así como la ineficiencia en los controles de seguridad en edificios públicos, evidente tanto si el incendio comenzó de manera accidental, como si fue provocado —como se dijo en algunos medios—. El asunto tocó de manera directa a la entonces

---

[14] Se dice, por ejemplo, que en 2015 el Sistema de Administración Tributaria (SAT) le canceló el pago de 521 035 643 pesos por concepto de impuestos a la compañía Servicios Integrados para la Alta Empresa, S.C. de R.L., vinculada a Hildebrando, S.A. de C.V.: http://www.sinembargo.mx/22-09-2016/3095004

primera dama porque la directora de la guardería, Marcia Matilde Altagracia Gómez del Campo Tonella, era su prima. En su libro Margarita señala que ella no conocía a Marcia (hija de un primo de su madre) y que al gobernador Bours se le olvidó agregar, cuando habló de ese parentesco ante los medios, que se trataba de su propia sobrina. Más adelante da cuenta de su contacto directo con las madres y padres de los niños, y del seguimiento que le ha dado al caso.

Recién en mayo de 2016, el juez primero de Distrito en el estado de Sonora dictó sentencia a 19 de los 22 implicados en la muerte de los 49 niños; acusados de homicidio culposo, pasarán entre 20 y 29 años en prisión.

"Acompañé a mamás por días, meses y años, hasta la fecha, pero nunca lo di a conocer porque el dolor de una persona no hay que tocarlo más que para sanarlo; si se hacía público se corría el riesgo de servirse del dolor" (*Mi historia*, p. 164).

A pesar de explicar su compromiso con las madres y padres de los pequeños, así como hablar del apoyo que les ha dado tanto en el ámbito jurídico como médico, Margarita es consciente de la marca que este doloroso acontecimiento ha dejado en la memoria y en el ánimo de la sociedad mexicana.

El caso de Villas de Salvárcar, por su parte, se refiere al asesinato de 16 jóvenes que estaban en una fiesta en Ciudad Juárez, Chihuahua. Aunque se trataba de estudiantes, inmediatamente el gobierno habló de un ajuste de cuentas entre bandas de narcotraficantes. La indignación de las familias, así como de la sociedad juarense en pleno, obligó a Calderón a presentarse en Ciudad Juárez y escuchar a los padres. Margarita da cuenta de este encuentro en las páginas del libro.

Ambos episodios le permiten hablar en unas pocas líneas de su relación cercana con muchas de las víctimas del crimen organizado.

Al mismo tiempo, busca resaltar sus propios intereses como forma de tomar distancia de la política de Calderón. En tal sentido destacan sus artículos semanales en *El Universal*, en los que va trazando su propia cartografía política; una suerte de plataforma de gobierno aún no formal pero clara y sólida. Allí aparecen temas como seguridad, Estado de derecho, mujeres, Trump y la relación con Estados Unidos, economía, migración. Entre los temas sociales que más le interesan está el de los niños migrantes no acompañados y, por supuesto, la inclusión. "Trabajé muy de cerca con Gilberto Rincón Gallardo —cuenta en el libro—. Para mí don Gilberto era un gran mexicano. Formé parte del Centro de Estudios que él fundó, además trabajé desde la transición en la propia ley que él impulsó. Ya como diputada estuve cerca del presupuesto para el Conapred y en las modificaciones a la Ley Federal para Prevenir y Eliminar la Discriminación" (*Mi historia*, p. 119).

Otra de las figuras importantes para destacar el tema de la inclusión aparece al abrir la página web de "Yo con México", la plataforma política que lanzó a comienzos de 2016 con el objetivo declarado de atraer a los ciudadanos a la acción pública, y a través de la cual va construyendo el camino hacia la presidencia, es la de Gustavo Sánchez Martínez, el joven nadador paralímpico multimedallista en los Juegos Panamericanos de 2011 y en los Juegos Paralímpicos de Londres 2012. Gus es, sin duda, uno de los consentidos de Margarita. "Desde que me vio nadar en los Juegos Panamericanos de Guadalajara me ha apoyado. Me invitó al Grito en Palacio Nacional, también a ver al papa en Guanajuato. Pero lo que más me emociona es saber que siempre trae consigo el muñequito de peluche que le regalé en 2011".

Sabina Berman comenta algo que de una u otra manera pasa por la cabeza de muchos: "Hay que ver si Margarita tiene la agresividad suficiente como para desmarcarse de políticas anteriores y defender su propio proyecto. No sé si 'agresividad' sea la palabra precisa. Podríamos cambiarla por 'talante', tal vez". Para muchos a Zavala le falta fuerza. Ella misma lo dice en los párrafos finales del libro: "Quizás he sido un poco ingenua y eso no me ha permitido generar mi propia fuerza para negociar, pero he superado deslealtades, mentiras y hasta traiciones" (*Mi historia*, p. 187).

¿De qué modo Margarita Zavala construirá una imagen propia, fuerte e independiente que la distancie de Calderón ("cada uno toma sus propias decisiones")? ¿Será suficiente subrayar su ánimo demócrata y su compromiso con el Estado de derecho para que la ciudadanía piense en una candidata confiable y no en una "pareja presidencial"?

Si quiere llegar a la Presidencia de la República tendrá que demostrar "garra", dicen. Para empezar tiene que ganar la candidatura dentro del partido. Me comenta alguien cercano a su entorno: "Si la elección se abre a toda la militancia, seguramente ganaría Anaya. Si se abre a todos los que quieran participar, tal vez el ganador sería Moreno Valle. Si se hace un consejo, no tengo dudas: gana Margarita". En varias ocasiones ha dicho que si su partido no la apoya podría lanzarse como candidata independiente. ¿Realmente lo haría? ¿Qué sucedería entonces con el voto de la derecha? ¿Tendría posibilidades de ganar así?

Y para seguir con las preguntas en este hipotético escenario: ¿Volverán Margarita y su familia a Los Pinos seis años después de haber salido? El regreso de Calderón asusta a muchos, y con razón. ¿Podrá ser también él un consorte discreto, o será la sombra detrás del trono? La moneda está en el aire.

SANDRA LORENZANO

Es narradora, poeta y ensayista "argen-mex". Doctora en Letras por la UNAM, miembro del Sistema Nacional de Creadores de Arte (SNCA), creadora de la Cátedra "Lectura, escritura y cambio social" en la UNAM, se desempeñó como vicerrectora de la Universidad del Claustro de Sor Juana de 2000 a 2016.

Colabora regularmente en diversos medios de comunicación de México y América Latina. Entre sus libros están *Aproximaciones a Sor Juana, Políticas de la memoria: tensiones en la palabra y la imagen, Lo escrito mañana: Escritores mexicanos nacidos en los 60, Pasiones y obsesiones: Secretos del oficio de escribir, Escrituras de sobrevivencia. Narrativa argentina y dictadura*, el poemario *Vestigios*, y las novelas *Saudades, Fuga en mi menor* y *La estirpe del silencio*.

MIGUEL ÁNGEL OSORIO CHONG

Más vale priista conocido

RICARDO RAPHAEL

Los estudiantes no podían creerlo. Su movimiento logró sacar del Palacio de Cobián al secretario de Gobernación para que hablara con ellos sin intermediarios. Más de 25 000 voces coreaban el tradicional *huélum* de la comunidad politécnica. En mangas de camisa y sin guardia de seguridad, Miguel Ángel Osorio Chong subió al templete y tomó la palabra:

"Reconocemos formalmente su movimiento, conocemos las causas por las que están aquí presentes, sabemos de sus inconformidades y queremos atenderlas de inmediato".

Abajo, los jóvenes estaban asombrados. "¿Neta es él?", preguntó uno. "¡Respeto a Chong!", gritaban otros.

En los rituales de la política mexicana es poco común la proximidad del alto funcionario. Por ello, su intervención improvisada provocó una buena impresión.

"Yo estaba de acuerdo en recibir a una comisión [de estudiantes], pero supimos a tiempo que dentro del movimiento estaba sucediendo una ruptura. [Algunos dirigentes] querían generar una distancia entre los muchachos y el gobierno. Antes de que eso pasara decidí salir para hablar con ellos", explica el secretario de Gobernación dos años y medio después de ese episodio, que a ojos de amigos y adversarios lo volvió presidenciable.

Salir al encuentro de tal multitud pudo convertirse en el peor de los errores, no sólo para Chong —como lo llamaron aquellos politécnicos—. sino para todo el gobierno. Todavía flotaba el recuerdo del desencuentro que el presidente Enrique Peña Nieto, siendo candidato, tuvo con los universitarios de la Iberoamericana y que daría origen al movimiento #YoSoy132, cuyos reclamos pusieron en serios aprietos la candidatura priista a la Presidencia en 2012.

Quizá con esta experiencia en mente, Chong optó por agarrar el toro por los cuernos, como se dice de manera coloquial. Con ello demostró que había fórmulas más exitosas para relacionarse con la protesta de los jóvenes.

"Yo creo que tienes que actuar sin miedo, ni temores".

LA FAMILIA DE ORIGEN

¿De dónde viene este estilo político fuera de protocolo?

"Del contraste con una tradición muy arraigada en la política hidalguense. El estilo de la generación previa a la mía era distante. Gobernadores como Jorge Rojo Lugo o Guillermo Rossell de la Lama guardaban grandes reservas con respecto a la gente. Cuando fui joven estudiante me tocó padecer justo esas reservas. Los gobernantes creaban una lejanía artificial cargada de formalidades".

Miguel Ángel Osorio Chong se estrenó en las arenas de la política como líder estudiantil. Durante los años de preparatoria aprendió a corear consignas contra el poder desde la parte baja de un templete. Él no nació entre cojines de algodón. La sencillez que se esmera en transmitir tiene un origen genuino. Desde luego que no es Rossell y sus autos importados. Tampoco tiene mucho que ver con otros compañeros de gabinete cuya arrogancia es anécdota cotidiana.

Osorio dice estar consciente del malestar que hoy producen en México los políticos ostentosos. Por eso insiste mucho en su gusto por la comida popular y sus orígenes modestos. "Pregunta en las taquerías de la avenida San Cosme. Ahí llego a cenar en la madrugada antes de irme a casa. Voy sin seguridad y los taqueros pueden confirmarlo".

Nació en el mes de agosto de 1964 y es el cuarto hijo de un matrimonio que prosperó gracias al esfuerzo. "Soy nieto de un migrante chino que entró al país a través del puerto de Manzanillo, por allá de los años treinta. Después de vivir un tiempo en la Ciudad de México, mi abuelo fue a poner un café en el centro de la ciudad de Pachuca. Ahí conoció a mi abuela y juntos tuvieron seis hijos".

Pasado el tiempo, el señor Chong regresó a Cantón olvidando en México su negocio y también a la familia. "Mi madre [María Luisa Chong Chávez] tendría entonces unos 13 años y cuenta que no volvieron a saber nada de él. La abuela tuvo que hacerse cargo del negocio y de los hijos. Como los ingresos del café no alcanzaban, mi madre y su familia lavaban ajeno. Por eso ella no pudo terminar la secundaria", precisa con orgullo el secretario de Gobernación.

El padre de Osorio Chong también nació en Pachuca. Fue hijo de un dirigente minero afiliado a la Confederación de Trabajadores de México (CTM). "A mi papá le encantaba la política, [pero] no llegó muy lejos. Lo más que logró fue ser secretario del interior dentro de la sección sindical del Instituto Mexicano del Seguro Social (IMSS) en el estado de Hidalgo".

Eduardo Osorio Hernández comenzó la carrera de médico, pero apenas pudo concluir el segundo semestre. También, por necesidad económica, trabajó desde muy joven como vendedor. Laboró para la compañía Singer, ofreciendo máquinas de coser. Igual vendió automóviles usados y fue empleado en una gasera. "Cuando yo era aún muy niño, [de] tres o cuatro años, nos fuimos a vivir a Atotonilco de Tula. De ese lugar vienen mis primeros recuerdos y son felices".

La familia Osorio Chong regresó a vivir a Pachuca cuando a don Eduardo Osorio le ofrecieron un primer puesto en el IMSS y, a partir de ese momento, hizo una carrera larga dentro de esa institución. Comenzó siendo responsable del archivo clínico y luego ascendió gracias a la escalera sindical. "En mi familia muchas cosas buenas ocurrieron gracias al sindicato del IMSS. Después de mi papá entró a trabajar mi mamá como secretaria y también mi hermana. Mis hermanos, Eduardo y Luis, fueron contratados en el área de intendencia". En efecto, la familia del secretario le debe mucho a esa institución. Gracias a ella su madre se jubiló como directora de la biblioteca del IMSS, la hermana obtuvo el título de dentista y todos los varones se hicieron profesionistas.

Osorio cuenta que pasó gran parte de su infancia en una pequeña vivienda dentro de una vecindad con sólo dos cuartos. En uno dormían él, su hermana y sus padres; y en el otro, sus hermanos mayores. Miguel Ángel fue el hijo más pequeño y también el consentido de la familia hasta que, en 1974, diez años después de su nacimiento, llegó Edgar para competir por ese privilegio.

"Mi papá quería que alguno de sus hijos hiciera política. Primero trató de que Eduardo incursionara y lo metió a trabajar cerca de un alto funcionario del IMSS, pero al final mi hermano prefirió ejercer como abogado. Entonces fue cuando se dio cuenta de que a mí me interesaba".

Miguel Ángel fue muy próximo a su padre. Se admiraron recíprocamente desde que el muchacho mostró sus primeras dotes de liderazgo en la secundaria número dos. Durante aquellos años que se hizo de buenos amigos que lo acompañarían a lo largo de su trayectoria profesional. Sin embargo, su principal socia y compañera de aventuras políticas es, desde entonces, Laura Vargas Carrillo.

"Nos conocimos en la secundaria pero nos hicimos novios cuando ella entró a primero de prepa y yo estaba cursando el tercer año. Ella era muy estudiosa. Después los dos ingresamos a la carrera de derecho en la Universidad Autónoma del Estado de Hidalgo (UAEH)". Miguel Ángel y Laura tuvieron un noviazgo prolongado. Se conocieron cuando él tenía 15 y ella 13, pero esperaron para casarse 16 largos años. Durante su matrimonio, que ha durado más de dos décadas, tuvieron dos hijos. También Miguel Ángel y Laura.

"Laura y yo nos entendemos muy bien porque nos comprendemos en nuestro quehacer político […]. Aunque los dos trabajamos mucho, buscamos siempre espacios para estar juntos". Ella se vinculó desde sus tiempos universitarios a Guadalupe Silva, una mujer que lideró a las mujeres priistas de Hidalgo durante los años ochenta y noventa del siglo pasado.

Mientras cursaba los primeros semestres de la carrera, Miguel Ángel Osorio consiguió trabajo dentro de la Comisión Estatal Electoral (CEE). Le tocó vivir una época en la que no había diferencia entre ser árbitro electoral y trabajar como militante a favor del Partido Revolucionario Institucional (PRI). "Entonces no podías estar en lo electoral y estar en el partido y, sin embargo, yo le combinaba".

Osorio Chong recorrió toda la escalera dentro de esa Comisión. Fue secretario particular del director, responsable de capacitación electoral y encargado de personal. El puesto en el área de capacitación le permitió recorrer cada región y cada poblado de la entidad. Dice que fue entonces cuando le tomó gusto a la proximidad con el ritmo de la vida local y también cuando se volvió un experto en organizar y ganar elecciones.

"Te ibas a la Huasteca y te invitaban a un baile. Mi corazón se volvió tepehuán. La Huasteca [tiene] gente muy alegre; siempre buena, siempre cercana, a pesar de todos los sufrimientos históricos".

Ese peregrinaje lo condujo, sin embargo, a descuidar sus estudios. A partir del quinto semestre de la carrera los reclamos del trabajo se hicieron incompatibles con la asistencia a clases. Por esta razón tardó 14 años en titularse como abogado. "Dejé un periodo entre que terminé la carrera y obtuve el título", acepta el aspirante presidencial.

La licenciatura trunca se mostró como un obstáculo cuando, en 1990, Osorio Chong quiso convertirse en secretario de la CEE. Porque apenas tenía 26 años y porque se requería que hubiera concluido sus estudios universitarios, quedó descartado para el puesto. Pidió a sus jefes un último favor. Quería presidir el órgano electoral en el primer distrito de Pachuca. Esa oportunidad iba a cambiar la biografía política de este joven ambicioso pero sin suficiente disciplina.

MARIO ALBERTO VIORNERY

En 1990 se celebraron elecciones locales en Hidalgo y Mario Alberto Viornery Mendoza fue el candidato del PRI para contender por el primer distrito. La estrella de este político hidalguense iba en franco ascenso y al mismo tiempo decidió convertirse en el mentor del joven Osorio. Cuando los presentaron, le dijo que conocía bien a su familia materna. Era asiduo del café de chinos propiedad de la abuela y tenía aprecio por la familia Chong.

Al concluir esos comicios, Viornery fue nombrado secretario general del PRI e invitó a su pupilo para que se incorporara al equipo. No fue sino hasta ese momento que Miguel Ángel se afilió al PRI, aunque había participado desde años antes en sus actividades. "Es que no podías trabajar dentro de la comisión electoral y estar afiliado a un partido político", recuerda.

En 1991 se celebraron unas peculiares elecciones federales. Tres años antes el candidato presidencial del PRI, Carlos Salinas de Gortari, había enfrentado la amenaza de una oposición con capacidad real de ganar votos. En 1988 Cuauhtémoc Cárdenas y Manuel J. Clouthier demostraron que el país en manos de un solo partido estaba a punto de terminar su ciclo.

Sin embargo, el oficio para triunfar en las urnas devolvió poder al PRI en 1991. Con 27 años de edad, Osorio Chong inauguró su talento como estratega para rebasar a la oposición. A Mario Alberto Viornery le encargaron la tarea de competir como candidato a presidente municipal de Pachuca y él, a su vez, responsabilizó a su alumno de conducir las relaciones con la prensa. Los sufragios favorecieron de nuevo al PRI y Osorio Chong fue nombrado oficial mayor en el Ayuntamiento de la capital hidalguense. También Laura Vargas participó en esa administración. Con sólo 25 años ingresó al cabildo municipal como regidora.

Osorio recuerda que fue en ese Ayuntamiento donde aprendió a trabajar sin límite. "Todos los días hasta las tres o cuatro de la mañana. Desde entonces ése es mi horario. Me levanto tarde. No acostumbro por ello tener desayunos de trabajo, y es que me desvelo en la oficina". Viornery le entregó responsabilidades importantes a Osorio durante su gestión como alcalde. No sólo le confió la administración de los dineros municipales, sino también otros asuntos delicados de operación política. Excepto su padre, Eduardo Osorio, nadie antes había confiado profesionalmente en él como lo hizo este mentor.

Pero la política nacional estaba a punto de bascular peligrosamente, y lo mismo iba a suceder con la carrera política de Viornery: 1994 fue un año terrible para la historia mexicana. El levantamiento zapatista en Chiapas, el asesinato del candidato presidencial del PRI, Luis Donaldo Colosio, el homicidio de José Francisco Ruiz Massieu, secretario general de ese mismo partido, y una terrible crisis de la moneda mexicana fueron episodios que dejaron una herida severa. Mientras todo esto sucedía, Mario Alberto Viornery tuvo un accidente automovilístico del que se salvó milagrosamente. Hacía campaña como candidato a diputado federal con un ritmo frenético. "Iba y venía de un lado a otro, manejando su propio automóvil, recuerdo que era un Corsar en el que se estrelló. No sé por qué no se murió. Con sólo ver las fotos del vehículo sabíamos que no la libraría".

A pesar de hallarse en estado de coma, Mario Alberto Viornery ganó la elección en su distrito. Tanto los médicos como los electores confiaron en que iba a recuperarse. Ayudó sobre todo que Ernesto Zedillo Ponce de León, el candidato sustituto a la presidencia por el PRI, visitara al político accidentado en el hospital. Ese solo acto de campaña valió por muchos sufragios.

"Hoy Mario está vivo y espléndidamente recuperado. Sin embargo, perdió. El choque lo hizo perder en la política". Osorio no profundiza en esta reflexión. ¿Qué fue exactamente lo que Viornery extravió en ese accidente? ¿Garra? ¿Ambición? ¿Hambre de seguir adelante? En cualquier caso esa tragedia le entregó al joven pupilo una turbina vital para suceder a su mentor en la carrera hacia el poder.

Lo primero que hizo Osorio al verse huérfano, desde el punto de vista político, fue regresar a la UAEH para concluir su formación. Atrás quedó el estudiante que obtuvo 7.7 de promedio en sus exámenes de quinto semestre; el joven fiestero que recorrió cada población hidalguense como funcionario electoral; el eterno novio de Laura Vargas; el hijo consentido de la familia Osorio.

Se inscribió para cursar una especialidad en administración de personal que le valió para obtener finalmente un título de licenciado. Hizo en ese momento corte de caja para asumir sus talentos políticos. No podía fingir ser un hombre de estudio ni de libros. Su ventaja estaba en otra parte: se había convertido en un operador práctico en el terreno electoral y un político de la nueva generación priista que aprendería a gobernar compartiendo el poder con las oposiciones.

Después de Mario Alberto Viornery, otros dos políticos hidalguenses encumbrados iban a prestarle atención al joven Osorio Chong: Jesús Murillo Karam (gobernador de Hidalgo entre 1993 y 1998) y Manuel Ángel Núñez Soto (también gobernador entre 1999 y 2005).

PRIMER PUESTO DE GOBIERNO

Fue de Murillo de quien aprendí la operación política. Él era muy operativo. Le gustaba visitar el estado, acudir a los lugares. Se trataba de un hombre muy próximo a la gente. De él aprendí a quitar protocolos. Un hombre muy inteligente y echado para adelante. Intrépido, me atrevería a decir. Rápido para tomar decisiones. Yo tomo decisiones rápidas, pero trato de digerirlas más. Ver ventajas y desventajas, pero profundizando más. Sin duda Murillo es un hombre al que debía yo aprenderle.

En 1994, con 31 años, Osorio ocupa la presidencia estatal del PRI. Pocos meses después contrae matrimonio con Laura Vargas. El gobernador Murillo no sabe estar quieto en su oficina. Recorre la entidad incesantemente y se hace acompañar por el joven dirigente estatal de su partido. Como todavía faltaban varias carreteras por construirse, entonces los recorridos de una población a otra podían tomar entre cinco y seis horas. Murillo y los gobernadores que lo sucedieron invirtieron mucho dinero público en conectar los pueblos y las cabeceras municipales. "Los programas sociales lo eran todo. No había clínicas, no había hospitales. La verdad es que se veía muy lejos el progreso. Hidalgo debía salir de la lista donde se encontraban los estados más pobres".

Mientras en otras regiones del país el poder del PRI fue menguando, en Hidalgo el voto a favor de ese partido se robusteció. Entre otros políticos de la entidad, Miguel Ángel Osorio Chong fue responsable de que esta fuerza política haya mantenido hegemonía durante tanto tiempo. Con Murillo, él aprendió a traducir la acción de gobierno en sufragios a favor de su partido y, a su vez, los votos a favor de su partido en influencia personal dentro de la élite que gobierna esa entidad.

Hacia 1996 la trayectoria de Osorio Chong experimentó otra vuelta de tuerca: fue nombrado subsecretario de Gobierno. "Fue el mayor de los retos. Ahí aprendí a ser tolerante. Tienes que saber escuchar hasta que logras entender a las personas que están frente a ti. Recuerdo que me estrené como negociador con los líderes de la organización Antorcha Campesina. Eran gente difícil. Muy difícil".

Por aquel entonces, Murillo Karam nombró secretario de Gobierno a Manuel Ángel Núñez Soto, "un hombre también muy inteligente que había estado en Canadá como negociador del Tratado de Libre Comercio". A pesar de la diferencia grande que había entre la biografía de ambos políticos, los dos se hicieron muy buenos amigos.

"La relación es personal. Él es el padrino de mi hijo Miguel y con su fallecida mujer, mi comadre María Elena, mi esposa Laura y yo hicimos gran amistad".

Mientras Núñez es un hombre global, Osorio es un político local. Si participaran en la lucha libre, el primero podría ser calificado como técnico. El segundo cuadraría mejor bajo la denominación de rudo. Y, sin embargo, se complementaron bien cuando Núñez Soto se preparaba para ser nominado como candidato a gobernador y Osorio le cubría con esmero las espaldas.

Secretario general de Gobierno

El PRI ganó de nuevo la gubernatura hidalguense en 1999 y Núñez nombró a su compadre secretario de Desarrollo Social. Sin embargo, ese encargo no duró mucho. Antes de un año fue promovido a secretario general de Gobierno. Ese movimiento lo ubicó en la línea sucesoria hacia el Ejecutivo estatal. Tenía entonces sólo 35 años. Laura Vargas también formó parte de la nueva administración. Durante ese sexenio llevó el cargo de directora de Desarrollo Integral de la Familia (DIF) estatal, bajo las órdenes de la esposa del gobernador, María Elena Sañudo, quien presidía la institución.

Todos los reflectores cayeron encima del joven secretario de Gobierno cuando, a los pocos días de su nombramiento, estalló un conflicto grave en la antigua Normal rural "El Mexe". "Hay una movilización con más de 5 000 estudiantes que se plantan en la plaza Juárez, la principal de Pachuca. Venían de distintos lugares de la República. Con una piedra rompieron un cristal del palacio de gobierno y entonces salí de mi oficina, los subí a sus camioncitos [sic] y '¡vámonos directo a El Mexe!' Y yo los sigo y con la fuerza pública me apropio de la escuela y les digo: 'Así no, no podemos seguir así'".

Las normales rurales fueron creadas durante la década de 1920 y se consolidaron cuando Lázaro Cárdenas fue presidente de México. Se trató de un gran esfuerzo del Estado para formar maestros entre los jóvenes de las comunidades campesinas con el objeto de que ellos mismos hicieran prosperar a sus poblaciones. Sin embargo, con el paso del tiempo, crecieron la desconfianza y los agravios entre esos centros educativos y las autoridades de gobierno hasta un punto irreconciliable. De todas las normales rurales del país, El Mexe era vista como la más extrema.

> Resulta que cuando los policías tratan de salir [de la Normal] fueron detenidos por la comunidad y, entonces, empezó el terror: las imágenes de los policías encuerados a mitad de la plaza Francisco I. Madero dieron la vuelta al mundo.

Recuerdo que fui a ver al gobernador… y le entregué mi renuncia. Pero él no la aceptó. Envié entonces a la fuerza pública a rescatar a los policías y mandé con ella a un grupo de notarios para que certificaran [la legalidad de] nuestra actuación. Cuando detuvimos a los líderes [del motín] colectamos más de 80 armas.

Este episodio no es una anécdota sin relevancia en la biografía política de Miguel Ángel Osorio Chong. Años después, cuando llegó a la gubernatura de Hidalgo, decidió clausurar la Normal "El Mexe", pero ese acto de gobierno no alcanzó para cerrar la herida del mal recuerdo. La fotografía de los policías desnudos y ridiculizados fue acaso definitiva en la lectura que hizo, en septiembre de 2014, cuando le tocó —como secretario de Gobernación del Gobierno Federal— enfrentar la trágica desaparición de los normalistas de Ayotzinapa.

Imitando la órbita planetaria que muchas veces ocurre sobre la biografía de los seres humanos, los 43 jóvenes desaparecidos de la Normal "Isidro Burgos" le hicieron visitar de nuevo aquel capítulo de El Mexe, y acaso por ello tardó Osorio Chong en comprender que, esta vez, la fuerza pública no era víctima, sino victimaria.

CAMINO A LA GUBERNATURA

El cambio de siglo trajo una nueva experiencia para el político hidalguense. Osorio pidió a su compadre que lo hiciera diputado federal y Núñez Soto lo hizo. Si aspiraba al cargo de gobernador necesitaba antes contar con un puesto de elección popular y compitió por el primer distrito electoral federal de Pachuca, el mismo que Viornery hubiera ganado en estado de coma. Para entonces el electorado en la capital del estado se dividía entre panistas y priistas, pero Osorio obtuvo el triunfo con un margen confortable. Fue la primera vez que operó una elección a favor de sí mismo y salió bien librado.

En la Cámara de Diputados, sin embargo, iba a recibir una dura lección. El triunfo de Vicente Fox como primer presidente panista en la historia de México tuvo consecuencias fuertes dentro del PRI. En el partido de Osorio Chong estaban acostumbrados a que el jefe del Estado mexicano fuera al mismo tiempo el árbitro de las disputas. ¿Cómo habría de funcionar ahora esa fuerza sin la pieza principal de su arquitectura política? El PRI se partió en dos. De un lado Roberto Madrazo, presidente del tricolor, reclamaba para sí el legítimo papel de última instancia. Del otro lado, la secretaria general y líder parlamentaria del tricolor, Elba Esther Gordillo, decidió jugar en una dirección distinta.

En este contexto, Osorio Chong tomó partido por la maestra Gordillo Morales. Lo hizo así porque Manuel Ángel Núñez se alineó también en ese bando y porque su tarea política como legislador dependía de una buena relación con esa mujer. "Ella me hace vicecoordinador de enlace con los diputados. Pero entonces se viene toda aquella tormenta, los pleitos con Roberto Madrazo y al final sale la maestra y me quitan el cargo".

Pasado el mal trago, Osorio Chong decide no perder más tiempo en el territorio de la política nacional, y dirige todo su esfuerzo a convertirse en gobernador de Hidalgo. En 2005 ganó la elección. "¡En mis días como universitario creí que iba a ser gobernador a los 50. Pero lo logré diez años antes!" .

EL GOBERNADOR

Al frente de la entidad aprovechó la buena inercia que traían sus antecesores para atraer inversión y construir infraestructura que conectara a todo el estado. Se concentró en las zonas más pobres y dio la batalla por sacar a Hidalgo de la lista de las entidades con mayor miseria del país. Igual que antes lo hiciera Núñez Soto, Osorio se empeñó en que la Huasteca se desarrollara, lo mismo que el valle del Mezquital. "Teníamos que generar riqueza —sin demagogia— y entonces fue que decidimos apoyar al campo. Tecnificamos el campo como nadie lo había hecho en Hidalgo". De nuevo Laura Vargas desempeñó un papel ejemplar. Como presidenta del DIF estatal construyó hospitales y escuelas por todo el estado. Porque fue directora de esta institución durante la administración de Núñez Soto, conocía bien las posibilidades de actuación que tenía el DIF.

Un dato significativo fue el control que Osorio mantuvo sobre el crimen organizado. Mientras en el resto del país, entre 2006 y 2012, creció considerablemente la violencia relacionada con el narcotráfico, en Hidalgo las cosas se mantuvieron en relativa calma.

Sus detractores afirman que la paz obtenida fue resultado de un acuerdo mafioso entre Osorio Chong y Heriberto Lazcano Lazcano, el líder principal del cártel de los Zetas. A partir de 2008 corrió el rumor de que este criminal vivía en la capital del estado. El argumento se sostenía porque ese hombre nació en la colonia Tezontle, de Pachuca. Ahí vive todavía su madre, y puede visitarse una capilla dedicada a él para rendirle homenaje el día de su natalicio: todos los 25 de diciembre.

Osorio responde enfático: "¡Falso, era todo lo contrario! El Lazca estaba en el norte [del país]. Lo mataron en Coahuila, no estuvo en Hidalgo".

Un año antes de su muerte, en abril de 2010, se presentó una denuncia de hechos ante la Procuraduría General de la República (PGR) vinculando al gobernador y varios personajes de su entorno próximo con Lazcano Lazcano. En ese documento de 61 páginas, firmado por una organización social denominada Grupo Ciudadano Hidalguense, se detalló una larga y desordenada lista de hechos delictivos donde, además de Miguel Ángel Osorio, fueron mencionados Eduardo su hermano, Francisco Olvera —futuro gobernador de la entidad—, José Alberto Rodríguez Calderón, procurador estatal en funciones, y también Rafael Macedo de la Concha, entonces procurador general de la República.

A pesar de tratarse de un relato deshilvanado y con poco material probatorio, la Subprocuraduría Especializada en Investigación de Delincuencia Organizada (SIEDO) consideró que en la denuncia presentada existían elementos constitutivos de delito e integró una averiguación previa. En abril de 2010 la revista *Proceso* consignó el hecho publicando una nota larga titulada "Hidalgo: La red Zeta de alto nivel". Si se valora con cuidado aquella denuncia es difícil encontrar pruebas sobre las acusaciones arrojadas en contra de los presuntos implicados. El principal argumento vuelve a ser el origen hidalguense de Heriberto Lazcano y los demás nombres mencionados.

Cuando comenzó a correr el rumor de que el Lazca operaba desde Hidalgo, el gobernador Miguel Ángel Osorio buscó al entonces secretario de Gobernación, Juan Camilo Mouriño, para pedirle mejor información. En 2008:

Vine a pedir ayuda […], pero la verdad es que no te daban nada de lo que podía tener la Federación. No nos tenían confianza a los gobernadores. Estaba rota y, por tanto, no había colaboración. Peor aún, también estaba rota la colaboración entre las cinco instancias más importantes: la Secretaría de Seguridad, la Procuraduría, Gobernación, la Marina y el Ejército. ¿Cómo pedir entonces que hubiera colaboración entre la Federación y los estados?

Asegura Osorio que cuando se enteró de la averiguación previa ante la PGR —donde fueron mencionados él y su hermano— buscó al procurador Eduardo Medina Mora. "Le digo: 'Te quiero pedir que me ayudes a saber cómo está la denuncia'. Me respondió: 'Oye, es que no hay nada, no hay nada al respecto'".

Y, sin embargo, el escándalo no dejó de crecer. "Un día llegó de la escuela mi hijo Miguel y preguntó si su papá estaba involucrado con el narco. ¡No se vale! Eso me motivó a buscar de nuevo al secretario de Gobernación".

Después de la inesperada muerte de Juan Camilo Mouriño, fue Fernando Gómez Mont quien atendió al gobernador de Hidalgo.

> [El secretario] insistió con que no había nada al respecto. ¡Claro que no había nada!, pero a mí me apuraba que no se aclarara porque seguía creciendo el escándalo en mi pueblo. Me prometió que lo resolvería. Y lo hizo [sonríe]: envió un oficio de sólo tres renglones al director de *Proceso* para precisar que la averiguación de la SIEDO señalada por la revista era inexistente. De nada sirvió, porque la aclaración salió publicada en un rincón de la página 87.

Este episodio flota todavía como un agudo malestar en las expresiones de Miguel Ángel Osorio Chong. Al mencionarlo gesticula como no lo ha hecho a lo largo de la entrevista. Exhibe la injusticia de una acusación que no fue probada, pero que muchos se han tomado en serio. Le enfurece sobre todo que su familia haya sido víctima de un infundio sin tener ninguna responsabilidad en ello.

Vale decir que la experiencia también ayudó a que Osorio Chong reflexionara sobre la crisis de desarticulación entre las dependencias y ámbitos del Estado mexicano a la hora de enfrentar al crimen organizado. Cuando el presidente Enrique Peña Nieto lo nombró secretario de Gobernación, convenció al mandatario con sus argumentos:

No podíamos seguir en esas condiciones. Lo primero que logré fue atender el problema de la confianza. Antes de tenerles confianza a los estados, era necesario que ésta se recuperara dentro del Gobierno Federal. Cuando hubo confianza plena entre nosotros, entonces fuimos capaces de exigir lo mismo a los estados.

Antes [cuando fui gobernador], nos citaban un par de veces al año en el Sistema Nacional de Seguridad y ahí nos mostraban cifras (generales) de cómo estaba tu estado, pero nunca cómo podíamos colaborar para solucionar las cosas.

La propuesta de Osorio Chong a Peña Nieto fue volver a la Secretaría de Gobernación la ventanilla única para atender los problemas de gobernabilidad, asumiendo que la seguridad es parte principal de ella. Por eso propuso desaparecer la Secretaría Federal de Seguridad y subordinar sus tareas bajo la estructura de Gobernación.

ENRIQUE PEÑA NIETO

Enrique Peña Nieto y Miguel Ángel Osorio Chong se encontraron por primera vez en sus respectivas tomas de posesión como gobernadores, el primero del Estado de México y el segundo de Hidalgo. Luego volvieron a verse con regularidad en las reuniones de la Conferencia Nacional de Gobernadores (CONAGO). Solían sentarlos juntos porque las letras "H" y "E" están próximas. Sólo a veces los separaba el gobernador del estado de Jalisco. Esos encuentros circunstanciales se transformaron rápidamente en una sociedad política funcional: "Lo que pasa es que se nos dan asuntos importantes como gobernadores. Hicimos alianza para hacer avanzar sobre todo temas en el Congreso, con nuestros legisladores".

Ambos tenían en común una vocación como operadores electorales. Peña y Osorio nacieron a la política en los años noventa recorriendo la base priista de sus respectivos estados. Su talento principal fue saber ganar elecciones y no iban a desperdiciarlo frente a los comicios de 2009, que ambos enfrentarían montados sobre la cabalgadura privilegiada de sus gubernaturas.

En 2006 el PRI perdió por primera vez la capital de Hidalgo y siete distritos federales. Osorio no estaba dispuesto a soportar resultados parecidos en la elección federal intermedia de 2009. Cerró filas entonces con su homólogo del Estado de México para diseñar una estrategia nacional de recuperación. "No hablábamos entonces de los planes para 2012. Al presidente no le gustaba mencionar ese tema. Él estaba trabajando como gobernador y teníamos una responsabilidad con el partido".

La estrategia electoral funcionó muy bien. El PRI recobró mucho del terreno perdido, y aunque otros líderes políticos, tales como Beatriz Paredes o Manlio Fabio Beltrones, hicieron también su tarea, Enrique Peña Nieto y Miguel Ángel Osorio Chong salieron fortalecidos.

El siguiente paso para esta eficiente dupla política fue ganar la presidencia nacional de su partido. "En la sucesión para que Humberto Moreira [llegara a la cabeza del PRI] sí creo haber tenido una participación activa. Ayudé a que se generara unidad. A que nada se descompusiera. Teníamos una oportunidad de regreso a la Presidencia de la República y no la íbamos a desperdiciar".

Miguel Ángel Osorio Chong dejó de ser gobernador de Hidalgo el último día de marzo de 2011. A partir de ese momento, se dedicó en cuerpo y alma a operar la candidatura presidencial de su amigo, el todavía gobernador del Estado de México. En agosto de ese año recibió la cartera de secretario de operación política y delegaciones del Comité Ejecutivo Nacional del PRI.

El nuevo grupo político articulado por gobernadores y exgobernadores priistas iba en ascenso. Juntos controlaban una enorme cantidad de recursos humanos y económicos para hacer política. Aunque el líder de ese partido en el Senado, Manlio Fabio Beltrones, intentó disputar también la candidatura presidencial, la red de apoyo con que contaba Enrique Peña Nieto hacia mediados de 2011 era insuperable. Y Miguel Ángel Osorio Chong estaba en el centro de ese potente tejido.

EL LANAL DE PANAMÁ

Fue en este contexto que el exgobernador de Hidalgo recibió un segundo golpe mediático. Mes y medio antes de que se celebraran las elecciones presidenciales, en mayo de 2012, el reportero Armando Estrop publicó una investigación en *Reporte Índigo* —"El lanal de Panamá"—, en la cual denunciaba por lavado de dinero a los hermanos Luis y Eduardo Osorio

Chong. De acuerdo con la información revelada, ambos personajes habrían transferido más de diez millones de dólares desde cuentas mexicanas hacia bancos radicados en Panamá.

Para respaldar las afirmaciones, el medio publicó copia de los estados de cuenta donde podían corroborarse las operaciones mencionadas. A diferencia de la denuncia presentada dos años antes en la PGR, en esta ocasión las acusaciones tenían material probatorio que, al menos en apariencia, era solvente periodísticamente. Por segunda vez, Eduardo Osorio Chong aparecía involucrado en actividades ilegales y, de acuerdo con el reportero Estrop, esta vez había elementos para señalarlo por lavado de dinero. Este golpe no sólo iba dirigido al operador político de Enrique Peña Nieto, sino también al candidato presidencial. Un vínculo estrecho y corroborado con el cártel de los Zetas —a tan pocos días de la elección— podía hacer bascular los resultados.

"Yo en esa ocasión, es la segunda en que sacan a mis hermanos —lo hace [Carmen] Aristegui— y le digo 'te pido y reto… que se haga una investigación, que abran mis estados de cuenta, los míos y de mis hermanos, todas las cuentas que pudieran encontrar, yo estoy dispuesto a dar la cara".

A pesar de que *Reporte Índigo* publicó al menos ocho estados de cuenta del banco HSBC para respaldar la acusación, el expediente en contra de la familia Osorio comenzó a desplomarse. Voceros de ese banco aseguraron que los documentos exhibidos por el medio eran falsos. Al parecer habían sido fabricados con el objeto de dañar la imagen del exgobernador y su familia. Días después, la PGR confirmó que los documentos mencionados no eran auténticos. Carecían, por tanto, de valor probatorio para proceder penalmente en contra de los hermanos Osorio Chong. De esta manera tanto Eduardo como Luis fueron exonerados.

Al final, el medio publicó un texto con el siguiente contenido: "*Reporte Índigo* extiende la corrección editorial correspondiente y pide una disculpa a los presuntos involucrados, Luis y Eduardo Osorio Chong, así como a su hermano Miguel Ángel Osorio Chong".

EL PACTO POR MÉXICO

Después de haber sorteado desafíos que parecían irremontables, Enrique Peña Nieto ganó las elecciones presidenciales de julio de 2012. A partir de ese momento, quedó claro que el futuro gobernante iba a compartir el poder principalmente con dos de sus colaboradores: Luis Videgaray Caso y Miguel Ángel Osorio Chong. Ambos poseían una trayectoria opuesta y un estilo político incompatible. Y, sin embargo, al principio fueron convocados a sumar talentos y trabajar juntos. Durante los primeros dos años del sexenio peñanietista hubo luna de miel. El Pacto por México fue el resultado de un gabinete presidencial que supo reducir sus diferencias y potenciar el común denominador.

Durante el periodo conocido como *interregno*, que duró entre la elección de julio y el primero de diciembre de 2012, Miguel Ángel Osorio Chong fue nombrado coordinador de Diálogo y Acuerdo Político del equipo de transición. Sin embargo, no fue el exgobernador hidalguense el primero en concebir un gran acuerdo de gobernabilidad con las oposiciones.

"[Para] el pacto se da mi participación en el momento en que el presidente electo decide que yo esté. Él divide y le dice a Luis [Videgaray] que haga un primer contacto [con los dirigentes del PRD]. Creo que para la segunda reunión yo ya estuve presente. Luego se sumó también Aurelio Nuño". El primer obstáculo por vencer era la desconfianza entre los dirigentes políticos, y la condición que todas las partes se impusieron fue el secreto en las conversaciones. Las partes sabían que si se ventilaba la posibilidad de un acuerdo entre las oposiciones y el futuro gobierno no habría Pacto.

"Ellos traían en mente La Moncloa", explica Osorio Chong con inseguridad frente a un referente histórico que claramente no es suyo.

"Mira, los que más tenían que perder en ese momento eran los del PAN. Venían de haber perdido la elección. También los del PRD, porque estaban perdiendo cuadros. El Pacto iba a implicarles ruptura adentro y lo sabíamos todos. Y a pesar de todo se generó una buena unidad de objetivos porque los temas que les interesaban a ellos los pusimos por delante de los que nos interesaban a nosotros". El sentimiento de unidad nacional inundó a todas las partes involucradas. Después de una contienda que fue muy desgastante, las fuerzas políticas estaban dispuestas a mostrar madurez y desafiar a aquellos que preferían continuar con la ruptura.

El Pacto por México incluyó 94 compromisos e implicó una larga serie de reformas constitucionales sobre temas muy variados, que navegaron desde lo educativo, pasando por las telecomunicaciones, lo electoral, la materia energética, la reforma fiscal, la transparencia y el acceso a la información. Más allá de la discusión que pueda darse sobre el sentido y la calidad de los contenidos en las reformas, lo cierto es que el Pacto por México fue un éxito desde el punto de vista político. Con este gran acuerdo entre los principales partidos se confirmaba la capacidad de los gobernantes del PRI para conducir con unidad los destinos del país, ahora en condiciones de evidente pluralidad.

Pero la luna de miel duró poco. "A pesar de que logramos transformaciones que tendrían gran impacto en el mediano plazo, el sentimiento de unidad que se había podido lograr se agotó muy rápido. Primero por las elecciones de 2013 y después por Ayotzinapa".

LA CONVERSACIÓN ————————————
COMO VÍA POLÍTICA

Desde sus días como subsecretario de Gobierno en Hidalgo, Osorio Chong tiene fama de estar dispuesto a la conversación. Presume que todos los expedientes que le ponen sobre la mesa los enfrenta negociando. Lo hizo con la Coordinadora Nacional de Trabajadores de la Educación (CNTE), que desde el principio se opuso a la reforma educativa. También con los familiares de víctimas de la violencia y personas desaparecidas durante la gestión de Felipe Calderón. Igual salió al encuentro para conversar con el movimiento politécnico y con los padres de los 43 normalistas desaparecidos en Iguala la noche del viernes 26 de septiembre de 2014.

Tiene sin duda tolerancia para escuchar. Según el tema, a veces el mensaje de sus interlocutores se traduce en acuerdos conjuntos, pero también hay evidencia de que puede usar el poder sin concesiones cuando estima que se ha agotado el tiempo de las conversaciones. La experiencia con El Mexe vuelve a ser fundamental en su estilo, cuando el joven secretario de Gobierno utilizó con ligereza a la fuerza pública, al punto que puede atribuírsele alguna responsabilidad en la humillación que vivieron aquellos policías desnudados por la comunidad.

Años después, apenas ocupó la silla de gobernador, invitó a los normalistas a dialogar con él. Fue a verlos de nuevo a El Mexe para dialogar.

Él personalmente se aplicó a encontrar una solución. "Hablo con los chavos y les digo: 'Ya cumplimos un ciclo de la escuela'. Y es que había muchas cosas que ya no eran permisibles. Pero también hablé con las comunidades, porque la fuerza [de esas normales] son los papás".

El movimiento normalista resurgió cuando los estudiantes se enteraron de que el gobernador quería cerrar El Mexe. Además, no contaba Osorio Chong con el respaldo de la Federación. El entonces secretario de Educación, Reyes Tamez Guerra, le advirtió que si decidía ir por esa vía estaría solo. "Se me viene [encima] un movimiento fuerte, pero empiezo a sensibilizar. [Les propongo que en vez de la Normal] voy a hacer una universidad politécnica agropecuaria. En esa misma instalación habría lugar para todos los que quieran. Les digo que van a tener mejores alternativas, mejores que ser maestro ahora que hay tan pocas plazas".

Osorio presume cuán bien le salieron las cosas con El Mexe. Resalta el valor del diálogo para resolver problemas políticos y reconoce que esta materia cursada tiempo atrás marcó su estilo. Hoy la escuela politécnica y agropecuaria situada en el antiguo Mexe es un éxito de transformación educativa. Sirva este logro para explicar por qué Osorio Chong se empecinó por la vía de la negociación cuando la disidencia magisterial alrededor de la CNTE se opuso a la reforma educativa. Mientras dentro del gabinete, y también fuera del gobierno, se acumulaban voces que pedían mano dura contra los maestros inconformes, Osorio sostuvo la mesa de negociaciones.

Si bien contó durante un tiempo con el apoyo del presidente, los dos secretarios de Educación con quienes debió trabajar —Emilio Chuayffet y sobre todo Aurelio Nuño— hicieron patente su desacuerdo con la conversación. Para ambos, la CNTE no tenía remedio y, por tanto, lo mejor era usar cuanto antes la fuerza pública para obligar a los disidentes a que respetaran la ley.

El tiempo le dio la razón a Osorio Chong. Ante la escalada de desencuentros entre la autoridad educativa y la CNTE, el secretario Aurelio Nuño convenció al presidente de confrontar las protestas. El resultado fue un enfrentamiento entre policías y pobladores, en el municipio de Nochixtlán, que dejó más de 100 personas heridas y al menos ocho muertas.

No deja de llamar la atención que con este episodio hayan crecido las posibilidades de Miguel Ángel Osorio Chong para ser candidato presidencial del PRI, mientras que las de Aurelio Nuño se desfondaron. El primero demostró que el uso de la fuerza pública para reprimir una movilización social requiere una mano madura y entrenada previamente. Fue la misma mano que jugó con destreza durante las negociaciones con los líderes estudiantiles del IPN. El político hidalguense subió a aquel templete en mangas de camisa y concedió razón a los estudiantes porque sabía que la movilización politécnica estaba escalando y podía desbordarse en cualquier momento. No quiso averiguar a dónde podían llegar las cosas si el conflicto arribaba vivo al 2 de octubre de 2014.

AYOTZINAPA

Mientras el político hidalguense estaba concentrado en desanudar el conflicto con los estudiantes del Politécnico, Eugenio Imaz Gispert, director del Centro de Inteligencia y Seguridad Nacional (CISEN), se aproximó para comunicarle que otro conflicto, acaso más grave, estaba sucediendo en el estado de Guerrero. "Recuerdo que estaba lloviendo. Eran las ocho de la noche [del viernes 26 de septiembre de 2014] y no había todavía comido porque estaba trabajando el tema del IPN. Ahí estaba Eugenio conmigo y me dice que algo grave estaba pasando en Guerrero con los chavos. Acuérdate que siempre eran problemáticos [los normalistas de la Normal 'Isidro Burgos']".

¿Cómo no leer la tragedia de Ayotzinapa, de nuevo, bajo los lentes de lo sucedido en El Mexe? Las mismas gafas que, frente al conflicto del IPN, empujaron a este operador político a negociar, lo condujeron después a tropezarse con el caso mexicano de desaparición forzada que mayor visibilidad ha tenido dentro y fuera del país. A propósito del expediente de Ayotzinapa, Osorio Chong ha dedicado largas horas para oír, aunque no pudo escuchar sinceramente a sus interlocutores. Para él la única versión creíble de los hechos es la que Jesús Murillo Karam contó ante los medios: los jóvenes normalistas acudieron a *reventar* un evento político del presidente municipal de Iguala, José Luis Abarca Velázquez, azuzados por una banda criminal opuesta al edil. El secretario no está dispuesto a poner en duda la versión de su viejo mentor político, el exgobernador de Hidalgo, quien ocupó el primer cargo como procurador general de la República durante la administración de Enrique Peña Nieto.

La versión alternativa de aquellos hechos es que los normalistas querían secuestrar camiones para trasladarse a la marcha del 2 de octubre, como hacían cada año. Sin embargo, en esta ocasión fueron interceptados por las policías federal y estatal y luego entregados a una banda de criminales que los hizo desaparecer.

> Es falso lo de los pobres jóvenes que querían un camión para ir a la marcha del 2 de octubre. ¿Te paso una foto de todos los [camiones] que tenían adentro del plantel? Lo que verdaderamente hay que descubrir es quién y a qué los llevaron [a Iguala]. Puedo pensar en lo político porque eran dos grupos antagónicos entre sí y [el hecho] es que había un evento del presidente municipal. Aunque se molesten conmigo tengo que decirlo tal cual: en ninguna declaración que yo recuerde hablan [los normalistas] de que iban por camiones, a menos que no haya yo leído [los testimonios] de los pocos que quisieron declarar.

Con el objeto de contrastar esta convicción del secretario Osorio Chong, vale considerar las conclusiones que las y los integrantes del Grupo Interdisciplinario de Expertos Independientes (GIEI) —mandatado por la Comisión Interamericana de Derechos Humanos (CIDH)— obtuvieron después de realizar su propia investigación.

La voz es de la fiscal colombiana Ángela Buitrago:

> No sólo las declaraciones de los chavos lo dicen. Los reportes del C4 (Centro de Comando, Control, Comunicación y Cómputo), las declaraciones de los trabajadores de la camionera, las declaraciones de los conductores de los buses. Pero, sobre todo, que desde mediodía [...] habían ido a Chilpancingo [también] para tomar buses y, al no poder hacerlo, se dirigieron a Iguala. ¿Por qué tapar la luz del sol con un dedo? Son múltiples las declaraciones. Es cierto que tenían buses en la escuela, porque los dos que van a Iguala estaban en la escuela y [los estudiantes] los habían tomado días antes, pero para desplazar a todos los chavos de todas las normales requerían más. No entiendo por qué permanecer en una posición de negación.

Una de dos, o bien Miguel Ángel Osorio Chong no leyó los dos reportes que el GIEI entregó al gobierno mexicano o, de plano, no creyó una sola palabra de lo que ahí se escribió. Además, desde las primeras conclusiones los expertos internacionales establecieron que, por las horas en que ocurrieron los trágicos eventos, no es plausible que los estudiantes hubieran acudido para *reventar* el evento político del presidente Abarca y su esposa.

Para descalificar los argumentos del GIEI, Osorio relata: "Yo empecé a ver que… solamente estaban tratando de tirar la hipótesis y [me] dije: '¿Ése es el trabajo que tienen que venir a hacer? Yo lo que pido es que me digan dónde están los chavos'. Dije: 'No vale, no puede ser que vengan sólo a eso, nosotros fuimos los que les dimos la autorización para que entraran'".

En una entrevista otorgada a Francisco Santiago, director editorial del periódico *El Universal,* publicada a mediados de abril de 2016, Osorio abundó: "Los integrantes [del GIEI] no aportaron ningún elemento contrario a 'la verdad histórica' del exprocurador Jesús Murillo Karam".

Eso no es verdad. Los reportes del GIEI son abundantes en evidencia que refuta la "verdad histórica" y proponen explorar otras líneas de investigación. Puede no estarse de acuerdo con ellos, pueden incluso refutarse sus conclusiones con otra evidencia, pero falta a la verdad el secretario cuando asegura que "no aportaron ningún elemento".

¿Cuál fue el problema entre la Secretaría de Gobernación y el GIEI? ¿Por qué se desechó el trabajo por parte de la autoridad? Tiene razón Osorio cuando afirma que en un principio el gobierno apoyó al GIEI con recursos del Estado mexicano. Sin embargo, un día ese respaldo se agotó, y tal fecha coincide con la negativa gubernamental a que los expertos extranjeros entrevistaran a los testigos militares que tenían información valiosa respecto a los hechos ocurridos la trágica madrugada.

¿Por qué los militares no testificaron ante los integrantes del GIEI?

"Porque eso hubiera implicado romper nuestro marco jurídico —responde Osorio—. No queríamos un precedente delicado que pusiera en el banquillo de los acusados a una institución que ya para esa época estaba siendo señalada".

En otras palabras, los integrantes del GIEI no entendieron que podían entrevistar a cuanto testigo sirviera para esclarecer el caso, excepto a los militares involucrados en los hechos. El problema radica en que fueron los militares quienes estuvieron a cargo del C4 durante las horas en que sucedieron las desapariciones. Y, sin embargo, al buen entendedor, pocas palabras: la transparencia en México termina donde comienza el fuero de los cuarteles.

EL EJÉRCITO COMO PROBLEMA

La tremenda piedra en el zapato que le representa el Ejército ha sido una constante en la gestión de Osorio como secretario de Gobernación. En diciembre de 2016 el secretario de la Defensa, el general Salvador Cienfuegos, tronó en contra del aspirante presidencial afirmando que "la seguridad interior no es responsabilidad de la Defensa Nacional [sino] de la Secretaría de Gobernación. [Esa secretaría] debe estar insistiendo en que la ley [de seguridad interior] se promulgue, pero tampoco hay prisa […] y los que estamos enfrentando los problemas somos nosotros".

El origen del problema es la falta de legalidad en que ha incurrido el ejército mexicano al sustituir a las policías municipales y estatales en sus funciones como garantes de la seguridad ciudadana. Cienfuegos ha pedido en todos los tonos que el Congreso apruebe un nuevo marco legal para que los soldados no sean juzgados por la comisión de actos ajenos a su ámbito de facultades. Sin embargo, otros sectores de la sociedad, también con voz potente dentro del espacio público, rechazan la posibilidad de normalizar, por la vía de la constitución, la militarización eterna de la seguridad pública.

Entre estos dos frentes ha navegado el secretario Osorio Chong, y el costo ha implicado un gran desgaste con ambos polos. No goza de respaldo por parte de los militares y tampoco de las organizaciones de derechos humanos. Peor aún, desde este segundo flanco se le reclama haber sido negligente a la hora de ocultar violaciones graves en casos como los de Ayotzinapa, Tlatlaya, Apatzingán o Tanhuato, donde existe evidencia de las arbitrariedades cometidas por la autoridad.

Es probable que este tema haya afectado la relación entre el presidente y su secretario de Gobernación. Es innegable que las fricciones con las fuerzas armadas han obrado en contra del ambiente de confianza y cooperación que, en un principio, el gabinete de seguridad, encabezado por Miguel Ángel Osorio, trató de construir. El problema es una compleja contradicción de fondo. No se puede cumplir con la exigencia internacional de respeto a los derechos humanos y, al mismo tiempo, mantener enclaves sin transparencia, impunes e ilegales, de los poderes político y militar.

De ser candidato a la presidencia, sin duda éste será uno de los principales desafíos que enfrentaría Osorio Chong. No le alcanzará su ánimo de diálogo para resolver la crítica al autoritarismo que implica exceptuar a las fuerzas armadas, y a las policías federales, de la protección que la carta magna y los tratados internacionales implican para los derechos ciudadanos.

LA VIOLENCIA QUE NO CEDE

Junto con aquel desafío, el secretario de Gobernación enfrenta otro cuyo origen es el mismo. Resulta que la arbitrariedad en el uso de la fuerza pública no ha servido para disminuir la violencia en el territorio mexicano. Si bien durante los dos primeros años de la administración de Enrique Peña Nieto se observó una reducción de los homicidios relacionados con el crimen organizado, a partir de 2015 esa cifra volvió a escalar. El dato desalentador es que el número de homicidios cometidos con arma de fuego en 2016 regresó a los mismos niveles de 2011. Esto significaría que la violencia por la pugna entre bandas del crimen organizado no ha perdido intensidad. De continuar así el fenómeno, el balance para la administración de Peña Nieto terminará siendo muy negativo, y eso juega directamente en contra del responsable federal de la política de seguridad, Miguel Ángel Osorio Chong.

DIVISIONES EN EL GABINETE

Las tensiones con el secretario de Defensa no son únicas dentro del gabinete. El desgaste ha invadido otras relaciones importantes para el responsable de conducir la política interior. Ya se hizo referencia a la fractura que vivió con el secretario Aurelio Nuño a propósito de la reforma educativa, sobre todo después de la masacre de Nochixtlán. Se suma también la distancia, que con el tiempo fue creciendo, entre el actual canciller de la República, Luis Videgaray, y Osorio Chong. Ya hemos dicho que las dos personalidades son opuestas en el estilo a la hora de hacer política. Videgaray jamás habría salido a hablar en mangas de camisa con el movimiento politécnico. De su lado, Osorio no habría podido contemporizar con la visita que hizo el entonces candidato republicano Donald J. Trump, en agosto de 2016, al presidente mexicano. En algún punto sorprende que Enrique Peña Nieto haya compartido poder con dos hombres tan diferentes. Distintos por sus orígenes, su formación, la ruta que tomaron para acceder al poder y también para relacionarse con la ciudadanía.

No es fácil encontrar elementos para conocer la impresión que Videgaray tiene de Osorio Chong, pero lo contrario sí es posible. El canciller está cerca del protocolo engominado que los antiguos gobernadores de Hidalgo imponían a la política. Tiene más que ver con personajes como Guillermo Rossell o Jorge Rojo Lugo que con políticos como el actual secretario de Gobernación.

Los pleitos dentro del gabinete de Peña se han incrementado por esta disputa entre los herederos del presidente. El grupo político de Videgaray, que es extenso dentro del Gobierno Federal, no quiere al secretario de Gobernación. Cabe contar entre sus integrantes al secretario de Hacienda, José Antonio Meade, y al presidente del PRI, Enrique Ochoa Reza. A los anteriores se suman otros secretarios que por razones propias también han tomado distancia con el responsable de la política, como el secretario de Agricultura, José Calzada Rovirosa, o el secretario de Salud, José Narro Robles.

¿Implican estas fracturas dentro del gabinete un distanciamiento con Enrique Peña Nieto?

¡Qué te puedo decir! Yo no veo un presidente que tenga distancia con un secretario y lo deje en este espacio, y más siendo secretario de Gobernación. No hay tal. Tengo una espléndida relación con el presidente. Me permite su confianza y entiende que yo debo cumplir con mis responsabilidades más allá de amistades, más allá de cercanía. Eso lo ha dejado en claro el presidente, yo trato de cumplir con mi trabajo, por eso estoy aquí. Puedo dar resultados y no soy un hombre al que le guste andar con protagonismos.

¿A quién sí le gusta andar con protagonismos?

La visita del candidato republicano Donald Trump provocó un terremoto dentro del equipo gobernante. Luis Videgaray apostó a una carta osada cuando invitó al polémico candidato republicano a venir a México durante su campaña, a través de su yerno Jared Kushner. Luego convenció al presidente Peña Nieto, y ambos subestimaron las graves consecuencias que esa visita podía implicar, sobre todo si la demócrata Hillary Clinton no visitaba también al país.

Osorio recuerda su papel en este episodio: "Con Trump fui quien le dijo al presidente —que le sugería— que todavía podíamos estar a tiempo de que no fuera recibido, dado que había verdaderamente una molestia. Le expresé mis opiniones".

Trascendió en la prensa que el secretario puso sobre la mesa su renuncia por si ese gesto servía para cancelar la visita. "Eso es falso. La comunicación fue telefónica y es mentira lo de la renuncia. No recuerdo haber usado ese término. Te estoy contando uno muy personal, muy cercano, pero está bien porque no hay nada que esconder, y además es conocido que, como conmigo, platicó con otros más".

El secretario probablemente se refiere a Claudia Ruiz Massieu, quien en esa fecha era la secretaria de Relaciones Exteriores y, sin embargo, no formó parte de las deliberaciones sobre la invitación a Trump y tampoco sobre la concreción de la visita. A diferencia de Osorio, ella se encargó de publicitar su renuncia. Era lo menos que podía hacer después de la manera como Luis Videgaray y el presidente la hicieron a un lado.

En el momento de escribir este texto, Claudia Ruiz Massieu es la secretaria general del PRI. Su antiguo cargo lo ocupa Videgaray. El cisma dentro del gabinete confirmó que ella forma parte del cuadro próximo a Osorio Chong. En este contexto vuelve a ser notable el ejercicio de los equilibrios —o las contradicciones— al que parece ser adicto el presidente Peña Nieto. De un lado nombra a Enrique Ochoa como cabeza del PRI —un político cercanísimo a Videgaray— y del otro coloca como segunda de a bordo en su partido a quien se halla en buenos términos con el secretario de Gobernación.

De cara al proceso sucesorio, el nombramiento de Claudia Ruiz Massieu tiene más de un significado. Sirve para confirmar que la distancia entre Osorio y el presidente no es tal y, al mismo tiempo, liga las aspiraciones del secretario de Gobernación con el grupo político encabezado por el expresidente Carlos Salinas de Gortari, tío de la actual secretaria general del PRI.

MATRIMONIO GAY

Antes hubo otro asunto que también hizo saltar chispas entre la política de Los Pinos y las opiniones del Palacio de Cobián. Se trató de la iniciativa presidencial para legalizar las uniones entre personas del mismo sexo. Vale la pena detenerse un momento para recuperar esta historia.

Todos los días 17 de mayo se dedican en el mundo para recordar la lucha en contra de la homofobia. Sin embargo, el gobierno mexicano se había mantenido al margen de esta celebración. En abril de 2015, la Asamblea Ciudadana del Consejo Nacional para Prevenir la Discriminación (CONAPRED) se reunió con el secretario de Gobernación para tratar, entre otros temas, la posibilidad de involucrar a la administración de Enrique Peña Nieto en esta conmemoración.

Por razones ideológicas podía comprenderse por qué los gobiernos conservadores de Vicente Fox y Felipe Calderón habían dado la espalda al combate contra la homofobia, pero un gobierno priista con aspiraciones liberales podría actuar de manera distinta. Miguel Ángel Osorio Chong no sólo reaccionó positivamente a la iniciativa, sino que lo hizo con entusiasmo. Prometió que convencería al presidente para que estuviera presente en un evento dedicado a reconocer que México participaba con convicción en la lucha contra esa forma de violencia.

Días después, el secretario informó a la Asamblea de CONAPRED que la fecha del evento sería el 14 de mayo de 2015. Invitó también por este conducto a la comunidad lésbico, gay, bisexual, transexual, transgénero, travesti e intersexual, hoy reconocida como LGBTTTI, para que asistiera el mayor número de personas a Los Pinos. El hecho era insólito. Pero Osorio jamás calculó que el presidente lo iba a rebasar por la izquierda.

El día 13 de mayo, ya entrada la noche, el secretario de Gobernación recibió el borrador de una iniciativa donde se proponía reformar el artículo 4º de la Constitución con el propósito de legalizar en todo el país las uniones entre personas del mismo sexo. Alguien dentro de la casa presidencial había decidido que la mejor manera de luchar contra la discriminación era otorgar derechos plenos para el matrimonio homo-sexual y la adopción de parejas del mismo sexo.

Pocas veces se vio a Osorio ingresar tan enojado a la oficina presi-dencial y salir de ahí con peor talante. Se supo que la reflexión que llevó el secretario a Los Pinos era de orden electoral. Una cosa era levantar la bandera de la lucha contra la homofobia, y con ello atraer votos para el PRI provenientes de los sectores más progresistas del país, y otra muy dis-tinta reventar puentes con el electorado conservador que es mayoritario en el padrón electoral mexicano.

Pero el presidente Peña Nieto no quiso escuchar a su secretario de Gobernación. Anunció la iniciativa y trató de mantenerse firme en ella, aun cuando no se hicieron esperar los reclamos de algunos integrantes de su partido y, desde luego, de los liderazgos religiosos intolerantes a la diversidad sexual.

En junio de 2015 hubo elecciones federales y al PRI le fue fatal. Per-dió siete de 12 gubernaturas en juego y cuatro estados que jamás habían pasado a manos de la oposición: Tamaulipas, Quintana Roo, Durango y Veracruz. Es difícil priorizar una sola variable a la hora de explicar este resultado, pero, si fuera necesario hacerlo, probablemente haya sido el hartazgo con la corrupción lo que llevó al voto de rechazo. Con todo, hubo quien atribuyó esta monumental derrota a la iniciativa presidencial relativa a los matrimonios gay.

Por ejemplo, el excandidato presidencial priista durante los comicios de 2000, Francisco Labastida Ochoa, expresó que esa iniciativa fue la principal causa de la derrota. El mensaje fue directo contra la cabeza de Osorio Chong: "Si yo hubiera sido secretario de Gobernación y el pre-sidente me hubiera pedido que la firmara, hubiera preferido renunciar". El secretario no lo hizo, pero con los hechos demostró, una vez más, que antes de tomar decisiones rápidas prefiere profundizar en el análisis de las consecuencias.

MÁS VALE PRIISTA CONOCIDO

A pesar de los descalabros y las fracturas, a pesar del crecimiento de la violencia, a pesar de la crisis de derechos humanos, Miguel Ángel Osorio Chong llegó al primer semestre de 2017 como el precandidato favorito para el PRI. De todos los aspirantes presidenciales, sólo Andrés Manuel López Obrador es más conocido que Osorio. Según la empresa demoscópica Consulta Mitofsky (febrero de 2017), casi 77% de la población reconoce su nombre. Entre los priistas le sigue 18 puntos abajo Luis Videgaray, y todavía más atrás, con 50% de reconocimiento de nombre, Manlio Fabio Beltrones y Eruviel Ávila. Para efectos prácticos, entre los aspirantes del tricolor, el secretario de Gobernación es el más popular.

De acuerdo con la misma fuente, los militantes priistas prefieren ver a Osorio Chong en las boletas. Entre ellos trae una preferencia de 52.2% contra su competidor más cercano, el gobernador del Estado de México, Eruviel Ávila, que apenas alcanza 14% de expresiones favorables.

¿Cómo ha hecho Osorio Chong para salir tan bien librado del desgaste político?

"Lo digo con mucha humildad, de veras, hay que llegar a un encargo para asumir una responsabilidad y entregar [buenas] cuentas a la sociedad que te da ese privilegio. No estás para cuidarte ni para pensar el futuro, sino para cumplir con el encargo".

Y, sin embargo, sorprende la manera como ha logrado eludir la enorme cantidad de expedientes problemáticos que le han estallado en las manos. La fuga y recaptura de Joaquín *el Chapo* Guzmán, los pleitos con la CNTE, la crítica del ejército, los reclamos en su contra dentro del gabinete, la extraña forma en que obtuvo su título profesional, las denuncias por el presunto vínculo con el crimen organizado, el supuesto lavado de dinero que habrían hecho sus hermanos, la oposición a la visita de Donald Trump, la derrota electoral de su partido en 2015 o las acusaciones de corrupción.

Nadie que participe dentro de la política mexicana está exento de críticas, intrigas y ataques. Osorio asegura estar consciente de que tales cosas van de la mano con el oficio. Pero no todos los políticos mexicanos tienen igual destreza para lidiar con los obstáculos. "Al toro por los cuernos", insiste. Y quizá por esta actitud es que ha podido sobrevivir hasta ahora. Así como logró que el banco HSBC y la PGR limpiaran el nombre de sus hermanos Eduardo y Luis, así como pudo deshacerse del GIEI y darle la espalda a las conclusiones que sobre el caso Ayotzinapa emitieron los expertos internacionales, así como extravió al Chapo y pudo luego recuperarlo, de la misma manera ha desmantelado los argumentos de corrupción con alta carga voltaica que ha sufrido su persona.

CORRUPCIÓN

Un suceso que no pasó inadvertido fue el reportaje publicado por la revista *Proceso* en abril de 2015, titulado "Osorio Chong: El gusto de vivir en las Lomas", firmado por los periodistas Jesusa Cervantes y Santiago Igartúa. Según esta investigación, el aspirante presidencial compró la residencia donde vive con su familia en la Ciudad de México, a un contratista que hizo obra en el gobierno de Hidalgo y además es proveedor de servicios para PEMEX: Carlos Aniano Sosa Velasco. El valor de la casa sería de al menos 50 millones, una cifra francamente elevada para un individuo que ha dedicado toda su vida profesional a la función pública.

Los reporteros acusaron a Osorio de haber utilizado el mismo modo de operación que tanto escándalo trajo sobre la reputación de Enrique Peña Nieto. En el caso del presidente, la Casa Blanca fue adquirida por un multimillonario constructor, Juan Armando Hinojosa, y luego vendida a la esposa del primer mandatario, Angélica Rivera. Puesto que este contratista había trabajado para el gobierno del Estado de México y lo siguió haciendo para el gobierno federal, los reporteros Cervantes e Igartúa creyeron haber encontrado en Carlos Aniano Sosa Velasco otro ejemplo del mismo proceder, pero esta vez involucrando al secretario de Gobernación.

De haber acertado en sus suposiciones, esta investigación habría hundido la aspiración política de Osorio Chong. ¿Qué hizo el político hidalguense para que también este ataque se resbalara sin dañarlo? Utilizó como argumento que jamás se materializó la compraventa entre Sosa Velasco y la familia Osorio Chong. Así que le fue fácil negar la propiedad y precisar que él estaba rentando. "No tengo inmuebles en la Ciudad de México", dijo el secretario tantas veces como se lo preguntaron.

También ayudó el hecho de que Sosa Velasco no era un contratista tan relevante como Juan Armando Hinojosa.

> Es un profesional que se dedica mucho más al sector inmobiliario que a la construcción. Es incorrecto, por tanto, afirmar que se tra-

te de un beneficiario importante de mi gobierno en Hidalgo o del actual Gobierno Federal. Es cierto que tuvo contratos en PEMEX, pero nada que haya ocurrido desde que yo llegué a la Secretaría de Gobernación. Revísenle lo que ha conseguido el pobre, es en efecto un particular con quien tengo amistad.

Haciendo la comparación entre el volumen de obra y de negocios que tiene Hinojosa, ese amigo de Osorio Chong no le llega a las suelas de los zapatos.

CAPITAL PROPIO

La personalidad política de Osorio Chong contrasta con la que ostenta su jefe, Enrique Peña Nieto. El capital político con que entra a la contienda presidencial este aspirante es propio, en su mayor parte. Es conocido y valorado por razones que pueden ligarse a su persona. De ahí que no vaya a ser fácil para el mandatario operar a favor de una candidatura priista a la presidencia que no sea la de Osorio Chong. Tendría que surgir otro aspirante con al menos igual reconocimiento de nombre entre la población, y con similar aprecio entre los priistas, para que nuestro personaje perdiera la oportunidad de estar en la boleta en el año 2018.

El verdadero problema para él y sus correligionarios radica en que el PRI arranca tercero en las preferencias electorales —muchos puntos detrás del candidato de Morena, Andrés Manuel López Obrador, y también del aprecio que despierta Acción Nacional, independientemente de quién vaya a ser el candidato de este partido—. De nuevo, atendiendo a Consulta Mitofsky, si las elecciones hubieran sido en febrero de 2017, AMLO habría obtenido casi 26% de los sufragios, el PAN con Margarita Zavala 24% y el PRI con Osorio apenas 15%.

Es temprano para cantar victorias o derrotas; sin embargo, los talentos de cada uno están a la vista. Y también sus defectos o incapacidades más evidentes. Miguel Ángel Osorio Chong es un político que se construyó a sí mismo. Nadie le heredó el capital que ha acumulado. Es un operador local eficaz que, como Enrique Peña Nieto, no siempre cuenta con una visión de conjunto y global de los problemas. Posee, sin embargo, un instinto ágil para calcular costos y beneficios, y sabe reaccionar a toda velocidad cuando se sabe amenazado. Es un hombre que puede sentarse a oír por muchas horas, pero hay veces que no escucha; como ocurrió en el caso Ayotzinapa, sus prejuicios pueden ganar sobre su sensibilidad política. Supone, por ejemplo, que la crisis de derechos humanos puede resolverse haciendo relaciones públicas sin atender el fondo de la cuestión. En contraste, es un hombre receptivo frente al tema de la discriminación, los derechos de las mujeres y la participación de los jóvenes en la política. En su equipo de trabajo destaca un número importante de mujeres y gente joven.

VALE LA PENA JUGÁRSELA

—¿Tiene realmente sentido hacer política? —pregunto.

—¿Cómo transformas las cosas si no es desde adentro?

—¿Puede hacerse hoy desde el PRI? —insisto.

—No puedes meter a un mismo baúl a todos los priistas.

—¿Cómo distinguirse entre priistas?

—Con tu comportamiento. A pesar de que otros nos hayan hecho daño. Entiendo que por gobernar a la mayoría de los estados y la mayoría de los municipios, pues hay elementos que han lesionado mucho.

—¿Qué haría con los corruptos?

—Creo que para México el tema de la impunidad es esencial. Hay que enfrentarla, y sí, en el PRI tenemos hoy una circunstancia bien difícil. Pero, a pesar de que algunos han hecho un cochinero, pues también te quiero decir que los priistas hemos aportado mucho a este país.

—¿Podría usted, como le sucedió a Roberto Madrazo en 2006, terminar en tercer lugar de la contienda?

—Me preocupa porque, para ser justos, mi partido ha actuado con responsabilidad ante momentos bien complejos y bien difíciles, como los que le están tocando al presidente Enrique Peña Nieto. Pero uno no puede hacerse a un lado, no debes caer en demagogia. Yo le tengo verdaderamente temor al conservadurismo y a los populismos. Luchar contra ellos es la razón que me aporta más ganas de seguir dando la batalla.

RICARDO RAPHAEL

Es periodista, académico y escritor. Es director del Centro Cultural Universitario Tlatelolco de la UNAM y profesor de asignatura en el CIDE. Es conductor de los programas *Espiral* y *#Calle11* (Once TV), y *Corresponsales* (Canal 13), además de colaborador de los noticiarios *Enfoque* (NRM) del medio día en ADN 40. Coordinador del *Reporte sobre la Discriminación 2012*. Autor de los libros *Para entender la institución ciudadana*, *Los socios de Elba Esther*, *El otro México* y *Mirreynato*, entre otros.

RICARDO ANAYA
La máscara detrás de la sonrisa

SALVADOR CAMARENA

Si le preguntaran a Ricardo Anaya Cortés (Querétaro, 1979) cómo se define, él contestaría que si alabanza en boca propia no fuera vituperio, diría que es una persona tenaz, que lo ha sido desde chico, que lo ha sido de manera natural, sin que nadie le obligara a calificaciones escolares de excelencia, sin alguien que le exigiera destacar en su profesión. En cambio, si la pregunta fuera formulada a otros, a varios de quienes han convivido con él a lo largo de más de 20 años de carrera política, las respuestas irían desde quienes dicen que es un político extraordinariamente disciplinado y estructurado, un hombre con una sólida ética de trabajo, hasta quienes lo consideran un mero producto mediático, o, una de las respuestas que más se escuchan: una persona que ha escalado en la política traicionando compromisos. Para ponerlo en palabras de un priista, "alguien que no sabe darle valor a la palabra".

Valor a la palabra. Es curioso que se le critique por los acuerdos verbales no cumplidos, curioso porque si por algo ha destacado Anaya es porque parece conocer el valor de las palabras. Al menos el valor que se le da a las palabras públicas, a las pronunciadas en discursos y debates, renglones en los que destaca en una política saturada de *sound bites,* pero escasa de buena retórica, argumentos claros y oratoria eficaz.

123

La irrupción de este panista en la cúspide de la escena nacional fue labrada escalón a escalón: desde el modesto instituto municipal de la juventud en el Ayuntamiento de Querétaro hasta la presidencia nacional del Partido Acción Nacional (PAN). Los hitos de esa carrera están marcados, ya sea por discursos notables o por efectivos golpes de mano, como el que propinó a Gustavo Madero en 2015, cuando lo destronó de la coordinación parlamentaria de los blanquiazules en San Lázaro. "Ricardo no traiciona, Ricardo mata, y cuando ya te anuló, regresa y te da una palmadita. Madero es el mejor ejemplo de eso, pero no es el único", me dijo un panista consultado para este perfil.

Sin inmutarse en lo más mínimo, sin perder la sonrisa, sin dejar de mirar fijamente a su interlocutor; es decir, sin dejar de ser un maniquí en las entrevistas, Anaya dice que no es cierto, que no es un traidor. Que son versiones las que hablan de pactos no cumplidos, que se han ido quedando en archivos de prensa, pero que se puede hablar con Madero, con Rafael Moreno Valle (su impulsor como candidato al Comité Ejecutivo Nacional [CEN] del PAN) o con Javier Corral (quien le disputó la presidencia panista en 2015), y se verá que con todos está en buenos términos, que si hubo alguna diferencia, alguna pugna, éstas han quedado resueltas.

Lo mismo ocurre cuando se le pregunta por las voces que lo involucran en turbias inversiones en Querétaro, en desvío de fondos durante su gestión en el gobierno queretano de Francisco Garrido, en el manejo irregular de millones de pesos en la bancada panista en San Lázaro, en cuantiosos gastos personales para visitar a su familia en Atlanta, Georgia, donde viven su esposa y sus tres hijos desde hace algún tiempo. Sin perder la sonrisa, Anaya desgrana línea por línea un detallado guion con el que busca minar la solvencia de cada una de esas denuncias.

La sonrisa imperturbable, el eterno traje oscuro sin corbata, salvo en ocasiones solemnes, y una perfecta postura al sentarse, cual disciplinado escolapio, todo el lenguaje corporal como un refuerzo del mensaje verbal: nada es cierto, son chismes, tonterías sin sustento, las auditorías lo han dejado sin señalamientos, todo ha quedado aclarado.

Y de vuelta a la sonrisa, que se hace un poco más pronunciada si se le dice que va directo a la candidatura de su partido. Pero ese cambio dura apenas un segundo, pues no se permite bajar la guardia, porque Ricardo no es natural. Nada en él parece natural. Es el producto de ensayar, ensayar y ensayar. Ensayar discursos en sus trayectos de ida y vuelta a Querétaro cuando estaba en la Cámara de Diputados. Es el ensayar discursos en su casa del Paseo de la Reforma. Es nunca aceptar una entrevista sin prepararse específicamente para ello. Nunca salir de casa sin la tarea hecha. Reúne datos, pide aportaciones a un compacto equipo, para luego redactar él mismo el discurso, el cual leerá hasta tenerlo aprendido, y que luego apuntará en las tarjetas que lleva a todas partes. Pide información, estudia los temas, busca consejo, y sólo entonces acepta los cuestionamientos de la prensa. Porque para Anaya no hay discurso que no sea memorizado; no hay entrevista que no se prepare con un esmero que algunos creen obsesivo; no hay, en suma, nada espontáneo en su vida pública.

Es el producto milagro de una disciplina y un método. Se recoge temprano en casa, como distracción se dedica a la música —toca el piano o un sintetizador electrónico de viento llamado ewi— o a la lectura de temas de física, hace yoga solo, en casa y con ayuda de un video, bebe poco, sale menos, y rara vez traiciona sus rutinas.

Quien se diga sorprendido por la agresividad que mostró en 2016 frente a Manlio Fabio Beltrones, en el debate al cierre de la jornada electoral cuando se disputaron las gubernaturas de 12 estados, es porque no recuerda que usó la misma estrategia en 2015 frente a Javier Corral. Si alguien se sorprende al escucharlo decir hoy que cualquier aspiración rumbo a 2018 pasa por los resultados electorales de 2017, es que no ha reparado en que el año anterior decía lo mismo, pero sólo cambiaba la fecha: cualquier aspiración pasa por los resultados de 2016, cualquier aspiración pasa por los resultados de 2015…

Ese cuidado en las declaraciones y en los discursos, los modales aparentemente corteses y la reiteración de mensajes sencillos —el PAN está contra la corrupción, el Partido Revolucionario Institucional (PRI) nos lleva al desastre de siempre, López Obrador con sus locuras sigue siendo un peligro para México…— constituyen el lado visible de un político que mintió con la verdad cuando lo criticaban por dejarse mangonear por Gustavo Madero, quien lo dejó en la presidencia panista de manera interina mientras cubría los trámites para hacerse diputado. Ante esos cuestionamientos, respondía que en su vida ha aprendido que, bien aprovechadas, las oportunidades traen nuevos retos. Él sabía que decía la verdad, que estaba en fase de acopio de las formas del poder en la cima del PAN y de la política mexicana a escala nacional. Llegado el momento sabría deshacerse del exgobernador Garrido, de Roberto Gil, quien lo invitó a dos campañas, de los calderonistas, de Villarreal, de Villalobos, de Moreno Valle..., de Madero.

Ese tenaz estudiante, ése que ganó mención honorífica en cada grado universitario que cursó, nunca dejó de aprender mientras veía en el cuarto de guerra panista el desastre de la candidatura de Josefina Vázquez Mota, mientras se cocinaban los *moches* en la Cámara de Diputados, mientras Madero lo ninguneaba, mientras Calderón y Corral (quien lo llamaba *peón del Consorcio*) lo minimizaban.

Sonriente, sin dejar traslucir emociones, hoy está en la antesala de la candidatura presidencial del partido que en los tiempos modernos tuvo como candidatos a tres huracanes —Manuel J. Clouthier, Diego Fernández de Cevallos y Vicente Fox Quesada— y a un peso pesado del panismo tradicional, como lo fue Felipe Calderón. ¿Funcionará Ricardo Anaya en una campaña presidencial? ¿Tiene la capacidad para improvisar en el minuto a minuto de esa montaña rusa que es una competencia rumbo a Los Pinos? Su piel —famosa porque resiente cada crítica, porque lo enervan los ataques, porque lo desquicia el saberse exhibido— ¿resistirá los golpes bajos, la guerra sucia, la sordidez de las redes sociales?

El estudiante Ricardo Anaya está a punto de ser probado por el destino mayor de la política mexicana. Seguro se ha preparado, seguro ya tiene citas para algún discurso de esa ocasión, quizás ya ensayó frente al espejo su sonrisa con la banda presidencial. Lo que falta es ver si los cadáveres políticos de exaliados que ha dejado en el camino no se le aparecen para cobrarle afrentas que le hagan prohibitiva la candidatura presidencial. Lo que falta es constatar si este joven de cálculo reflexivo, que emula a Justin Trudeau en su intento por presentarse como un refresco de la política nacional, ha hecho completa la tarea, y si tiene el equipo y la fortaleza para aguantar el asalto mayor: la Presidencia de la República.

El político que
vino de Querétaro

En la primavera de 2012 Ricardo Anaya Cortés fue el encargado, junto con su correligionaria mexiquense Laura Rojas, de la campaña mediática "Peña no cumple, las mentiras y los errores de Enrique Peña Nieto". Anaya Cortés tenía entonces 33 años (nació en febrero de 1979). La estrategia de los panistas era denunciar que, como gobernador del Estado de México, Peña Nieto había incumplido al menos 135 de los más de 600 compromisos asumidos en 2005, durante la campaña a la gubernatura de esa entidad. Los blanquiazules lanzaron incluso el sitio de internet (hoy inactivo) www.penanocumple.com, donde ofrecían videos de las obras que, a pesar de haber sido contabilizadas como realizadas, estaban inconclusas.

La estrategia panista funcionó, y a las pocas horas la campaña de Peña Nieto, con Pedro Joaquín Coldwell y Luis Videgaray, presidente del PRI y coordinador de la campaña, respectivamente, se enfrascó en una polémica con Gustavo Madero, el líder nacional del PAN, y con Roberto Gil Zuarth, coordinador de la campaña de Josefina Vázquez Mota, en cuyo cuarto de guerra participaba el hasta entonces poco conocido Ricardo Anaya.

La atención de esos debates se concentró en el llamado Compromiso 127, un paso a desnivel en las inmediaciones de Tlalnepantla que, a decir de los panistas, había quedado inconcluso. Ambos partidos se citaron el 17 de abril en el puente para que a la ciudadanía le quedara claro quién mentía, si los panistas que aseguraban que esa obra no se había concluido, o los priistas, que incluso prometían llevar la fe notarial que daba cuenta de la existencia del distribuidor vial.

El encuentro, pomposamente denominado como Mesa de la Verdad, resultó en un aquelarre lleno de descalificaciones. Coldwell y Videgaray ni siquiera encararon a los panistas, entre quienes destacó Anaya, vocero de las denuncias sobre las obras inconclusas en el gobierno mexiquense de Peña Nieto. Ese protagonismo le saldría muy caro al joven hecho en Querétaro, que a partir de ese día regresaría al perfil bajo.

A las pocas horas de que la denuncia "Peña no cumple" se convirtiera en uno de los pocos momentos estelares de la campaña presidencial de Vázquez Mota en el año 2012, Anaya comenzó a pagar los costos en

Querétaro, el estado donde creció, estudió e inició su carrera política. Uno de ellos fue un texto aparecido el 22 de abril, que arranca de la siguiente manera:

> Sigue con sus disparates y dislates el exsecretario particular de Francisco Garrido, el diputado local con licencia, el exsubsecretario de turismo y ahora candidato plurinominal del PAN a diputado federal Ricardo Anaya. Por doquier hace lo mismo y ahora aprovecha a los timoratos de su partido para hacer gala como vocero de un asunto que polemiza y desconoce a plenitud, me refiero al compromiso 127 de Enrique Peña Nieto, supuestamente incumplido. El expriista en los albores de su carrera política…[1]

De manera simultánea, revivieron en la prensa denuncias sobre un fraude tipo pirámide cometido por el empresario Francisco Javier Bosque Urquiza, que estaba en la prisión de San José el Alto desde enero de 2011 acusado de defraudar a 17 personas con 40 millones de pesos. Bosque Urquiza declararía que Ricardo Anaya le entregó ocho millones de pesos, en cheque y en efectivo. El delito era fraude maquinado, pues ofrecía inverosímiles rendimientos de 7% quincenales.

Al denunciarla como una campaña en su contra, Anaya salió a declarar que no fueron 8 000 000 sino 800 000 pesos los que prestó a Bosque Urquiza, de quien se deslindó, y dijo que ya había recuperado su dinero.

"No aguantó la presión, vino al cuarto de guerra a pedirnos que lo apoyáramos para proteger a su familia. 'No saben cómo es el ambiente allá', nos decía, creía que podrían apresarlo al llegar a Querétaro", cuenta una fuente que participaba en el comité de campaña de los josefinistas. 'Que te metan unos periodicazos es lo normal', le dijimos. Como él insistía, se llegó a hablar de buscar al jefe Diego [Fernández de Cevallos, también queretano] para ver cómo apoyarlo". Otra fuente coincide con la versión. "Le dijimos que aguantara, que así era esto; eso sí, ya no quiso salir a nada, a ruedas de prensa, a nada".

Su debut en las grandes ligas había resultado un éxito frente a los priistas, pero le hicieron pagar por eso. Anaya ha explicado que lo que

---

[1] "El disparatado discurso de Ricardo Anaya", en *Códice informativo*, 22 de abril de 2012: http://bit.ly/2mf06Ic

le publicaron en Querétaro no es verdad, que hubo quien presionó al detenido, y que todo se trató de un intento de difamarlo. Pero tampoco acepta haber pedido ayuda a sus compañeros del cuarto de guerra de Vázquez Mota.

El incidente marcó un punto de inflexión en la carrera de Anaya, pero ni era su primera incursión a escala nacional —había estado en la campaña de Roberto Gil rumbo a la presidencia del PAN a finales de 2010—, y menos aún hacía pininos en la política, en la que para entonces ya llevaba 12 años como militante panista, pues se afilió a ese partido en Querétaro, en 2000.

Anaya le contó a Adela Micha en 2014 que a los 15 años; es decir, en 1994, decidió entrar a la política. Como no sabía en qué partido enrolarse —narró—, consiguió los estatutos de las principales fuerzas políticas de entonces, PRI, Acción Nacional y el Partido de la Revolución Democrática (PRD), y que habiendo leído los tres documentos, se identificó con lo postulado por los panistas.

En otra parte de esa charla, ocurrida el 2 de octubre de 2014, Anaya refiere que Francisco Garrido Patrón, quien luego gobernó Querétaro, era su vecino, y lo invitó a la política. Su primer puesto formal fue la titularidad de la dirección del Instituto de la Juventud del Ayuntamiento de Querétaro, presidido por Garrido Patrón de 1997 a 2000.

Sin embargo, hay otra versión (independiente de la nota citada líneas más arriba) que coincide en que antes de enrolarse en las filas blanquiazules, Anaya participó en actividades del PRI, y que en realidad quien lo metió al PAN no fue Garrido Patrón, sino Manuel Ovalle, exdiputado federal, hoy colaborador de Javier Corral en el gobierno de Chihuahua, y con quien terminó distanciado. "Era del grupo de jóvenes que andaba con José Francisco *Chepo* Alcocer, priista del grupo de Enrique Burgos. *El Cerillo* (un apodo de Anaya) se acercó al PAN cuando éste ganó la alcaldía", señala una fuente queretana.

Lo cierto es que Garrido Patrón le confió su campaña a la gubernatura y, al iniciar su gestión (2003-2009), Anaya ocupó la secretaría particular del gobernador, puesto desde el cual se convirtió en el hombre fuerte de la administración. Hay notas periodísticas de 2004 sobre el poder que había acumulado, y que se traducía en que su oficina tenía tanto presupuesto como la secretaría estatal de Trabajo o de Turismo.[2]

[2] *Reforma*, 6 de diciembre de 2004.

Al final de ese sexenio, Anaya fue nombrado secretario de Desarrollo Humano (2008), puesto en el que de nueva cuenta se vio en medio de señalamientos por el enorme presupuesto que manejó: 1 000 millones de pesos en un solo año. Hay quien cree que ahí fue donde Anaya aprendió a operar el presupuesto para ponerlo al servicio de las elecciones. Consultado en una charla informal sostenida para la elaboración de este perfil, el líder nacional del PAN negó cualquier malversación o irregularidad; de haberlas encontrado, dijo, José Calzada, priista que sucedió en el cargo a Garrido, las hubiera usado en su contra.

Pero más allá de si su bautizo en la política fue con el PRI, o de si su padrino fue Ovalle y no Garrido, el dato del distanciamiento evidencia que desde el mero arranque de su vida en la política, Anaya es acusado de personalista y de no cumplir sus pactos. Fuentes queretanas cuentan que en 2010, y luego de haber sido el jefe de la campaña que no pudo retener para su partido la gubernatura de Querétaro, Anaya se convirtió en diputado local plurinominal (antes, en 2000, había intentado llegar al congreso queretano pero perdió la elección), y desde esa posición, se fijó la meta de convertirse en dirigente estatal de su partido.

Anaya pactó entonces, según esas fuentes conocedoras de la política panista de Querétaro, con Roberto Cabrera, para que éste presidiera el comité estatal panista, pero burló el acuerdo y logró quedarse con la dirigencia en medio de denuncias y llamados para que declinara; entre esos estaba el de Ovalle, que también había aspirado a ese puesto.

Como dirigente estatal y coordinador de su bancada en Querétaro, Anaya ha sido cuestionado por algunas pifias —intentaron hacer el vacío en una sesión para evitar un nombramiento del gobernador, pero los legisladores de oposición pudieron realizar con éxito el trámite— y enfrentó reclamos de sus propios compañeros por romper acuerdos legislativos, pero en esa época también dio un paso importante para su carrera a escala nacional. En la renovación de la dirigencia del PAN en 2010 compitieron Roberto Gil y Gustavo Madero. Anaya apoyó al primero, que resultó derrotado por el chihuahuense. Como premio de consolación, Felipe Calderón nombró a Gil su secretario particular. Otros gilistas también recibieron regalos: a Ricardo Anaya lo enviaron a la Subsecretaría de Planeación de la Secretaría de Turismo, donde, según se dio a conocer cuando se informó del nombramiento, se le encargaron las tareas de "generar, integrar, analizar y difundir información de la actividad turística; dirigir el proceso de planeación estratégica para incrementar la competitividad del sector turismo e impulsar el desarrollo sustentable de la actividad turística".[3]

¿Qué sabía Anaya de turismo? ¿O de planeación? De lo primero, a nivel profesional, nada. Anaya estudió derecho en la Universidad Autónoma de Querétaro, tiene maestría en derecho fiscal por la Universidad del Valle de México y es doctor en ciencias políticas y sociales por la Universidad Nacional Autónoma de México (UNAM). En cada una de esas etapas obtuvo mención honorífica.

Y de lo segundo, de planeación, es posible que por su labor en el gobierno de Querétaro tenga algo de experiencia para su nuevo puesto, al que llegó en las postrimerías del calderonismo.

En todo caso, a los pocos meses Anaya mostró una más de sus facetas. Si para el proceso electoral de 2006 inicialmente era visto entre los simpatizantes de Santiago Creel, supo luego meterse en los ánimos de los calderonistas. Y si en 2010 había apostado por Gil, logró que Gustavo Madero lo incorporara a la lista de candidatos al Congreso de la Unión para las elecciones de 2012, y colarse al cuarto de guerra de la candidata Josefina Vázquez Mota, donde su personalidad era al mismo tiempo apreciada por su orden y estructura, pero presa de burlas por su disciplina y falta de desparpajo.

EL DIPUTADO CON CARA DE NIÑO DE SECUNDARIA

El mito de Anaya como "chico maravilla" nació en la Cámara de Diputados. *Chico Maravilla* fue un mote autopromovido. Así lo llegó a decir Enrique Aranda, columnista de *Excélsior* que ha seguido y criticado de tiempo atrás la carrera del Cerillo, como se conocía a Anaya en Querétaro, apodo que le molesta mucho.[4] De cualquier forma, San Lázaro se prestó para su lucimiento porque le permitió hacer gala de algunas habilidades: su capacidad para aprender rápido y prepararse ante cada

---

[3] *El Financiero*, 4 de abril de 2011.
[4] "El Cerillo. Su tragedia", en *Excélsior*, 25 de agosto de 2014: http://bit.ly/2nGfr1e

situación, la efectividad de sus discursos y su manejo de sesiones complicadas. Además corrió con suerte. Le tocó un momento histórico, el de las reformas legislativas incluidas en el Pacto por México, y supo aprovecharlo. Fue el gran despegue de alguien que nunca ha ganado una campaña que no sea intrapartidista, pues como había ocurrido en 2009 en el legislativo queretano, al Congreso de la Unión llegó en 2012 por la vía plurinominal.

El descubrimiento de algunas virtudes de Anaya, que comentaristas de la prensa nacional harían al arranque de la administración del presidente Enrique Peña Nieto, era ya moneda común entre los panistas. "Es estructurado. Sabe analizar, por eso llamó la atención. Las preguntas las sabía responder porque se preparaba", dice una fuente que estaba en el cuarto de guerra de Josefina Vázquez Mota.

Otra persona que igualmente formó parte de ese equipo comenta:

> Es un hombre muy disciplinado. En la campaña pedían tacos a las tres de la mañana y él se tomaba un licuado de proteína. Siempre se vestía igual. Es muy estructurado, muy ordenado, aunque también tenso. Sabe que es talentoso, pero no se confía, es talachero, se prepara mucho. Nunca sale a ningún lado sin revisar los documentos con los que se debe preparar. Nunca improvisa. Nada. En la campaña iba y venía casi diario de Querétaro. Tenía un convertidor de computadora para encendedor y así trabajaba de ida y vuelta. (Juan Ignacio) Zavala se burlaba mucho de él porque en todas las reuniones salía con su "recapitulando" y por *nerd*... lo interrumpía. Ricardo odiaba a Zavala por eso, porque también es cierto que Anaya se enoja mucho.

Rafael Giménez, encuestador y añejo colaborador en campañas panistas, lo pone en estos términos: "Es un abogado que sabe leer números, que sabe de las debilidades y alcances de lo que dicen las encuestas. Y tiene la obsesión por el detalle, que es una virtud que sólo se ve en los políticos ganadores. Es dueño de un autocontrol increíble. En Querétaro él era el que mandaba. Que sea nuevo para él el poder, de ninguna manera".

Pero de todo lo anterior, poco se sabía más allá de Querétaro o del PAN. Así que al llegar a la Cámara de Diputados, como un integrante de la burbuja panista encabezada por Luis Alberto Villarreal y Jorge Villalobos, los operadores de Gustavo Madero en San Lázaro, que luego protagonizarían escándalos de corrupción llamados *moches* y parrandas con prostitutas, Anaya se dedicó a lo que mejor sabe hacer: aprender cómo funcionan las cosas. Y a deslumbrar con sus discursos. Damián Zepeda, entonces compañero de bancada y hoy número dos en el PAN, cuenta que el primer discurso con el que Anaya logró captar la atención de los diputados fue uno donde defendió la reforma laboral. Ese día habría nacido Anaya para San Lázaro. Era apenas noviembre de 2012.[5]

De acuerdo con una fuente panista que estuvo también en esa legislatura (2012-2015), Anaya aprendió de Villarreal y de Villalobos a cómo usar el presupuesto para premiar y castigar. Pero no sólo de ellos, sino también de Madero y de Jorge Manzanera (operador electoral panista). "Quien armaba el presupuesto era Ricardo, y quien le ayudaba era Damián Zepeda. Anaya es hábil, audaz y extremadamente ambicioso".

Esa cercanía le permitió a Ricardo integrarse a la comisión permanente del Congreso de la Unión, cargo que ocupaba el 10 de junio de 2013, cuando Xi Jinping, el presidente de China, visitó el parlamento mexicano. Si hoy se revisa el video de esa sesión,[6] el discurso pronunciado por Anaya ese día tiene ya todos los elementos que, años más tarde, le ganaron reconocimiento en términos de oratoria y manejo del escenario. Es simple, emotivo (aunque un poco edulcorado) y rítmico. Y está documentado. Cita al propio presidente Xi en un discurso a la juventud china en donde les exige atreverse a soñar, y usa ese trampolín para hablar de su propia juventud y de la juventud mexicana como una que, también, debe "atreverse a soñar". El resultado es evidente en el número de ocasiones en que el visitante sonríe y asiente durante el discurso de ocho minutos.

Así contó su ascenso la reportera Ivonne Melgar: "Impulsado por el coordinador de la bancada, Luis Alberto Villarreal García, y el vicecoordinador Jorge Villalobos, afines al presidente del blanquiazul, Gustavo Madero, el diputado Anaya Cortés fue enviado a la Comisión Permanente durante el receso del Congreso. Como vicepresidente de esa instancia

---

[5] "Sí a la Reforma Laboral", en *YouTube.com:* http://bit.ly/2odPp57
[6] Con motivo de la visita del presidente de China en México: http://bit.ly/2nQGEh0

tuvo la oportunidad de mostrar sus capacidades para dirigir la discusión parlamentaria".[7] Por cierto, Ivonne Melgar es quien, en esa crónica, bautiza a Anaya como "el diputado con cara de niño de secundaria".

Tras su paso por la Permanente, y puesto que al PAN correspondía la presidencia del segundo año de la legislatura, el nombre de Anaya comenzó a sonar como posible presidente, cargo que asumió la víspera del primero de septiembre de 2013, a los 34 años. Su llegada levantó cierta expectación dada su juventud.

Ernesto Núñez, reportero especializado en el PAN, considera que Anaya fue utilizado por Madero para la conducción de una caótica asamblea panista llevada a cabo un par de meses atrás, donde se votó que toda la militancia pudiera elegir al líder nacional. Así lo contó en *Reforma*:

> Ocurrió el 10 de agosto, en la Arena Ciudad de México, al final de la 17 Asamblea Nacional del PAN, en la que Gustavo Madero logró que se aprobara su proyecto de reforma de estatutos.
>
> Anaya, joven panista queretano, ayudó a Madero a conducir la sesión. Aguantó estoico los gritos de decenas de militantes inconformes con el procedimiento *fast track* empleado para aprobar la reforma. Sentado a la derecha de Madero, vio a militantes furiosos tirar las vallas de seguridad y abrirse paso a empujones y patadas para acercarse al *presidium*. A su alrededor cayeron pedazos de cartón, vasos desechables de café, manzanas... y una cáscara de plátano que él esquivó y fue a dar al traje del michoacano Marko Cortés, a la izquierda de Madero. Anaya no se inmutó ante la ira de los inconformes, y en unos cuantos minutos tramitó una reforma que se antojaba imposible en medio del zafarrancho.
>
> Eso lo puso en los afectos del dirigente nacional panista, cuya opinión fue determinante para que dos semanas después fuera electo por el grupo parlamentario para ocupar la presidencia de San Lázaro.
>
> Con sólo una diputación local en su currículum, dejó en el camino al también panista José González Morfín, con 25 años más de edad, nueve años consecutivos como legislador y tres legislaturas ocupando cargos en las mesas directivas del Congreso.

---

[7] *Excélsior,* 29 de septiembre de 2013.

La última vez que hubo un presidente menor de 40 años en San Lázaro ocurrió en 1998, cuando Jorge Emilio González, el Niño Verde, presidió la LVIII Legislatura con sólo 26 años de edad.

Delgado, con gafas y con evidentes ganas de apartarse de la imagen de un presidente imberbe, Anaya conduce las sesiones rodeado de asistentes. Siempre trae tarjetas en las manos. Algunas con sus propios apuntes; otras redactadas por asesores que incluso le aconsejan qué declararle a la prensa antes de que comience la sesión.[8]

Del texto de Núñez también conviene retomar, para insistir en el estilo de Anaya de preparar absolutamente todo, cómo responde este panista a la hora de tomar una entrevista periodística, así sea solicitada de último momento. "Acepta la entrevista sin muchos rodeos, aunque pide que antes de iniciar se le explique de qué se va a tratar. Hace una consulta en su teléfono, traza algunas líneas en cuatro tarjetas y se declara listo. Antes de responder cada pregunta se toma entre 5 y 10 segundos para pensar. Habla pausado, como si no tuviera prisa. Pero la tiene".

En los seis meses que le toca presidir San Lázaro, Anaya sacará las reformas del Pacto por México. La periodista María Scherer le preguntó cuál fue la clave para lograr eso con éxito:

—¿Qué hiciste diferente?

—Creo que llegué con la humildad de quien nunca ha sido diputado federal. Fui consciente de que tenía que ser muy receptivo, estudiar, pedir ayuda, escuchar consejos y, sobre todo, aprender rápido. Procuré equilibrar la firmeza para aplicar el reglamento con la prudencia para escuchar a todos. Quise que nadie, en ninguno de los siete grupos parlamentarios, se sintiera atropellado y que el Congreso se sintiera representado en cada uno de mis discursos.

También en ese periodo pronunciaría el discurso que hizo que más allá de la Cámara de Diputados se giraran las cabezas para prestarle atención. Mientras Peña Nieto desdeñó, mucho antes de que apareciera esa amenaza llamada Donald Trump, la importancia de la relación con Estados Unidos, fue su voz la que se levantó para protestar por una información de espionaje a mexicanos llevada a cabo por Washington.

[8] *Reforma*, 6 de octubre de 2013.
[9] *El Financiero*, 14 de marzo de 2014: http://bit.ly/2nkEedp

El 13 de octubre de 2013, en San Lázaro y frente a Anthony Wayne, embajador de Estados Unidos en México, y en ocasión del anuncio de un grupo de amistad México-Estados Unidos, Anaya dijo lo siguiente (extracto):

Excelentísimo señor Earl Anthony Wayne, embajador extraordinario y plenipotenciario de los Estados Unidos de América en México:

Como usted ha dicho, efectivamente, sin conversaciones no hay soluciones, y por eso celebramos su presencia y celebramos que estemos en este momento dialogando, que estemos en este momento conversando.

En el Pleno de esta Cámara de Diputados hay una inscripción en letras doradas, que destaca por encima de todas las demás inscripciones. Destaca por su tamaño, que ya de suyo destaca la jerarquía de esta inscripción; destaca también hoy por su vigencia y destaca hoy por su pertinencia.

Son las palabras del expresidente de México Benito Juárez: "Entre los individuos como entre las naciones, el respeto al derecho ajeno es la paz".

El respeto a la vida interna del otro país es la paz; el respeto a la privacidad del otro es la paz; y la paz a la que se refiere Juárez es mucho más que la simple ausencia de conflicto. La paz a la que se refiere Juárez es confianza, es entendimiento, es cooperación, es posibilidad de construir juntos beneficios para nuestros pueblos.

Señor embajador, estoy convencido de que no debemos, jamás, callar por respeto lo que podemos decir respetuosamente, y por eso hoy reafirmamos la necesidad de que la investigación que ha sido ya comprometida por el presidente Obama, sobre presuntos casos de espionaje, sea profunda, que concluya en un plazo breve y, sobre todo, que sus resultados permitan deslindar responsabilidades.

Esperamos una investigación seria, pero, sobre todo, esperamos una investigación con consecuencias. Ofrecemos, como siempre, respeto; esperamos reciprocidad.

Al día siguiente, Joaquín López Dóriga publicó sobre ese discurso:

A lo largo de los años he visto varias generaciones de políticos, algunos brillantes, otros prometedores, otros decepcionantes, unos con futuro, otros con pasado, unos que se resisten a morir, otros que se resisten a crecer, otros que no merecen ni el recuerdo. Desde hace algunos meses he seguido con atención al diputado por Querétaro Ricardo Anaya, a sus 34 años, actual presidente de la Cámara de Diputados. Me habían hablado de él y ya lo había escuchado, pero ayer, al atestiguar su intervención al instalar el Grupo de Amistad México-Estados Unidos en San Lázaro, con la asistencia del embajador Anthony Wayne y en medio de la crisis de espionaje, me deslumbró.

Pero no fue ni con mucho el único discurso destacable de Anaya en esos seis meses. Vale la pena revisar el que pronunció en el 60 aniversario del derecho al voto de las mujeres, el 24 de octubre de 2013,[10] donde critica posiciones conservadoras, y cita lo mismo al general Cárdenas, a Rosario Castellanos y al Premio Nobel de Economía, Amartya Sen, para denunciar la baja representación de mexicanas en puestos de poder. La estructura es efectiva y su ejecución notable.

Los cuidados discursos sirven también para avanzar en su agenda. El 20 de noviembre, aniversario de la Revolución, en su calidad de orador de la ceremonia oficial, ponderó el otro factor de orgullo para él durante ese periodo, el de la aprobación de las reformas: "Podemos juntos forjar la revolución del presente, la revolución que ha de ser pacífica. El camino lo sabemos, son las reformas", consignó *El Universal*, que semanas más tarde le preguntaría sobre su mayor satisfacción por esas sesiones de la Cámara. "El que hayan salido adelante estas reformas, porque estoy absolutamente convencido de que muchas reformas marcarán un antes y un después en la vida del país, y que, particularmente en el caso de la reforma energética, una vez que hayan transcurrido cuatro o cinco años a partir de esta declaratoria que hemos hecho hoy, los resultados van a ser tan evidentes que difícilmente podrán ser cuestionados".

Su labor como líder de los diputados fue encomiada, al término de su periodo de seis meses como presidente de la Cámara de Diputados, por políticos de todos los partidos representados en San Lázaro, y por lo mismo, por todo lo que ganó en esos meses, fue que suscitó críticas respecto a que su siguiente paso fuera prestarle prestigio a Gustavo Madero, que como líder

[10] "60 años del derecho al voto a la mujer en México", en *YouTube*: http://bit.ly/2n9ElJ9

nacional del PAN, era visto como el que había cobijado los escándalos de co-rrupción de sus operadores Villarreal y Villalobos. Anaya se bajó del estrado de San Lázaro y el, 12 de marzo de 2014, se presentó como la cara amable de la fórmula con la que Madero pretendía un nuevo periodo al frente del PAN.

Una semana después, el periódico *El País* le cuestionó esa decisión:

P. Se ve una crisis en las filas del PAN por señalamientos de corrup-ción y usted acompaña al equipo que ha sido ligado a eso. ¿Por qué se juega su prestigio involucrándose con un equipo que es visto como el PAN del *moche* [como se llama en México al pago de comi-siones indebidas]?

R. Lo primero que diría es que [los *moches*] me parecen prácticas absolutamente inaceptables bajo cualquier circunstancia. Segundo, es un tema del que sí he hablado largamente con Gustavo Madero, a quien considero una persona honesta, si no, no lo estaría acompa-ñando en este proyecto; y tercero, estoy convencido de que el sello de la próxima dirigencia tendrá que ser el de la decencia pública y el de la honestidad. Lo he platicado ampliamente con Madero y estoy convencido [de] que lo vamos a lograr. Entiendo el tamaño del reto.[11]

Parecía que Anaya sería de nuevo un número dos. En pocos meses, las cosas cambiarían mucho, sobre todo para Madero.

EL CETES

La ya citada entrevista de Adela Micha a Ricardo Anaya ocurrió el 2 de octubre de 2014, apenas dos días después de que Gustavo Madero solici-tara licencia a su partido para irse como número uno de la lista de candi-datos a la Cámara de Diputados en las elecciones de 2015. La ausencia de Madero de la presidencia panista sería de un poco más de tres meses. La idea era que el chihuahuense volviera a su puesto apenas se cumplieran los plazos estatutarios, ésos que le obligaron a renunciar como trámite obligado para acceder a la candidatura, y cumplido el trámite, él sería de nuevo el líder nacional de los panistas.

[11] "El Mexican Moment también es del PAN", *El País*, 20 de marzo de 2024: http://bit.ly/1gSIsLp

En esa charla, Adela Micha le dice: "Te has convertido en una pieza que Gustavo Madero mueve a su antojo". Anaya responde que es una persona libre. La entrevistadora vuelve a la carga: "Hasta te dicen *el* CETES, porque se vence a los 90 días". La periodista resumía la opinión mayoritaria sobre el proceder de Anaya, visto como alguien sin voluntad, un mero operador de las órdenes de su líder. La historia un año después sería muy distinta. Pero primero regresemos a mayo de 2014, cuando tras una ríspida contienda, en la que por primera vez votarían el total de los militantes, lo que llevó a denuncias de abultamiento y control del padrón por parte del que buscaba su reelección, Gustavo Madero y Ricardo Anaya le ganaron la presidencia del PAN a la planilla conformada por Ernesto Cordero y Juan Manuel Oliva.

Madero sobrevivió de ese modo a los escándalos por los *moches* y por su cercanía con el gobierno de Peña Nieto, como artífice que fue del Pacto por México. Tenía de nuevo el respaldo de la militancia y asentaba un poder sin disputa en el PAN, donde los calderonistas habían sido arrinconados, mientras poderosos gobernadores panistas como Guillermo Padrés, de Sonora, y Rafael Moreno Valle, de Puebla, eran parte del reparto de cuotas.

El siguiente paso lógico, de lo que se suponía era la construcción de una candidatura presidencial para Madero, fue su renuncia a la presidencia del PAN, el 30 de septiembre de 2014. Anaya quedaba a cargo del barco al menos hasta enero, cuando regresaría su mentor, y era blanco de críticas como las que le hacía Adela Micha. "Lo que ha sucedido en mi vida es que, cuando he tenido una oportunidad, y he hecho mi mejor esfuerzo, después se presenta otra. Es una oportunidad extraordinaria a mi edad presidir el PAN", contestó Anaya a la periodista ante esos cuestionamientos.

Lo que sí hizo Anaya esos meses fue *placearse* en los medios de comunicación, donde habló de la necesidad de que el PAN se uniera y de que no se quedara en "la estéril lamentación, que a partir del reconocimiento de nuestros errores proyectemos el futuro con esperanza, mejoremos, y sigamos sirviendo a nuestro país".[12] Habló una y otra vez de preparar las candidaturas de 2015 y de combatir la corrupción, que fue su nueva batalla discursiva.

---

[12] Discurso por el 25 aniversario luctuoso del Maquío, *Excélsior*, 1 de octubre de 2014.

Pero en enero volvió Madero y parecía que de nueva cuenta Anaya sólo sería una ficha de la cual disponer. En ese momento, Anaya fue enviado a coordinar la bancada de diputados en San Lázaro, en la menguante LXIII Legislatura, con el supuesto encargo de aprobar el Sistema Nacional Anticorrupción, paquete de reformas que no saldría sino en la siguiente legislatura y ya bien entrado 2016. Ese encargo, además, le restaba las posibilidades de, al año siguiente, buscar para su partido la gubernatura de Querétaro.

Anaya esperó a que pasaran las elecciones intermedias, y una semana después, desde Querétaro, donde su partido había vuelto a ganar la gubernatura, anunció su deseo de contender por la presidencia del PAN. "Las elecciones son lecciones y la gran lección de esta elección es que los mexicanos están verdaderamente hartos de la corrupción, hartos de los políticos de siempre", dijo en esa ocasión, consciente del campanazo que dio el candidato independiente Jaime Rodríguez *el Bronco* en Nuevo León, donde no sólo derrotó al PRI, sino que también desplazó al PAN en un territorio que ya antes habían gobernado.

Según el despacho de Notimex, que dio cuenta de esa reunión, llevada a cabo el 14 de junio de 2015, ese día Anaya también reconoció que era "indispensable entender el mensaje que enviaron los ciudadanos, porque 'sin duda hubo triunfos muy importantes en lo local, pero definitivamente no tuvimos un buen resultado nacional'". En efecto, el PAN de Gustavo Madero obtuvo apenas 108 curules, y 20% de la votación; es decir, uno de los niveles más bajos para un presidente panista.

De ahí que no extrañe que imprimiera un giro nuevo a su discurso: "Yo quiero un PAN libre de compromisos y ataduras, para ser una oposición fuerte y valiente frente al autoritarismo y frente al populismo. Quiero un PAN ganador, abierto a la sociedad".

Como respuesta a su autodestape, algunos gobernadores, entre ellos los recién electos de Baja California Sur, Carlos Mendoza Davis, y de Querétaro, Francisco Domínguez, así como el poblano Rafael Moreno Valle, se manifestaron a favor, mientras que el senador Ernesto Cordero recriminó que Anaya sería más de lo mismo, y le pidió que se deslindara de Gustavo Madero y de Moreno Valle.

"Una gran primera muestra sería que no nombrara a Madero coordinador parlamentario en la Cámara de Diputados. Creo que sería eso una gran señal de que efectivamente quiere hacer las cosas distinto [*sic*] y quiere cambiar las cosas", dijo el senador Cordero. Anaya respondió repitiendo en cuanta ocasión pudo que no tenía dueño.[13]

El contendiente de Anaya en esa batalla por la presidencia de Acción Nacional resultó ser Javier Corral, que se presentó como alguien que pretendía recuperar al PAN. Las campañas comenzaron a mitad de julio y, dos semanas después, se vieron las caras en un debate. Son reveladores los extractos de la crónica de ese día, 30 de julio, de *El Universal*:

> Los candidatos a la presidencia nacional del Partido Acción Nacional (PAN), Ricardo Anaya Cortés y Javier Corral Jurado, protagonizaron este jueves su único y primer debate, rumbo a la elección del próximo domingo 16 de agosto, y durante 57 minutos contrastaron su trayectoria y su personalidad.
>
> En la sede nacional del PAN y con la periodista Adriana Pérez Cañedo como moderadora, el queretano Ricardo Anaya abrió el debate comparando a Corral con el líder del partido Movimiento Regeneración Nacional (Morena), Andrés Manuel López Obrador.
>
> "Francamente usas el lenguaje de Andrés Manuel López Obrador. Porque, Javier, *rebelión* viene de *bellum* que significa 'guerra', guerra entre nosotros mismos y un proyecto nuestro, que propone una renovación, una regeneración en unidad para servir a México", afirmó.
>
> Anaya le advirtió que ya no le permitiría —"te digo con toda claridad"— que continúe insultando la inteligencia y agrediendo a los miles de militantes que le [*sic*] apoyan para ser presidente.
>
> "Con ese, tu discurso de ángeles y demonios, maniqueo. Donde los buenos, como siempre, están contigo, y la inmensa mayoría —que, por cierto, no te apoya— está del lado equivocado y está contra ti", indicó.
>
> En su oportunidad Corral le reviró a su contrincante que envuelto en su discurso de regeneración ha sido parte del deterioro del partido, "de lo peor", además de llevar al PAN a un pragmatismo del priismo.

---

[13] *Reforma*, 17 de junio de 2015.

"Han llevado al PAN a un vergonzoso contubernio con el corrupto gobierno del presidente Enrique Peña Nieto. Debo decir que la rebelión de las conciencias es tan clara. Por eso he convocado a los militantes del PAN a una rebelión de las bases en contra del cártel, al que he denominado *el Consorcio*", añadió.

Corral recordó que fue la actual presidencia del partido, encabezada por Gustavo Madero, la que llevó al declive al partido, el pasado 7 de junio en los comicios, después de 25 años. […]

En respuesta, Anaya dijo que hacía bien en hablar de los últimos 25 años, y preguntó: "¿Dónde estaba Javier Corral en esos últimos 25 años?", pues desde aproximadamente un cuarto de siglo, se lo ha pasado instalado en la cúpula.

"Vas a cumplir un cuarto de siglo instalado en la cúpula y vienes aquí a decirnos que organizas la rebelión de las bases, las bases a las que no perteneces. ¿Por qué no mejor, Javier, organizas la rebelión, pero la rebelión de los pluris, a los que sí representas?", cuestionó.

Derrotado en ese debate por un Anaya que dejó a un lado su ecuanimidad y salió en plan combativo, Corral repetiría en los siguientes días las acusaciones en contra del queretano por supuestos desvíos económicos, cuando le tocó encabezar la bancada panista, y de montar una estructura paralela para la promoción del voto. En un texto publicado el 5 de agosto, Corral así reiteró sus denuncias:

Dije que Anaya ha tenido un comportamiento similar a la conducta ilegal del Partido Verde que tanto ha irritado al país. En realidad podría ser el Niño Verde del PAN. Es inaceptable que a partir de las funciones que le encomendó el partido, como presidente, como coordinador del grupo parlamentario del PAN, construyera su candidatura mediante los tiempos del Estado a los que tiene derecho el PAN, apareciendo en miles de *spots* en radio y televisión y, aún más grave, haciendo uso de recursos públicos del grupo parlamentario en la Cámara; actuar de ese modo, buscando ventajas indebidas, revela el comportamiento de fraude a la ley que identificó al Verde en la pasada campaña. Tuvimos conocimiento de que entre los meses de abril y mayo se repartieron, en nombre de Anaya como coordinador parlamentario, miles de tabletas electrónicas financiadas con recursos de la Cámara de Diputados a una red de operadores del partido que percibían 8 000 pesos mensuales. Dichas tabletas, con sistema de prepago para su acceso a internet, no sólo tenían precargados los *spots* de los que Anaya fue protagonista como presidente interino, ahora firmados como coordinador del grupo parlamentario, contienen una aplicación que permite geolocalizar a los miembros activos del PAN, con el fin de emplear estos recursos para la contienda interna que hoy protagonizamos. Anaya no pudo sacudirse mi señalamiento porque sabe que tenemos las pruebas, testimonios notariales, correos electrónicos y *chats*, además de algunas tabletas financiadas de modo irregular. Hay otros hechos muy delicados del manejo de los recursos públicos del grupo parlamentario de los que Anaya es responsable; el pasado 4 de julio *El Universal* reveló que su despedida se convirtió en una cascada de reclamos por parte de la bancada, pues las arcas del grupo parlamentario en San Lázaro quedaron prácticamente vacías. El diario informó que en menos de tres años, durante las administraciones de Luis Alberto Villarreal, José Isabel Trejo y Ricardo Anaya, el PAN gastó más de 660 447 000 pesos, que recibió bajo el concepto de subvenciones ordinarias y extraordinarias durante dicho periodo. El pasado sábado el mismo diario señaló que el diputado Heriberto Neblina, integrante de la Comisión de Vigilancia, solicitó la información financiera del grupo y no le fue entregada, ni le han explicado por qué. Asimismo, Neblina ha solicitado que antes de que concluya la legislatura, el Comité de Vigilancia pueda revisar toda la información financiera, sobre todo la relativa al periodo de enero a junio de 2015, en la que Anaya coordinaba al GPPAN. En Querétaro, desde muy temprana hora, bajo la administración de Francisco Garrido, Anaya ha sido relacionado con hechos de corrupción.[14]

Las denuncias de Corral tuvieron desigual repercusión. Por ejemplo, Germán Martínez publicó que "la 'independencia' de Corral es tan genuina como los compromisos del gobierno por aclarar el origen de los recursos de la Casa Blanca".[15] Sin embargo, entre la militancia sí continuó la

---

[14] "La falsa dicotomía" (extracto), *Diario de Yucatán*, 5 de agosto de 2015.
[15] *Reforma,* 5 de agosto de 2015.

discusión sobre un supuesto faltante de casi 21 millones de pesos en los recursos del grupo parlamentario, por lo que —según varias versiones—, Anaya habría solicitado a su compañero diputado del PRI, Manlio Fabio Beltrones, una partida extra para cubrir ese hoyo financiero.

"Si Anaya gana" —publicó Ernesto Núñez en *Reforma* el 8 de agosto— recibirá de Gustavo Madero un partido en crisis. Las elecciones del 7 de junio colocaron al PAN en segundo lugar como fuerza política, pero con 21% de los votos (un porcentaje intermedio entre sus 16 puntos de las elecciones federales de 1991 y su 24% de 1994)". El reporte agregaba que "en enero de 2013, cuando Madero maniobraba para asentarse en la dirigencia después de que Calderón dejó el poder, distribuyó entre los panistas un documento con un duro diagnóstico en el que destacaban tres causas de su debacle: pérdida de identidad, derrota cultural y conflicto interno".

Para esa misma entrega, *Reforma* entrevistó a Anaya. Así arranca la entrevista: "Al hablar con él, da la impresión de que Ricardo Anaya fue adulto desde niño. Es serio y estructurado no sólo en sus propuestas, sino hasta en las palabras que utiliza, en la forma de sentarse, en el corte milimétrico del cabello. Cree en el valor de la palabra y no se permite salirse de su línea".

Más adelante, el reportero hace un cuestionamiento sobre la capacidad que tiene Anaya de salirse por la tangente cada vez que es cuestionado por la corrupción de sus compañeros panistas en San Lázaro:

—Villarreal ahí sigue y no te has pronunciado en su contra...

—A mí no me correspondió como dirigente juzgarlo a él.

—Pero eres candidato a la presidencia del PAN...

—Te puedo garantizar que lo que hice como dirigente [interino], lo voy a hacer como presidente. Pero no a capricho. Voy a crear órganos autónomos que investiguen con objetividad y sancionen con severidad. Voy a ser implacable contra la corrupción.

—¿Y, entonces, por qué la reticencia a entrarle al tema de Villarreal?

—No es reticencia. Es sólo que a mí no me correspondió.

—¿Tienes dudas de que él fue el protagonista del escándalo de los *moches* en San Lázaro?

—La PGR lo exoneró. Si me preguntas si tengo evidencia de que él haya hecho algo indebido, no la tengo.

—Nunca viste nada de nada...

—Que a mí me conste, con objetividad, un hecho de corrupción, no.

—Eras diputado y no te constan los *moches*...

—Lo que sí me consta es que la asignación discrecional del presupuesto es una pésima práctica, que, además, puede engendrar corrupción. Y eso ocurrió en esta legislatura con todos los grupos parlamentarios.

El 16 de agosto, con más de 80% del padrón, Ricardo Anaya se hizo del partido, y no sólo de la presidencia. Su triunfo, a los 36 años, lo convirtió en el segundo presidente más joven del panismo, sólo detrás de Felipe Calderón, y fue leído así por Roberto Zamarripa:

Más allá de la edad, lo que está por verse es si su juventud garantiza modernización o regresión. Funcionario estelar del oscuro e integrista sexenio de Francisco Garrido en Querétaro a sus veintes, Anaya mutó al calderonismo bajo el sexenio del presidente michoacano, pero en la agonía del mismo tomó cobijo con el antagonista Gustavo Madero. En esos trazos zigzagueantes ha conocido la corrupción de panistas desde dentro. [...] ¿Qué piensa Anaya de la diversidad de creencias, de los matrimonios gay, de sus derechos de adopción, de la pederastia eclesial y social, de la doble moral, de los derechos de los jóvenes, de la legalización de la marihuana? Quiere contemporizar, debe apresurarse. El papa Francisco ya les dio la vuelta.

Empero, lo central es su combate a la corrupción interna. [...] La paliza electoral de ayer puede llevar a doble lectura: o fue el aval al consorcio corrupto que ha cobijado a Anaya y dirigido al PAN en el último lustro, o es el vuelco en urnas de una masiva esperanza de cambio.

De reconocida inteligencia, calculador, Anaya es marcado también por una ostensible ambición que puede cegarlo y que lo lleva incluso a ser escurridizo en compromisos. Tiene piel delgada ante la crítica de la opinión pública, en la evidencia de una inseguridad que poco le ayudará frente a duras e inmediatas decisiones que tendrá que tomar. Llegó su hora.

Aunque una semana después la noticia que sacudió a la clase política fue que Anaya dejaba sin cargo a Madero en San Lázaro, el balance tras año y medio de gestión en la presidencia panista es que ni ha combatido la corrupción ni ha logrado la unidad de su partido. La defenestración de Madero fue un golpe de timón, un movimiento que afianzó al queretano en el poder. Si bien acrecentó su fama de desleal, provocó que ya no le pregunten si vive bajo el tutelaje de éste o de aquél, pues no sólo Madero fue borrado del mapa, también Moreno Valle ha sido desplazado, y los gobernadores se quejan de que toda la interlocución con el gobierno la tiene Anaya y sólo él. Es decir, hoy todo el poder panista lo concentra el presidente y su grupo compacto. En apenas tres años, Anaya pasó de ser un recién llegado a la Cámara de Diputados y al grupo de Madero, a adueñarse de Acción Nacional.

La (falta de) LEGITIMIDAD INTERNA

En 2016 a Ricardo Anaya se le alinearon las estrellas electorales. El desprestigio del PRI-gobierno, las crisis de los perredistas, que nunca se recuperaron del escándalo político de haberse visto involucrados, a través del alcalde perredista en Iguala, Guerrero, en la desaparición de 43 estudiantes de la Normal "Isidro Burgos" de Ayotzinapa, y la falta de una estructura en toda la república por parte de Morena, que sólo es competitivo a escala local en estados como Veracruz y, desde luego, en la Ciudad de México, dejaron a Acción Nacional como la opción para la ciudadanía que optó por un cambio tras sonados casos de corrupción en diversas entidades. Así, en la jornada electoral del 5 de junio del 2016 el PAN obtuvo de golpe siete gubernaturas: Aguascalientes, Chihuahua, Durango, Puebla (donde ya gobernaba), Quintana Roo, Tamaulipas y Veracruz.[17]

---

[17] Si bien en algunas de esas elecciones el PAN iba en alianza con el PRD, lo cierto es que se acredita a los blanquiazules el triunfo, puesto que los candidatos o habían surgido de sus filas o eran productos demasiado coyunturales como para saber si realmente serían cuadros perredistas, como el caso de Carlos Joaquín González, de Quintana Roo.

El triunfo fue un balón de oxígeno para un asediado Anaya. Las huestes de Felipe Calderón y las de Moreno Valle estaban listas para el asalto al PAN si éste repetía el descalabro electoral de 2015, cuando incluso perdieron Sonora. Un asesor de Anaya cuenta que sabían que incluso en el escenario de ganar tres gubernaturas, un promedio histórico para el PAN, enfrentarían una rebelión.

"El PAN nunca había ganado más de tres gubernaturas en una sola jornada. Nunca llegamos a ocupar 11 gubernaturas de manera simultánea, ni con Vicente Fox. Si comparamos los votos del PAN de 2015 a 2016, el crecimiento es de 50%", dijo un feliz Anaya al reportero Ernesto Núñez.

> La gente nos está viendo como el partido que está haciendo un esfuerzo serio por renovarse, como alternativa de cambio responsable. Los ciudadanos volvieron a ver en el PAN esta opción. [...] Millones de mexicanos no quieren ver al PRI gobernando el país, y no quieren como alternativa de cambio a López Obrador [...], tenemos la responsabilidad histórica de cumplir esas expectativas, de resolver bien nuestros procesos históricos, de salir unidos, de ganar la elección en 2018 y gobernar bien este país.[18]

Es Anaya en su estado puro. Habla de unidad, pero en su entorno le reclaman precisamente que no abone a ella. Así ocurrió en 2010 en Querétaro. Eso mismo pedía a los derrotados cuando se quedó con la dirigencia estatal: unidad a favor del partido. También en 2016, unidad pide el dueño del partido, de la interlocución con el gobierno y, sobre todo, del tiempo aire para la promoción en *spots* de sí mismo.

Los triunfos del 5 de junio fueron gracias a los esfuerzos de distintos panistas —los senadores Roberto Gil y Ernesto Cordero se apuntan algunas de las gubernaturas, como Tamaulipas y Durango—, pero Anaya supo capitalizar la jornada electoral en el debate televisivo con Joaquín López Dóriga, la noche de la jornada electoral, donde tundió al experimentado Manlio Fabio Beltrones.

Existe la versión de que Anaya llegó a esa cita en Televisa con nula certeza del resultado electoral de esa noche. Una noche memorable por los errores de algunas encuestadoras, y por la contundencia con que el

[18] *Reforma*, 3 de agosto de 2016.

líder nacional del PAN atacó a Beltrones, al que se le vio como nunca antes: trastabillante y carente de respuestas ante los cuestionamientos de Anaya. Agustín Basave, entonces líder nacional del PRD y presente en el set televisivo, se automarginó a un papel de espectador del debate.

La vehemencia mostrada por Anaya esa noche podría tener varias lecturas. Encarecer la intentona golpista de los sectores que, durante meses, le habían reclamado tanto su autopromoción como el no fijar reglas para la elección del candidato a 2018 puede ser una. O quizá vio la oportunidad de afianzar su presencia mediática, apuntalada con miles de *spots* transmitidos en más de un año. En la charla informal que tuvimos, Anaya reconoció que entró al estudio de televisión con poca información, pero que él iba a un debate, y que un debate fue lo que intentó.

Pero ni la jornada de triunfos electorales, rematada con su impecable debate, acallaron las críticas panistas por el personalismo de Anaya. No iba a resultar tan fácil borrar el sentimiento que había creado el acaparamiento que hizo para sí mismo de los *spots* que correspondían al partido.

Un ejercicio publicado por *El Universal* del 3 de abril de ese año ayuda a dimensionar el origen de las críticas: "El número de *spots* al aire de Ricardo Anaya, presidente nacional del Partido Acción Nacional (PAN), triplicó a los de Andrés Manuel López Obrador, dirigente nacional de Morena, durante el periodo del 20 de noviembre de 2015 al 17 de marzo de 2016". En otras palabras, "esas reproducciones de 30 segundos cada una le han dado la oportunidad de estar al aire más de 5 000 horas, lo que equivale a que haya aparecido en televisión o radio durante ocho meses seguidos".

Por eso no extraña que diversos militantes hayan enviado cartas a la dirigencia nacional en protesta por haber concentrado la *spotización* en la figura de Anaya, y no del partido, de otros líderes del mismo o sus candidatos.

El 19 de febrero *El Universal* publicó una de esas cartas. En la misiva, Manuel Gómez Morín, Patricia Espinosa Torres, Miguel Ángel Toscano y Juan Miguel Alcántara Soria, entre otros firmantes, pedían que Anaya dejara de utilizar recursos públicos para posicionar su imagen de cara al proceso electoral presidencial de 2018:

"Nos referimos a su aparición en *spots* televisivos para promocionar a nuestra fuerza política, que han generado una controversia por su modelo de comunicación política. La aparición de su imagen personal ha sido interpretada como que usted se aprovecha (del espacio). El público se confunde y cree que busca posicionarse como candidato del PAN para la elección presidencial". Y pedían además que Anaya hiciera público que "fue electo por un periodo de tres años y que concluirá en el encargo, velando por la imparcialidad de la elección interna, de la que usted es el árbitro, no un contendiente más".

Además de protestas, los *spots* le acarrearon un posicionamiento que pronto aparecería en las encuestas. El 5 de mayo Carlos Loret de Mola publicó en su columna una encuesta de marzo de Parametría, según la cual, entre la militancia panista, "Anaya figura técnicamente empatado con Margarita Zavala en la carrera por la candidatura presidencial panista, y muy, muy abajo, quedan Rafael Moreno Valle y Gustavo Madero". Esa columna fue titulada *El Colado*. Loret agregó: "Los estudios de opinión que se han divulgado sobre las preferencias electorales presidenciales para 2018 de la población en general marcan que, entre los panistas, Margarita es la mejor posicionada y por mucho. Pero ésa es la pelea por la presidencia. La pelea por la candidatura es otra arena". En confirmación de lo anterior, seis semanas después la empresa GEA-ISA reportaba que, en un sondeo de mediados de junio, "los votantes lo ubican como la mejor opción para ser el candidato presidencial, con un 13%, un punto más que Margarita Zavala".

Como respuesta, Anaya recibió una nueva carta, ésta firmada por figuras de la talla de Gustavo Madero y Ernesto Cordero, antes contrincantes y ahora unidos contra Anaya, Roberto Gil Zuarth y José Luis Luege, entre otros que sumaron 18 notables. "Sostenemos que es incorrecta la utilización de todos los *spots* a los que tiene derecho el partido para el posicionamiento de la imagen personal de un dirigente. No existe un solo presidente del partido, ni siquiera el tan criticado presidente de Morena (Andrés Manuel López Obrador) que haya aparecido en tal cantidad de *spots* de radio y televisión en un solo año".[19]

Enviada el 23 de octubre, la víspera de una reunión de la Comisión Permanente, la misiva agregaba que "si Ricardo Anaya piensa competir, es necesario que lo asuma públicamente, permitiendo que lo más pronto

---

[19] "Panistas piden a Anaya definirse e imparcialidad rumbo a 2018", *Excélsior*, 24 de octubre de 2016: http://bit.ly/2eBFfca

posible se elija a quien esté dispuesto a procurar las garantías necesarias para un proceso armónico y a conducirlo de principio a fin". Finalmente, a través de la red social Twitter, Calderón se sumó a los firmantes.

Un día después, Anaya se escudó en sus triunfos para no atender la petición: "La opinión es válida; estoy abierto a escuchar a los demás, pero no comparto su pensar. He recorrido el país y percibo entre panistas el triunfo, dado por los resultados nacionales [...]. A las dirigencias se les debe evaluar por sus resultados históricos". En un boletín, Anaya agregó que "sería un error histórico dividirnos en estos momentos en que Acción Nacional se perfila como la gran alternativa de cambio".[20] Tras la carta, por un lado Anaya y Madero se reunieron, en una cita que el chihuahuense calificó más de desahogos que de acuerdos, y por el otro, la comisión permanente acordó formar una delegación de seis integrantes para escuchar los planteamientos de los inconformes. Esa comisión la integran anayistas puros: su asesor Santiago Creel; su otro asesor, Marco Adame, exgobernador de Morelos; los senadores Ernesto Ruffo y Marcela Torres Peimbert; el tesorero del CEN, Édgar Mohar Kuri, quien conoce a Anaya desde los noventa, y la exdiputada Alejandra Noemí Reynoso. En contra de armar ese mecanismo votó otro de los aliados de Anaya: Miguel Ángel Yunes Linares, entonces gobernador electo de Veracruz.

Una de las críticas que más se escuchan sobre Anaya es que no suma y que no se abre. Opera con un reducido grupo, casi no va a la sede nacional del partido en avenida Coyoacán (su oficina está en realidad en la llamada Torre Azul, en Reforma, frente al Senado), y todo se tramita, ya sea con Fernando Rodríguez Doval, exdiputado y uno de sus soportes para el discurso de principios, o con Damián Zepeda, su secretario general, que le filtra todo. A ese grupo también pertenecen Juan Pablo Adame, hijo del exgobernador de Morelos; Eduardo Urbina Lucero, que además está en el Registro Nacional de Miembros y es coordinador técnico de Damián Zepeda desde hace años; Edgar Mohar Kuri, en la Tesorería del partido, ingeniero en sistemas, proveniente de Querétaro y coordinador de la campaña de Anaya a la presidencia nacional; Jesús González Reyes, secretario de Elecciones, expresidente municipal de Tijuana; Jorge Camacho, excandidato a Guerrero; el sonorense Luis

[20] "Posicionamiento del CEN del PAN": pan.org, 23 de octubre de 2016: http://bit.ly/2mYMzQm

Ernesto Nieves Robinson; el capitalino Carlos Flores Gutiérrez; Antonio Rangel, y Renán Barrera Concha.

En ese grupo, asegura una fuente, al arrancar 2016 se dio la orden de pasar el mensaje de que Anaya sí estaba interesado en la candidatura presidencial. Cerraría ese año con una rebelión sorda en Acción Nacional, pero con la certeza de que está en terreno competitivo tanto en las encuestas internas, como en las de población abierta. Un año más en que se salió con la suya.

LA PIEL DELGADA

La noche del primero de septiembre México seguía en *shock*. Enrique Peña Nieto había recibido el día anterior a Donald Trump en Los Pinos. La nación no salía del asombro y la indignación. Esa noche, en el efímero programa nocturno de Joaquín López Dóriga *Si me dicen no vengo*, Ricardo Anaya abrió su participación recordando los insultos de Trump a los mexicanos, y su amenaza de que pagarán por el muro fronterizo.

"Lo que es increíble, Joaquín, es que después de todos estos insultos, premiaron a Donald Trump. ¿En qué cabeza cabe que el presidente lo reciba como jefe de Estado cuando la mayoría de los mexicanos nos sentimos profundamente indignados por sus insultos?", dijo Anaya de frente a Luis Videgaray, entonces un secretario de Hacienda con las horas contadas, pues tendría que pagar con su salida del gabinete el rechazo que generó la visita del candidato republicano. En ese tono de reclamo y crítica siguió Anaya.

Al concluir el programa, y según se puede ver en un video que circula en internet, Anaya cambió el tono. "Creo que salimos todos razonablemente bien librados", se alcanza a escuchar que dice a sus contertulios de esa noche —además de Videgaray estaban Enrique Ochoa, presidente del PRI, Armando Ríos Piter, senador del PRD, y el historiador Héctor Aguilar Camín—. La frase es un retrato fiel de una de sus pulsiones más profundas como político: tratar de que los ataques no dañen. "Que no nos pase nada", dicen que es lo que les ofrece a sus contrincantes. Por eso casi tres meses atrás de esa fecha, también ahí en Televisa, el equipo de Manlio Fabio Beltrones no daba crédito a los ataques que Anaya dirigió al priista en la noche de las elecciones del 5 de junio. "Él fue el que apenas lo nombraron presidente pidió que no hubiera ataques, y luego sale con eso", contó una fuente del entorno beltronista consultada para esta investigación.

El columnista Enrique Aranda define así esa parte de su carácter: "Nada, ni siquiera su desmedida ambición de poder y su incontrolada afición a los reflectores y 'a dejarse ver' en primeras planas, define mejor al cuestionado administrador en turno de Acción Nacional, Ricardo Anaya Cortés, que su aversión al riesgo, al ridículo público y, más, su inocultable terror al fracaso [político]" (*Excélsior* 8 de marzo de 2017). En el mismo sentido, no son pocos los periodistas que le reclaman su piel delgada, que se quejan de sus llamadas, de sus intentos de controlar la información. "Es muy temeroso", dijo alguien que ha estado con él en campañas. "No es miedoso, es cuidadoso", repone Rafael Giménez, su colaborador. Él repone que lo que pasa es que "el que pierde su buen nombre ya no lo puede recuperar. No es que no me guste la crítica. Eso no es cierto. Creo que el prestigio se defiende con todo", contestó al respecto en la entrevista de Adela Micha ya citada.

Parte de ese control, y supongo que se puede decir que de esa defensa del prestigio, es su retórica para no asumir ninguna responsabilidad de los escándalos de corrupción que le han tocado como vicecoordinador de su bancada, como coordinador de la misma, como hombre fuerte del *gustavato*, como pieza clave del panismo en los tiempos de Peña Nieto. Ante esos casos, siempre dirá que no fueron en su tiempo.

Así lo constató Mayolo López, del diario *Reforma*, en una entrevista que sostuvieron. Anaya había dicho en esa charla que estaba "convencido [de] que debemos asumir con determinación esta regeneración del partido y que esa renovación pase por ser implacables frente a la corrupción".

—¿Usted hizo algo cuando afloraron dentro de su partido los ilícitos documentados de varios legisladores?

—No era mi responsabilidad el juzgarlos. Hoy, como presidente, asumo a plenitud la responsabilidad y me haré cargo de perseguir y sancionar actos de corrupción.

—¿Qué tanto dañaron los *moches* al PAN?

—Hemos entendido que la principal demanda de la sociedad es el combate a la corrupción, y nosotros debemos empezar en casa para tener autoridad moral para combatirla en los gobiernos federal y estatales.[21]

Si uno de los protagonistas de los *moches* era el líder de su bancada, él reconoce que nada hizo, pero argumenta que no le tocaba. En entrevista, el secretario general del PAN, Damián Zepeda, sostiene que ellos, Anaya y él, sí estaban al lado, sí estaban en la bancada, sí trabajaban en el presupuesto que tocaría a panistas, pero que no había manera de que supieran que había irregularidades, o que se estaban cocinando *moches*. "Si pasaba, eso pasaba en otra parte, no ahí con nosotros", expresa.

De cualquier manera, al llegar al CEN Anaya convenció a Luis Felipe Bravo Mena, expresidente panista, de que se hiciera cargo de una comisión interna que revisara las denuncias de corrupción. Esa misma comisión estuvo casi un año sin pronunciarse sobre las denuncias en contra del exgobernador de Sonora Guillermo Padrés, quien terminó preso en el Reclusorio Norte de la Ciudad de México. Ésa es otra constante de Anaya. Es un formalista. Mucho discurso anticorrupción, pero el comité que formó no existe en el debate público. Otro ejemplo: cuando llegó a presidir el CEN de su partido se bajó el sueldo a la mitad, y lo mismo hizo con el el de sus colaboradores. Y pidió a las bancadas panistas en el Senado y en San Lázaro que presentaran un plan de austeridad. Hoy esas fracciones parlamentarias funcionan con los mismos presupuestos que los de partidos que no ofrecieron austeridad.

El discurso anticorrupción de Anaya tuvo su más dura prueba, sin embargo, en un caso que le apuntó a la línea de flotación, y que involucraba a él y a su familia. Entre octubre y noviembre de 2016 diversos reportes periodísticos, el columnista Ricardo Alemán y el diario *El Universal* dieron detalles —por separado—, de la vida de la familia del presidente del PAN en Atlanta, y de los gastos para mantenerlos y visitarlos casi cada semana. Alemán, que cifró los viajes en más de 120, presentó comprobantes de vuelo que corresponderían a boletos de clase Premier. Los reportes daban cuenta de que un ingreso de 40 000 pesos al mes, su sueldo como líder panista, no alcanzan para mantener en Estados Unidos a su esposa, Carolina Martínez Franco, con quien se casó en 2005, y a sus hijos Santiago, Mateo y Carmen, todos menores de diez años.

---

[21] *Reforma*, 20 de agosto de 2015

En su réplica, Anaya explicó en el programa de televisión de Carlos Loret que su mujer también tiene otros ingresos, que suman 400 000 pesos mensuales, buena parte de ese dinero proviene —dijo— de bodegas que rentan a empresarios en Querétaro. Negó cualquier compra de boletos que no fueran de clase turista y dijo que no viaja tanto como dijo Alemán, sino menos de una vez a la semana. Su familia, explicó, estará dos años en Estados Unidos, como parte de un proyecto para que sus hijos aprendan inglés a una temprana edad y conozcan otra cultura, como le sucedió a él, a quien sus padres enviaron de niño a la unión americana, y de adolescente a Francia, a aprender la lengua de ese país.

"Quieren hacer parecer que todos somos iguales, que todos somos corruptos, y es algo que el PRI siempre ha intentado, que no se vayan con la finta", dijo Anaya el 3 de noviembre en Televisa. Ricardo Alemán acudiría a ese mismo espacio a mostrar más información, como el hecho de que los 120 viajes habrían ocurrido desde noviembre de 2014 a octubre de 2016, y retó a Anaya a que lo demandara para que la aerolínea Delta, donde se hicieron todos los vuelos, presentara la información. Una encuesta del Gabinete de Comunicación Estratégica, publicada el 16 de noviembre, daría cuenta de que el episodio sí le afectó: en un solo mes la opinión negativa sobre él pasó de 37% en octubre a 41% en noviembre. "Se lo dije hace tiempo, cuando lo conocí en Querétaro y supe que su familia tiene dinero. 'Debiste haber hecho público que tienes dinero', le comenté", menciona un colaborador.

Con eso cerró el año de su mayor triunfo. Mientras el PRI y el PRD se vieron obligados a cambiar dirigencia luego de los malos resultados electorales del verano, Anaya volvía a su cantaleta cuando le preguntaban por sus aspiraciones presidenciales, nunca más claras, nunca más criticadas por los panistas que le ven cocinando una candidatura a la Roberto Madrazo: desde la presidencia del partido. Él contestará como siempre, ajustando su frase al nuevo año: dirá que el 2018, para el PAN y su candidato en turno, pasa por tener buenos resultados en 2017.

"Tiene en la mano todas las candidaturas panistas, ni más ni menos", dice un panista que resiente la influencia de Anaya. No importa que haya ganado en 2016, explica otra fuente, no importa que tenga más de 60% de los consejeros del partido, "su única aduana, por lo que lo van a juzgar ahora, es por las tres gubernaturas en juego en 2017: Estado de México, donde pudo imponer como candidata a Josefina Vázquez Mota, vieja aliada suya; Coahuila, donde también impuso a su hombre: Guillermo Anaya; y Nayarit, donde van junto al PRD con el hijo del exgobernador Antonio Echevarría. Y sí, también ése es su candidato. Adentro del partido ya ganó, eso quiere decir que va a fijar las reglas", apunta Rafael Giménez.

¿Quién es Ricardo Anaya? ¿Dejará trunca la presidencia del PAN (su periodo concluye en 2018) para irse de candidato a la grande? No sería raro, pues todos los proyectos, salvo la presidencia de la Cámara en 2013-2014, los ha dejado a medias: la diputación local en Querétaro en 2011 para irse al gabinete de Calderón, eso para irse a la campaña de Josefina, la campaña para evitar más presiones de los priistas, la diputación federal para irse de secretario del PAN...

¿Quién es Ricardo Anaya? ¿Qué tiene que ver su tesis de doctorado en ciencias políticas de la UNAM, donde en medio millar de páginas disecciona, sin comprometerse, asépticamente, los principios de Acción Nacional, donde hace una larga exposición comparativa en la que no se atreve a formular una lectura crítica de esos principios a la vista de las realidades del siglo XXI, revisión que no se detiene en agendas como el matrimonio igualitario, la eutanasia o el uso recreativo y medicinal de drogas como la marihuana? Ni las menciona. De hecho, si le preguntan por el matrimonio gay no detallará una posición, se escudará en decir que se debe acatar lo que la Suprema Corte ya sancionó y de ahí no lo sacará el reportero. No dice si está de acuerdo, dice lo que le conviene para no decir lo que piensa.

¿Qué tiene que ver el Ricardo Anaya de ese mamotreto de su doctorado sobre los principios panistas con el de su tesis de licenciatura, todo un tratado sobre el grafiti urbano, de ardua lectura dado el *slang* y la penetración que de ese mundo hizo este panista con pinta de pastor protestante? Si hiciera falta subrayar la desconcertante combinación entre tema (grafiti) y autor (un panista nada radical), basta con agregar que una versión de esa tesis fue editada en forma de libro y prologada, ni más ni menos, que por Carlos Monsiváis.

¿Quién es Ricardo Anaya? ¿Ese chico inteligente, ese líder precoz que pinta Edgar Mohar, su colaborador desde hace 20 años? ¿Ese joven que "le entiende bien, pero además le trabaja duro", que "tiene una ética de trabajo", que escucha a sus colaboradores antes de opinar, que busca a intelectuales y especialistas como Enrique Krauze, Luis de la Calle, Juan Pardinas, Ernesto Revilla, Ana Laura Magaloni o Macario Schettino para consultarlos sobre sus dudas, que se deja ayudar por un expresidente del PAN como Germán Martínez, que trabajó brevemente en la policía de Querétaro en los noventa?

¿Quién es Ricardo Anaya, que dice que dentro del PAN admira sobre todo a Luis H. Álvarez, porque logró conjuntar principios y pragmatismo, a ese mismo Luis H. Álvarez que criticaba las acciones del *gustavato* que Anaya ayudó a construir?

Hijo de Ricardo Anaya Maldonado, ingeniero químico y administrador de una fábrica, de María Elena Cortés de Palacio, arquitecta. Hermano de María Elena Anaya, dedicada al hogar. ¿Quién es Ricardo Anaya Cortés?

A finales de febrero de 2017 comenzó a circular en los teléfonos celulares, de WhatsApp a WhatsApp, un video de Ricardo Anaya en la universidad George Washington. Durante 18 minutos, el panista desmonta los argumentos de Donald Trump en contra de los mexicanos. Podría pasar por un joven maestro. En un inglés prácticamente sin acento, cautiva a su pequeña audiencia. De memoria, como no podría ser de otra manera, recita discursos y explica cifras. Estaría perfecto en un salón de clases. En una sala de conferencias. En una plática motivacional. Pero... ¿en una campaña presidencial?

Quienes lo conocen aceptan que si se diera el caso, una contienda de esa magnitud no daría a Anaya "la ilusión del control" que tiene hoy como líder del PAN. Esa ilusión del control ha sido fincada en un estilo de dirección en donde muchas de las negociaciones y decisiones son llevadas a cabo por un grupo minúsculo. "Si una debilidad tiene, es el aislamiento; no está cerca de mucha gente", reconoce uno de sus colaboradores. "En su caso no hay un problema de intelecto, o preparación, sino de liderazgo, de hacer equipos. No hace conferencias, hace boletines", dice uno de su detractores. No podrá llegar porque ha traicionado a muchos, dicen algunos. "Todos los procesos internos para buscar candidatos han estado arbitrados por el CEN; si realmente no cumpliera acuerdos, los márgenes de negociación se le cerrarían", dice Mohar, quien presume las habilidades como negociador de su jefe: "Es muy bueno construyendo, subiendo gente a la negociación, logrando acuerdos". Otra persona del entorno de Anaya, al ser cuestionado por las críticas de que el líder blanquiazul no respeta los acuerdos dice, con algo de sorna: "¿Y quién en el PAN tiene palabra?".

Cuando preguntas a sus colaboradores por un ídolo, por una figura a la que Anaya siga o admire, cuando preguntas por un libro o un autor que cite o recomiende a menudo, cuando preguntas por fotografías que no sean familiares que exhiba en su despacho, cuando interrogas sobre su regla de oro, o su frase favorita, cuando preguntas si manifiesta emociones o comenta en el día a día hazañas deportivas, sucesos más allá de la política, cuando no saben responder ni siquiera qué le regalarían, cuando preguntas quién es Ricardo Anaya Cortés a quien ha trabajado décadas o cinco años con él, nadie te puede decir si es católico practicante o si le emociona algún escritor. Nadie te puede decir algo sobre el humano más allá del político. "A veces recomienda alguna conferencia de TED", es a lo más que llega uno de sus colaboradores tras pensarlo mucho.

Aparte de una máscara de un hombre de familia, trabajador y ordenado, de la que varios de quienes han trabajado con él desconfían, ¿quién es Ricardo Anaya Cortés, y qué oculta esa sonrisa?

SALVADOR CAMARENA

Es periodista. Inició su carrera en 1991 en Guadalajara en el extinto diario *Siglo 21*. Migró a la Ciudad de México en 1994. Ha sido editor en diversas publicaciones diarias (*Reforma*, *El Universal*, *El Centro*) y en la revista *Chilango*. Ha sido corresponsal en Nueva York para *El Universal* y, durante cuatro años, colaborador en México del diario *El País*. Condujo la tercera emisión en W Radio. Actualmente es columnista diario en *El Financiero*, colaborador semanal de Denise Maerker en Radio Fórmula y director de la Unidad de Investigación Periodística de Mexicanos contra la Corrupción y la Impunidad.

JOSÉ NARRO ROBLES

El priista que no lo parece

RITA VARELA

¿**P**odría ser un médico la respuesta del Partido Revolucionario Institucional (PRI) al aparente desplome en los niveles de aprobación del partido en el poder? ¿Es José Narro el verdadero tapado de Enrique Peña Nieto para las elecciones presidenciales de 2018? El nombre del exrector y actual secretario de Salud, apenas integrado al gabinete a principios del año pasado, no estaba en las listas de aspirantes a la candidatura que se manejaban en círculos políticos desde mediados del sexenio. Y, no obstante, en los primeros meses comenzó a mencionarse su nombre; primero entre susurros, luego en las columnas políticas y ahora en las charlas de sobremesa de los ciudadanos de a pie.

LAS RAZONES DE NARRO

Si un partido en México muestra falta de vigor físico y un visible agotamiento de cara a la elección presidencial de 2018, ése es el PRI. Y un factor de enorme peso en sus dolencias ha sido el desempeño de la administración federal, encabezada por el presidente Enrique Peña Nieto, quien en cuatro años y tres meses ha ido cuesta abajo hasta tocar niveles históricos de desaprobación entre la ciudadanía: 12%, de acuerdo con la encuesta publicada el 18 de enero de 2017, y que trimestralmente publica el diario *Reforma*, un nivel inédito para un primer mandatario desde que, en 1994, se comenzaron a realizar estos ejercicios de medición en México.

> Me parece que ante la opinión pública el inicio de su debacle [la de Peña Nieto] en popularidad empezó con el escándalo de la "Casa Blanca" [reportaje periodístico publicado el 9 de noviembre del 2014 por el sitio digital *Aristegui Noticias*]. A través de un manejo desidioso, poco inteligente, de la cuestión, se sucedieron muchos acontecimientos en donde jamás hubo un manejo diferente o mejor. El tema de la corrupción, por tanto, ha sido decisivo.

Esto afirmó Nicolás Loza Otero, analista político de la Facultad Latinoamericana de Ciencias Sociales (Flacso) México.

En entrevista, el también doctor en ciencias sociales por el Colegio de México (Colmex) añadió que, en particular, el inicio de 2017 fue desastroso para el Gobierno Federal y el priismo. Las medidas en contra de los bolsillos de la ciudadanía tuvieron un impacto negativo en la aprobación de la gestión presidencial, destaca.

"El 'gasolinazo', el alza a las tarifas eléctricas y la devaluación del peso fueron factores decisivos. Porque sabemos que son precios en los que la gente pone mucha atención y son muy relevantes para juzgar a la figura presidencial", dijo el profesor e investigador.

Además, el 20 de enero de 2017, el magnate Donald Trump arribó a la Casa Blanca. El discurso hostil hacia México que manejó durante su campaña como candidato del Partido Republicano se mantiene e incluso se ha endurecido desde que comanda a la nación más poderosa del orbe. Pero las respuestas del presidente Peña Nieto y de los integrantes de su gabinete no igualan el tono. Políticos de oposición y especialistas, dentro y fuera del país, lo han acusado de no defender los intereses del país y, como ha sucedido con otros temas espinosos, deja pasar las problemáticas, en un intento de que el tiempo las mitigue.

La percepción del político mexiquense como un mal gobernante ha asestado golpes severos al tricolor. En la citada encuesta de *Reforma* también se preguntó: "Si hoy hubiera elecciones para presidente de la República, ¿por cuál partido votaría?".

Los resultados: 27% votaría por Movimiento de Regeneración Nacional (Morena), 24% por el Partido Acción Nacional (PAN) y 17% por el PRI.

En este escenario, y por candidatos, Andrés Manuel López Obrador, presidente nacional de Morena, ha tomado el liderazgo rumbo a 2018, coinciden las casas encuestadoras en el país. A cada tropiezo del presidente y de su gabinete, el político tabasqueño se fortalece en las preferencias ciudadanas y, a poco más de un año de la elección federal, es el enemigo por vencer.

El 21 de febrero de 2017 Consulta Mitofsky y Parametría publicaron sus encuestas más recientes: en un escenario en que López Obrador enfrente a Margarita Zavala —esposa del expresidente Felipe Calderón Hinojosa— y al secretario de Gobernación (Segob), Miguel Ángel Osorio Chong, como candidatos, el dirigente de Morena saca 25.8% de los votos, por encima del 23.7% de la panista y 14.7% del priista, de acuerdo con el ejercicio de Mitofsky realizado para el diario *El Economista*. En la encuesta de Parametría, López Obrador obtiene 28%; Zavala, 23%, y Osorio Chong se va aún más al fondo: 11 por ciento.

En el PRI, entonces, se barajan cada vez menos opciones, luego de la poda de candidatos —la mayoría "hombres fuertes" del presidente Peña Nieto— a la que han obligado estos cuatro años de un Gobierno Federal que no ha podido concretar los objetivos a los que se comprometió el primero de diciembre de 2012.

De acuerdo con Ricardo Raphael —periodista, académico y escritor—, el tricolor se ha colocado como la tercera fuerza en las preferencias ciudadanas, y con un solo candidato visible, hasta ahora: Osorio Chong. Sin embargo, ese aspirante también está a punto del síncope, pues en cada nueva medición de las encuestadoras aparece más abajo y, afirmó el especialista con las encuestas en mano, difícilmente alcanzaría 15% de la votación.

En este sentido, reflexionó Raphael, el PRI está en riesgo de llegar al segundo semestre de 2017 sólo con la carta del secretario de Gobernación, y ésa es la razón por la que buscan opciones para abrir la baraja.

Una carta emergente para el presidente Peña Nieto, dijo el también profesor afiliado a la División de Administración Pública del Centro de Investigación y Docencia Económicas (CIDE), es el doctor José Ramón Narro Robles, de 69 años de edad y actual titular de la Secretaría de Salud.[1]

---

[1] Raphael, Ricardo, "¿José Narro para presidente?", *El Universal*, 2 de marzo de 2017: http://www.eluniversal.com.mx/entrada-de-opinion/columna/ricardo-raphael/nacion/2017/03/2/jose-narro-para-presidente

Cuatro son los argumentos más frecuentes entre sus simpatizantes para aspirar al voto popular, escribió en su columna de *El Universal*, publicada el 3 de marzo de 2017.

Primero, si bien es un consejero querido y respetado en la casa presidencial, no se le identifica como parte del círculo inmediato de Enrique Peña Nieto.

Segundo, su gestión como rector en la Universidad Nacional Autónoma de México (UNAM) dio pruebas de la proximidad que puede tener con los más jóvenes.

Tercero, es, sin embargo, un personaje que, cuando está presente, produce la sensación de que hay un político adulto en casa. Su participación en la contienda elevaría el nivel del debate.

Y cuarto, el exrector es el único que haría dudar a los votantes de Andrés Manuel López Obrador y también podría resultar atractivo para los electores afines al PAN (con Anaya o con Zavala).

Si el presidente Peña Nieto opta por considerar con seriedad estos argumentos, la contienda del próximo año podría ser muy distinta a la que hasta ahora se perfila.

Esto expuso el especialista.

Y ADEMÁS, ESTÁ TRUMP

En una columna publicada en *El País* el 8 de marzo de 2017, el articulista Jorge Zepeda Patterson añade otras razones que favorecen al exrector de la UNAM.

Si bien el doctor no forma parte del primer círculo que rodea a Peña Nieto y se integró al gabinete apenas en enero de 2016, Narro podría ser el as bajo la manga para el partido en el poder. En condiciones normales nunca sería un candidato del PRI a la Presidencia. Por un lado, por cuestiones de edad. En caso de triunfar, tomaría posesión justo al cumplir 70 años y su apariencia ciertamente no es la de un hombre joven. Desde Adolfo Ruiz Cortines en 1952, que juró a los 62 años de edad, México no ha tenido un presidente que supere los 58 de Vicente Fox. Y desde Porfirio Díaz, hace más de un siglo, nadie mayor de 70 ha gobernado el país.

Pero el triunfo de Donald Trump, septuagenario, cambia todos los parámetros, afirma Zepeda. "Narro es seis meses más joven que el republicano. Y si el PRI se decanta por el exacadémico para competir en las urnas, la maquinaria electoral seguramente esgrimirá el argumento de que el país necesita un hombre maduro y sabio para enfrentar a su contraparte".

Ciertamente Narro no forma parte de la cúpula, pero tiene una virtud insuperable, concluye Zepeda: "Es el miembro del gabinete con más popularidad en 2017. Es al único al que no se identifica con la fracción en el poder y con las prácticas de corrupción asociadas a ella. Y eso es oro molido para la lucha electoral que se avecina. Su nombre, incluso, había sido incluido en la lista informal de posibles candidatos ciudadanos para las próximas elecciones".

EN EL PRINCIPIO...
FUERON LOS BEATLES

José Narro Robles nació el 5 de diciembre de 1948 en Saltillo, Coahuila.

De sus primeros recuerdos, destacó en una entrevista con Yazmín Alessandrini, tiene presente la escasez de dinero en la familia. "Como éramos muchos, a veces había que usar parches en las rodillas para que cuando uno jugara canicas no se desgastara tanto el pantalón. No abundaban los recursos económicos, había que ser cuidadosos y, como un acto de prevención, mi mamá nos ponía los parches..., ¡los parches! La verdad no me gustaba lucirlos".[2]

También, en esa ocasión, mencionó su gusto por el estudio y develó su conocida pasión por el *rock and roll* y, en especial, por la música de los Beatles.

"Honradamente, siempre fui buen estudiante. ¡Vaya!, a veces, visto retrospectivamente, hasta digo, ¡qué aburrido! Casi siempre era elegido como jefe de grupo, y siempre fui el abanderado en la escolta en quinto y sexto año", dijo a la periodista.

---

[2] Alessandrini, Yazmín, "El rector al descubierto: 'Soy más alegre, he dejado de ser solemne'", *El Universal*, 26 de septiembre de 2010: http://archivo.eluniversal.com.mx/notas/711563.html

Ella le preguntó si alguna vez había integrado un grupo musical.

"¡Sí, cómo no! Tocaba la batería, era malísimo, y el grupo, malísimo igual que yo, pero seguramente de ahí mi afición al *rock and roll*. Me encanta... Le puedo decir casi el día en que escuché por vez primera una canción de los Beatles; la electricidad que me recorrió el cuerpo fue una experiencia fascinante".

Ése era Narro Robles de niño, y las diversas versiones de su currículum publicadas en la prensa, libros y estudios reflejan una carrera sobresaliente, que se ha basado en el estudio y en la investigación académica, pero también en una alta dosis del ejercicio político.

UN POLÍTICO PROFESIONAL DISFRAZADO

El Narro actual, el que aparece en el sitio de internet de la Secretaría de Salud Federal, destaca su amplia carrera en la academia y minimiza su participación en el sector público, donde ha ocupado diversos puestos: director general de Salud Pública en el Distrito Federal; director general de los Servicios Médicos del Departamento del Distrito Federal; secretario general del Instituto Mexicano del Seguro Social (IMSS); subsecretario de Gobierno en la Secretaría de Gobernación; subsecretario de servicios de salud en la Secretaría de Salud y, a partir del 8 de febrero de 2016, secretario de Salud, nombrado por el presidente Enrique Peña Nieto.

No menciona, por ejemplo, que también fue presidente de la Fundación Mexicana Cambio Siglo XXI, del PRI, considerado el instituto ideológico del partido oficial.

Narro es médico cirujano por la Facultad de Medicina de la UNAM, donde obtuvo mención honorífica en el examen profesional. Entre 1976 y 1978 realizó estudios de posgrado en medicina comunitaria en la Universidad de Birmingham, Inglaterra. Es también profesor titular "C", definitivo, de tiempo completo, con más de 35 años de antigüedad en la UNAM, donde se desempeñó como secretario general. Desde febrero de 2003 fungió como director de la Facultad de Medicina, y de 2007 a 2015 fue rector de la UNAM.

¿O UN ACADÉMICO —————————————
QUE HACE DE POLÍTICO?

Es, además, autor y coautor de una producción académica conformada por 114 artículos y capítulos de libros de orden científico, y más de 238 productos de divulgación. Ha participado como ponente en más de 761 foros en el país y el extranjero. Desde 1992 forma parte de la Academia Nacional de Medicina y, en 2004, ingresó a la Academia Mexicana de Ciencias.

Si la elección presidencial se decidiera por reconocimientos académicos, Narro llegaría a Los Pinos en automático. Ha recibido múltiples distinciones y reconocimientos nacionales e internacionales por su trabajo académico y asistencial, entre ellos la condecoración Eduardo Liceaga del Consejo de Salubridad General, los doctorados *Honoris causa* de las universidades Ricardo Palma de Perú; Juárez Autónoma de Tabasco; del Colegio del Estado de Hidalgo; de la Autónoma de Sinaloa; de la de Quintana Roo; de la Autónoma de Chiapas; de Birmingham, en Inglaterra; de la Autónoma del Estado de México; de la Autónoma de Aguascalientes; de la Benemérita Universidad Autónoma de Puebla; de la Autónoma Benito Juárez de Oaxaca; de la Autónoma de Campeche; de La Habana, en Cuba; de la Autónoma de San Luis Potosí; de la Michoacana de San Nicolás de Hidalgo; de la Autónoma del Estado de Morelos; de Salamanca, en España; de la Escuela Judicial del Estado de México, y de la Autónoma de Nuevo León.

Tiene el nombramiento como académico correspondiente extranjero por la Real Academia Nacional de Medicina de España; profesor honorario por la Universidad de Buenos Aires, Argentina, y miembro del Royal College of Physicians de Londres, Inglaterra.

Ha sido distinguido con el Galardón de Oro de la Universidad Ramón Llull, de Barcelona, España; la Condecoración Bernardo O'Higgins, del gobierno de Chile; la Encomienda de la Orden de Isabel la Católica, otorgada por el gobierno de España; la Condecoración de la Orden de la Legión de Honor que en grado de Oficial le confirió el gobierno de la República Francesa; la Presea al Mérito Ético otorgado por el Consejo de la Judicatura del Estado de México, y la Presea Dr. Manuel Rey García, concedida por el Colegio Nacional de Cirujanos Dentistas, en el estado de Guerrero.

UN DIABLO
DE BUEN CORAZÓN

"Es un líder, carismático, sencillo, muy trabajador e innovador, aunque estricto, y cuando se enoja es el diablo; es inteligente, honesto, atento y con mucha visión", coincidieron dos miembros de su equipo de trabajo durante su periodo como director de la Facultad de Medicina (de 2003 a 2007) de la UNAM, donde siguió impartiendo clases incluso ya como rector de la Máxima Casa de Estudios.

También, cuando era rector, impartía las clases Regiones socioeconómicas y Ciencia y Sociedad en la Facultad de Química, a donde llegaba puntualmente todos los días a las siete de la mañana; comentaron sus alumnos, quienes desde esa época laboran ahí, que llegaban incluso diez minutos antes, pues sabían que presentarse un minuto después "les costaba sangre".

Un funcionario de la Facultad de Química de la UNAM, quien ha trabajado en esa institución durante décadas, también lo recordó como "un adicto al trabajo". Incluso, dijo, su madre se quejaba de que no la visitaba y eso se debía a que el doctor se la pasaba trabajando.

"Es médico, pero también político y le gusta sobresalir. Su visión fue más allá de ser director de Medicina, y él es muy perseverante. Buscaba irse a la rectoría o a la Secretaría de Salud y ya logró ambas", aseguró una de sus asistentes de la época en que Narro fue director de la Facultad de Medicina.

Sentada en una de las bancas de la Facultad de Medicina, en el campus de la UNAM al sur de la Ciudad de México, afirmó que "lo que el doctor ha logrado ha sido por su preparación y esfuerzo".

También destacó la sencillez de Narro. Aunque los rectores tienen acceso a guardias de seguridad, contó, el médico cirujano llegaba en su camioneta y caminaba solo del edificio de rectoría a la Facultad de Medicina.

Ya como secretario de Salud, se le ve caminar sin guardias de seguridad por la Estela de Luz, en Chapultepec y Reforma, hacia el edificio sede de esa dependencia.

"Un día me lo encontré en el estacionamiento y me saludó desde su camioneta. Él es muy sencillo y atento. Camina con libertad. Sabe lo que es y lo que ha dado, y no siente necesidad de seguridad", dice otra de sus secretarias.

"Siempre es atento, amable y te saluda con una sonrisa. También es exigente, pero eso se entiende. Es cordial y respetuoso, tiene carisma y en aquellos años la gente lo buscaba. Tenía modo para tratar incluso a personas difíciles, y no sólo eso: siempre les daba la solución", comentó.

EL RECTOR

Entre todos estos logros destaca, sin duda, su llegada a la rectoría de la UNAM, cargo para el que fue electo el 13 de noviembre de 2007 (periodo 2007-2011). El doctor, casado con Maricarmen Lobo, con quien tiene tres hijos: Joaquín, José Antonio y Maricarmen, recibió la noticia en su casa de la colonia San Miguel Chapultepec de la Ciudad de México —muy cerca de Los Pinos— y por la llamada de un amigo; horas después, se narró en crónicas de prensa, dio un gran festejo y no faltó la música de mariachi.

Narro recibió la rectoría el 20 de noviembre de ese mismo año, de manos del médico psiquiatra Juan Ramón de la Fuente Ramírez, otro influyente académico y político mexicano, quien fue secretario de Salud (del 1 de diciembre de 1994 al 17 de noviembre de 1999) en el sexenio del presidente Ernesto Zedillo Ponce de León y luego rector del 17 de noviembre de 1999 al 16 de noviembre de 2007. A partir de entonces, De la Fuente Ramírez no ha dejado de estar en el imaginario colectivo como un candidato viable a la Presidencia de la República.

En los pasillos de la rectoría muchos recuerdan que el doctor Narro se presentó en cinco ocasiones previas ante la Junta de Gobierno para ser designado al cargo más alto en esa institución, y en una de ellas, dicen, se mostró "como un hombre de palabra" al dejar el camino libre a su amigo De la Fuente.

Se habían conocido a principios de la década de 1970, en las aulas de la Facultad de Medicina, donde Narro recibió clases del padre de Juan Ramón, Ramón de la Fuente Muñiz, reconocido médico neuropsiquiatra, fundador y director del Instituto Mexicano de Psiquiatría, quien falleció en marzo de 2006. Poco más tarde conocería al hijo, Juan Ramón de la Fuente, quien se convirtió en su amigo y compañero de batallas, y por quien, recuerdan, sacrificó su meta de llegar a la rectoría en 1999. Con De la Fuente como rector, sin embargo, Narro consolidó su poder en la UNAM.

Antes de formalizar, en noviembre de 2007, la aspiración que finalmente lo llevó a la rectoría, Narro fue durante cinco años representante del Colegio de Directores ante la Comisión Especial para el Congreso Universitario (CECU), instancia que De la Fuente creó en 2002 para darle salida a la reforma universitaria, luego del paro de casi un año en 1999.

Juan Ramón de la Fuente lo nombró entonces coordinador general para la reforma universitaria y le dio la responsabilidad de organizar el plebiscito que, a inicios de 2000, terminó con el paro.

En un perfil publicado por la revista *Proceso*[3] se consignó que meses antes de que el paro finalizara, en 1999, un rumor abonó la fama conciliadora de Narro: que los dirigentes del Consejo General de Huelga (CGH), Mario Benítez y Leticia Contreras, habían pactado el fin del paro con el entonces secretario general ante su tercera aspiración a la rectoría —la primera fue en 1988, ante José Sarukhán Kermez, y la segunda en 1992, ante el mismo rector, quien fue reelecto.

En los dos periodos del rector De la Fuente (1999-2007) las decisiones importantes de la UNAM pasaron por la consideración de Narro. "No había reunión importante en la que no participara", afirma un exfuncionario de la UNAM que estuvo presente en varios de esos encuentros, pero pide que no se publique su nombre por temor a represalias en el reacomodo burocrático que se avecina.

La misma fuente afirma que el rector Juan Ramón solía decir: "Hay que esperarnos a que llegue Narro para hablar del problema". El entrevistado sostiene que "Narro era el hombre detrás del poder".

En el texto de *Proceso* también se recuerda que su actuación fue preponderante al principio de la gestión de Sarukhán Kermez (1989-1996), quien lo ratificó como secretario general, cargo al que había llegado en el rectorado de Jorge Carpizo McGregor (1985-1989).

Con Sarukhán, Narro formó parte de la comisión de Rectoría que en 1987 dialogó con el Consejo Estudiantil Universitario (CEU) para la organización del Congreso Universitario realizado en 1990, y por tres años y medio fue el responsable del encuentro destinado a revisar la organización de la UNAM.

---

[3] "Un pragmático en la Rectoría", *Proceso*, 18 de noviembre de 2007: http://www.proceso.com.mx/92744/un-pragmatico-en-la-rectoria

En esas negociaciones Narro volvió a mostrar su habilidad política y su carácter negociador. "[...] el CEU lo responsabilizó de haber filtrado a la prensa supuestos expedientes de varios dirigentes estudiantiles. Pero al final del Congreso, en junio de ese año, ya tenía a varios de ellos, así como a algunos profesores, de su lado", consignó la revista *Proceso*.

LA REELECCIÓN

El 10 de noviembre de 2011, en el comunicado 7 de la Junta de Gobierno, se anunció la reelección de José Narro Robles como rector de la UNAM para el periodo 2011-2015.

En su discurso de aceptación del cargo, pronunciado el 18 de noviembre de 2011, Narro planteó su visión de una "Universidad de la Nación". Dijo entonces:

Después de estos años he cambiado, pero también he consolidado muchas de mis perspectivas. Para mí, los alumnos siguen siendo el centro de nuestra atención y los jóvenes nuestra preocupación fundamental. Para mí, la solución de los problemas de siempre y de los de reciente aparición son parte de nuestros desafíos y el diseño de un país mejor para nuestros descendientes, la tarea que urge emprender. Para mí, se requiere transformar los viejos paradigmas, los vetustos modelos que un día nos sirvieron y que ahora son una pesada carga que nos impide avanzar. Como rector, me empeñaré en aportar lo que a todos corresponde hacer.

La única forma de servir a la universidad es hacerlo sin regateos, sin agenda personal, sin dudas, con absoluta entrega y pasión. Con toda convicción, como lo señalé hace cuatro años, reafirmo que mi único compromiso será con nuestra casa del saber. Pido a todos los sectores, a los propios y a los del exterior, su apoyo decidido y solidario para cumplir con una tarea fundamental para el país. No pasará mucho tiempo para que se juzgue si fuimos capaces de estar a la altura del desafío o si claudicamos de nuestra responsabilidad. Esto es, ni más ni menos, lo que nos espera. Los invito a vivir esta maravillosa aventura generacional.

Y sí, al doctor Narro se le juzgó en este segundo periodo particularmente por dos hechos: la toma de rectoría, del 19 de abril de 2013, y luego la incursión de elementos de la policía del Distrito Federal al campus universitario, el 15 de noviembre de 2014, lo que generó movimientos de protesta de alumnos, padres y sociedad civil en contra de la violación a la autonomía de la Máxima Casa de Estudios, y lo que se consideró una respuesta "tardía" y "tibia" por parte del rector.

El 19 de abril de 2013 un grupo de encapuchados tomaron la torre de rectoría en demanda de la reinstalación de cinco alumnos del CCH Naucalpan que fueron expulsados por protagonizar desmanes en ese plantel, el primero de febrero de ese año. Durante 12 días, hasta el primero de mayo, cuando los encapuchados, sin explicar bien a bien la razón del cese de sus demandas, dejaron libre el edificio, la comunidad universitaria vivió momentos de tensión.

Narro afirmó que no iba a dialogar con personas encapuchadas y mientras no salieran de las instalaciones. También se defendió de las acusaciones de que dicho conflicto se había desatado por un intento de privatización de la UNAM: "He sido y seré un defensor de la educación pública", afirmó, de acuerdo con un reporte del diario digital *SinEmbargo.mx*.[4]

Aquí lo que hay, añadió el rector, es "una vil maniobra" para distraer a la sociedad de los asuntos fundamentales, detrás de la violencia no hay una consideración ideológica que deba ser respetada, dijo. "A quienes realizaron este vergonzoso incidente, les digo que no se atrevan a saquear más el patrimonio de la Nación. Los estudiantes no hurtan, los responsabilizo de la integridad de nuestros bienes", sostuvo.

Luego, el 15 de noviembre de 2014, la incursión de personal de la Procuraduría General de Justicia del Distrito Federal (PGJDF) al campus de Ciudad Universitaria y la agresión con arma de fuego contra estudiantes derivaron en marchas y exigencias de los universitarios, e incluso de sus padres, para que se esclarecieran los hechos. Se llegó a exigir la renuncia del rector José Narro Robles.

La condena que el doctor presentó contra estos hechos, otra vez, se consideró tardía y el conflicto se calentó aún más luego de la disculpa del

---

[4] Redacción. "No habrá diálogo con encapuchados si no salen de Rectoría: Narro; no más saqueo a bienes de la Nación", advierte, *SinEmbargo.mx*, 22 de abril de 2013: http://www.sinembargo.mx/22-04-2013/597476

gobierno capitalino, encabezado por Miguel Ángel Mancera Espinosa. El repudio de la comunidad estudiantil, que exigía justicia tanto por el ataque cometido por un policía de investigación capitalina, como por la entrada de los agentes al campus universitario, desató el grito: "¡Fuera Narro!".[5]

El rector, sin embargo, habría de salvar de nueva cuenta este obstáculo, apoyado, dicen analistas, por el peso de otro hecho violento que marcó el sexenio de Enrique Peña Nieto, y que para entonces ya acaparaba la atención social y, en específico, de la comunidad universitaria: la desaparición de 43 estudiantes de la Normal Rural "Raúl Isidro Burgos" de Ayotzinapa, Guerrero; el artero asesinato de uno de ellos, y la agresión que hasta hoy tiene en estado de coma a otro joven aspirante a profesor.

El politólogo y profesor de la Facultad de Ciencias Políticas y Sociales de la UNAM, Carlos Sánchez y Sánchez, recordó esos capítulos: "Narro hizo una gestión sobria, marcada por la ecuanimidad y sin sobresaltos mayores, aunque sí con algunos brotes que en su momento hicieron crisis"; aun así, "los supo resolver con una política universitaria adecuada y a través de la negociación, que es una de sus virtudes como político. Esto le permitió —dice— trascender al gabinete [de Enrique Peña Nieto] sin una mancha o algún estigma de una mala gestión administrativa, académica o política", consideró Sánchez y Sánchez.

El académico destacó, en particular, su política de renovación de la planta docente y de investigadores, lo que ahora permite "complementar la experiencia" de los maestros con más antigüedad en la planta, con "la frescura y nuevas metodologías" de los que están llegando. Narro "reconoció" que el cuadro académico ya tenía edad avanzada e impuso un límite de edad: 37 años para hombres y 39 años máximo para mujeres, expuso.

También José Luis Olvera Blancas, el jefe del Departamento de Ingresos y Egresos de la Facultad de Medicina durante casi 30 años, calificó al doctor Narro como "un buen político", y consideró que es uno de los pocos directores de esa carrera que "ha sido un líder, e incluso se convirtió en un líder de opinión".

---

[5] Redacción. "El 'Fuera Narro' se extiende en la UNAM; estudiantes retiran barricada de Rectoría", *SinEmbargo.mx,* 18 de noviembre de 2014. http://www.sinembargo.mx/18-11-2014/1170374

Olvera Blancas relató que en una ocasión él estaba con el entonces director de Medicina cuando el rector Juan Ramón de la Fuente "le llamó en ese momento para pedirle asesoría. Él le transmitió su opinión con tranquilidad y, por supuesto, supo resolver el problema que le planteó el doctor De la Fuente".

Olvera también destacó "su buena memoria", ya que se graba las cifras con facilidad; es también, dijo, un buen administrador de recursos.

—¿Al doctor José Narro le interesaría ser el presidente de México?

—Sí, tiene la inquietud, es una persona capaz que puede hacerlo, porque es bastante trabajador, dedicado y le gusta lo que hace. Sí creo que lo pueda lograr. Es un hombre muy preparado y la política es parte de él.

El administrador de empresas habló de la perseverancia de Narro y de que "seguramente intentará ser el candidato del PRI, porque le gusta escalar. Para ser rector, antes fue director, y lo intentó varias veces. Ahora es el titular de la Secretaría de Salud, así que, ¿por qué no?, también puede ser candidato a la Presidencia".

¿NARRO, EL TAPADO DEL PRI?

Narro Robles dejó la rectoría de la UNAM el 16 de noviembre de 2015, y el 8 de febrero de 2016 se convirtió en secretario de Salud, en sustitución de la también médica cirujana Mercedes Juan López.

Sin embargo, su llegada a esa dependencia federal no fue bien recibida por los especialistas en salud pública, quienes criticaron su cercanía con el PRI y el estar "plegado" a los intereses del gobierno de Peña Nieto.

Gustavo Leal Fernández, investigador del área de Ciencias de la Salud de la Universidad Autónoma Metropolitana (UAM), criticó que la descentralización fue la arquitectura fracasada donde se implementaron iniciativas como el Seguro Popular, por ejemplo, y lo que ocasionó una cadena de fallas; sumado a ello, dijo, Narro Robles lidera un sistema de salud que está apostando por la privatización de los servicios.

Algo que Narro ya había auspiciado en el pasado. "El subsecretario de Salud de esa época [Narro Robles, 1994-1999] fue el funcionario que diseñó lo que faltaba de la descentralización que Guillermo Soberón Acevedo había iniciado en los ochenta. Todos los convenios de descentralización que se hicieron en ese momento culminaron con él".

Al retomar el PRI el poder, la primera secretaria de Salud de Peña Nieto recuperó esa directriz, afirma Leal Fernández:

La doctora Mercedes Juan sembró una manzana envenenada, y hay que ver si el doctor Narro la retoma como parte de su compromiso de gobierno. Esa manzana envenenada es la que quedó del fracasado proyecto de reforma universal de Mercedes Juan y Funsalud [Fundación Mexicana de la Salud (acusada de conflictos de interés)] —esa iniciativa que, dijo en septiembre de 2015, ya estaba lista—. Ésa es una propuesta para constituir una nueva comisión nacional que revisaría los establecimientos y la práctica médica. Esta comisión, que como decía es una manzana envenenada, tiene el gravísimo riesgo de trasladarle la incompetencia que tiene en este momento todo el sistema de salud, para ser resolutivo a los prestadores de servicios. Es decir: retirar la responsabilidad del Estado para que no sea demandado, sino que se responsabilice a los prestadores.

Al respecto, Daniela Díaz Echeverría, responsable del proyecto de Salud Reproductiva y Presupuesto Público de Fundar, Centro de Análisis e Investigación, opinó que el perfil de José Narro Robles —quien, insistió, es aliado del PRI—, es de un negociador y servirá para mantener o ampliar el presupuesto del sector a cambio de no entrar a algunos temas.

"A mi parecer, él puede dar a cambio [de mayores presupuestos] el no entrarle a temas como la interrupción del embarazo", aseveró Díaz Echeverría, y agregó que los gobiernos priistas son los principales opositores a este derecho de las mujeres en México.

Carlos Sánchez y Sánchez, politólogo y académico de la Máxima Casa de Estudios, ofreció una visión diferente del tema y recordó que "aunque siempre se supo que él tenía una identificación o cercanía con el PRI, él no ha desmentido públicamente su militancia y simpatía. Eso es un acto de honestidad y es su derecho constitucional. Lo hizo, además, ya que estaba afuera de la UNAM y nunca se percibió un sesgo priista en su gestión a favor de ese partido".

Esa posición "de imparcialidad" que tuvo antes de entrar al gabinete, destaca, le permite presentarse como una persona capaz de conciliar no solamente con los priistas, sino también con una gama de ciudadanos y de universitarios.

"Hoy, poca gente lo puede conocer más allá del ámbito universitario, pero puede ir creciendo como un perfil fresco y no vinculado estrictamente al priismo, y que puede ser una fuerte competencia para Andrés Manuel López Obrador. Creo que es pronto para hacer una evaluación en la opinión pública, pero puede crecer", afirmó el politólogo, entrevistado en marzo de 2017.

Narro, sin embargo, se ha abierto de capa, y ahora no duda en presumir su orgullo por el PRI, e incluso mencionar a Emilio Gamboa Patrón, actual líder de la bancada priista en el Senado de la República y su jefe en el IMSS a inicios de los noventa, como el hombre que "generosamente me ha ayudado en mi desarrollo profesional".[6]

De acuerdo con el reporte del diario *24 Horas*, Narro acudió el 31 de agosto de 2016 a una reunión de los 55 senadores del PRI en Ixtapan de la Sal, Estado de México, y ahí afirmó:

> Cuando digo *mi partido*, lo digo con un enorme orgullo, cuando uno está en una universidad pública y en una universidad como la UNAM, uno tiene que ser muy cuidadoso, y yo traté de serlo.
>
> Ser sensible, permitir las expresiones plurales, pero uno tiene derecho a tener sus credos, sus creencias, sus orientaciones y sus militancias políticas, y yo nunca, nunca he renunciado a mi militancia como miembro del Partido Revolucionario Institucional.

Mencionado ya como un prospecto serio para ser candidato del PRI a la Presidencia de la República, tanto así que las casas encuestadoras lo han incorporado en las listas de intención de voto hacia 2018, José Ramón Narro Robles ha comenzado a aparecer constantemente en los medios, y en defensa de causas que no son precisamente la prioridad de un secretario de Salud.

Por ejemplo, el 6 de enero de 2017, en Los Pinos, frente al presidente Peña Nieto y un auditorio conformado por enfermeras y enfermeros

---

[6] Redacción. Narro Robles afirma que "con gran orgullo" milita en el PRI desde hace años, *24 Horas*, 31 de agosto de 2016: http://www.24-horas.mx/narro-robles-afirma-que-con-gran-orgullo-milita-en-el-pri-desde-hace-anos/

del sector salud y militar, Narro se desvió de su discurso para defender el "gasolinazo".

"Se trata de una decisión compleja, pero ineludible", dijo. "Entiendo que es difícil admitir razones a un lado de las emociones. Pero no es correcto gobernar a partir de ficciones o mentiras…, son tiempos de unidad", añadió.[7]

También, en ocasión del centenario de la Constitución de 1917, se dejó ver en una intensa gira por Zacatecas, San Luis Potosí y Durango, encabezando las ceremonias de entrega del facsimilar de la Carta Magna a los gobernadores de esas entidades.

Y el 24 de febrero de 2017, en Guadalajara, Jalisco, volvió a llamar a la unidad de los mexicanos. "Hay que mantener la confianza en las instituciones, así como la unidad, y trabajar de manera articulada, pues —afirmó— la labor conjunta permitirá a los mexicanos salir de los problemas que el país enfrenta en la actualidad, porque cuando ha habido división, nos va mal".

En las columnas políticas, como "Bajo reserva", del diario El Universal, también se menciona el hecho de que Narro cobra fuerza como un serio candidato para el PRI, en particular porque "su fortaleza sería que no carga con ningún señalamiento de corrupción". También citó un desplegado que la Federación de Sindicatos de Trabajadores al Servicio del Estado publicó el 10 de marzo de 2017, y donde se pide a Narro "dedicarse de tiempo completo a cumplir con su obligación como secretario, pues en lo referente al ámbito político, en su tiempo, no antes, 'las fuerzas sociales y políticas' tomarán su decisión".[8]

Pero al secretario Narro Robles, al parecer, no le interesan las llamadas de atención de las organizaciones corporativas del PRI. Él se deja querer en los medios de comunicación.

Ya desde noviembre de 2016, en una entrevista para Imagen Televisión, el titular de Salud lanzaba el buscapiés de su probable candidatura.

¿Qué me gustaría que hubiera en la próxima gestión presidencial?
Alguien que tuviera una enorme capacidad para entender la historia

---

[7] Garduño, Roberto, "Alza en combustibles, 'medida impopular pero apenas oportuna': Narro", La Jornada, 6 de enero. http://www.jornada.unam.mx/ultimas/2017/01/06/alza-en-combustibles-201cmedida-impopular-pero-apenas-oportuna201d-narro-robles
[8] Bajo reserva. "Sí ven a Narro como presidenciable en el PRI", El Universal, 10 de marzo de 2017.

de México, los problemas del país, las posibilidades de México y capacidad para convocar a todos los mexicanos.

Unir, no desarticular. Necesitamos incluir a los que son distintos, a esas comunidades a las que de pronto se les quieren negar derechos.[9]

El exrector de la UNAM también sostuvo que "para llegar a ser presidente o presidenta de este país, se tiene que contar con una carrera previa, y todas las figuras que tienen esa posibilidad, pues ahí están".

La periodista Ivonne Melgar le preguntó si la opinión de los legisladores del PRI cuenta cuando sugieren que José Narro Robles debería ser considerado en la lista de los aspirantes presidenciables del tricolor.

"Les doy las gracias. ¿Por qué? ¿Por qué doy las gracias? Porque es un honor que alguien piense eso de uno. Pero es que es un asunto tan serio, tan serio, que hay que verlo en el momento en que se tiene que ver. Cuando lleguen las circunstancias y condiciones será el momento de pensar. No hay que estar anticipando vísperas".

Nadie puede acusar a José Narro de ser imprudente o deslenguado. Aguarda con paciencia en la espera de convertirse en el verdadero tapado.

RITA VARELA MAYORGA

Es periodista. Actualmente se desempeña como subdirectora de contenidos del diario digital *SinEmbargo.mx*. También es directora editorial de la revista *Energía Hoy, Ruta de Negocios*. Es coautora de *Los Suspirantes* (Planeta, 2005); *Los amos de México* (Planeta, 2007) y *Los Suspirantes 2012* (Temas de hoy, 2011).

[9] Melgar, Ivonne, "'En 2018 se necesita unir, no desarticular': José Narro, secretario de Salud", *Excélsior*, 15 de noviembre de 2016: http://www.excelsior.com.mx/nacional/2016/11/15/1128263

ERUVIEL ÁVILA VILLEGAS
Río de luz

HUMBERTO PADGETT

RÍO MÍSTICO I

Hay que ver a Arturo Montiel Rojas, Enrique Peña Nieto y Eruviel Ávila Villegas con las papadas untadas a los pechos henchidos de orgullo y los ojos entornados, como si las palabras en sus labios les hubiesen concedido el poder de atravesar todo lo mundano:

> El Estado de México es una
> prepotente existencia moral.
> Porción es de la prístina cuna
> de la gran libertad nacional.

Juntos, con la barbilla alzada como resultado de un esmerado ensayo, los tres mexiquenses —aunque de distintas alcurnias, superiores por ser de Atlacomulco los dos primeros, y del lejano Ecatepec el tercero— cantan el Himno del Estado de México.

La escena se ha repetido tantas veces como pudieron ocurrir las coincidencias en distintas combinaciones: Arturo, Enrique o Eruviel gobernadores, o siendo diputados locales de distintas legislaturas Peña y Ávila, o fungiendo como alcalde Ávila Villegas, o durante la Presidencia de la República de Enrique Peña Nieto.

El Himno del Estado de México es parte de la liturgia del priismo mexiquense, la casta descendiente del profesor Carlos Hank González, santo apostado en el pedestal más alto de esa iglesia, quizá sólo acompañado por el también mexiquense Adolfo López Mateos.

Eruviel canta el Himno Mexiquense desde que aprendió a leer en la Escuela Primaria "Benito Juárez", de San Pedro Xalostoc, en los años en que ese lugar casi era una milpa y el municipio, un lugar gobernado muchas veces por un enviado de Atlacomulco.

Algunos años antes, letra y tonada fueron aprendidas por Alfredo Martínez Torres, un tianguista de San Cristóbal, en el centro de Ecatepec, quien fundaría la Coordinadora Río de Luz y se convertiría en el padre político del futuro gobernador y, con esto, en el funcionario con mayor responsabilidad en la política de desarrollo urbano del estado más habitado y con mayor presupuesto público de México.

Esteban Sánchez Villanueva militó durante varios años en el PRI y mantuvo cercanía durante el ascenso y la llegada al poder de la Coordinadora Río de Luz.

Porque conoce bien y desde adentro los rituales del priismo mexiquense y, más específicamente, del catecismo del priismo ecatepense, es que resulta necesario hablar con Esteban.

Por eso, y porque Esteban vio lo que dice que vio y acepta decirlo sin tapujos, es que resulta indispensable hablar con él y hacerle una y otra vez, hasta el fastidio, las mismas preguntas.

—¿Iba Onésimo a esas fiestas? —pregunto a Esteban en el interior de su negocio, una funeraria en Santo Tomás Chiconautla, otro pueblo histórico del municipio. El hombre había hablado con soltura del obispo emérito de Ecatepec, Onésimo Cepeda Silva. Describió las reuniones entre sacerdotes y funcionarios municipales, incluido Eruviel Ávila, encuentros que comenzaron con comidas de bostezo y continuaron en cenas de alaridos y mariachis.

—Llevaba jovencitos, jóvenes de 17 o 18 o menos, pero no niños. Y eso te lo digo porque en varias ocasiones… A mí Onésimo me quiso sacar un terreno, precisamente junto al Albarradón [una obra hidráulica de origen prehispánico], para hacer el convento y un seminario. Quería 60 hectáreas y me invitó muchas veces y, en privado… Eso sí lo viví, no es un cuento, nos dábamos cuenta perfectamente cuando le servían y los acariciaba y…

—¿Cómo los acariciaba?

—Con la mano. "Ay, qué bien me atiendes", les decía, y les acariciaba la mano. Menores de edad todavía; sí, de 16 o 17 años, no más. Llevaba ocho o diez jóvenes, y quienes lo atendían mejor, ¿sabes cuál era su premio?, que lo ayudaran a oficiar la misa. Y eso fue muy notorio en Ecatepec, y mucha gente nativa de San Cristóbal no iba ya a la catedral y mejor se iban a la iglesia parroquial, la iglesia tradicional de San Cristóbal, para no ver los desfiguros del señor Onésimo Cepeda.

"[En una ocasión] un compañero mío, que era síndico procurador [del Ayuntamiento], me avisa: 'Oye, fíjate que hay una queja muy grave que deberíamos atender y que no trascienda. Vamos a cuidar esto porque es muy delicado'. Le digo: 'A ver, síndico, ¿de qué se trata, por qué vienes muy misterioso ahora?'. Responde: 'Es que lo amerita la ocasión'. Insisto: '¿Me lo puedes decir?'. Revira: 'No, aquí no. Vamos a ir para verificar lo que te voy a decir'.

"Como a la una de la tarde, busco al síndico. Salimos del Palacio Municipal y me platica: 'Quiero que me acompañes a una despedida de soltero'. Pregunto: '¡Ay! ¿Y eso es delicado? ¿Una despedida de soltero? Síndico, digo, tampoco [hay que ser] tan puritano'. Contesta: '¡No, no, no! Vamos, tengo una información que hay que verificar, no te la quiero decir, vamos mejor'.

"Fuimos a un salón de Aragón y, efectivamente, era una despedida de soltero, una pachanga. Llegamos más o menos a las nueve de la noche y era una verdadera orgía, la mayoría hombres, incluso uno de ellos vestido de mujer y haciendo el acto de la pareja recién casada, haciéndolo en vivo, en bulto."

—¿Quiénes estaban en la fiesta?

—Mucha gente del Ayuntamiento.

—¿Estuvo Eruviel?

—Estuvo, sí; en algunas ocasiones estuvo Eruviel.

—¿En esta fiesta?

—En esa fiesta. Y fue cuando nos dimos cuenta de que no era una cosa normal.

—Lo que importaría es que fueran menores de edad.

—Pues llevaban gente joven, pero…

—¿Muy joven?

—Muy joven, sí.

—¿Cree usted que menores de edad?

—Supongo que sí.

—¿Usted vio eso?

—Sí, yo lo vi. En frente de todos… ¡No, no!… Era una orgía.

Son sus hijos, su carne y su sangre,
en la pena, sufridos y estoicos;
en la guerra, patriotas y heroicos;
y en la paz, hombres son de labor.

Alfredo

Eruviel promociona su persona a partir de la imagen de un niño pobre criado en la cultura del esfuerzo en San Pedro Xalostoc, uno de los 12 pueblos históricos del municipio, muy cerca de donde la tradición católica mexicana asegura que ocurrió una de las apariciones de la Virgen de Guadalupe, el mismo sitio en que Onésimo Cepeda señaló como verdadero lugar de nacimiento de San Juan Diego.

El matrimonio conformado por Raúl Ávila y Esperanza Villegas, ambos oriundos de Xalostoc, crió a cinco hijos: Raúl, Norma, Eruviel (nacido el 1 de mayo de 1969), Esperanza y Germán.

Más que en sus anteriores campañas políticas, durante su candidatura al gobierno mexiquense los estrategas de Eruviel crearon al personaje que aún interpreta, el comparable a Luis Donaldo Colosio. Así, Ávila Villegas se evoca y busca que la prensa lo represente como un muchachito de 12 años que cobraba el pasaje del camión de pasajeros —un cacharpito— de la familia, y como un estudiante de la Preparatoria 9 que tomaba el bus hacia Indios Verdes, dejando atrás a su madre apretándose las manos por la preocupación.

Esto es verdad en parte. Si bien Ávila no es un político nacido en cuna de oro como su predecesor Enrique Peña Nieto, sí proviene de una familia con recursos suficientes para costear los estudios de licenciatura de los cinco hermanos, en el caso de Eruviel en una escuela privada, la Universidad Tecnológica.

Según algunos vecinos de San Pedro, los Ávila Villegas habrían poseído hasta tres autobuses concesionados y eran propietarios de un negocio de parabrisas y ventanas para camiones.

Lo cierto es que no fue rico. Tal vez por esto es que sus gustos son sencillos. Desde niño evita la comida fría y siente inclinación por las milanesas, las jícamas enchiladas, los ejotes y las calabazas. Le gusta el cine, ver televisión en casa y escuchar decenas de veces una canción que lo prende.

Durante la infancia de Eruviel, la familia hizo mudanza a Ciudad Azteca, un poco más lejos de los límites con el Distrito Federal y más cerca del centro de Ecatepec. Las descripciones de su adolescencia retratan a un joven comprometido con la escuela, cercano a sus padres y de modos amabilísimos. Se sonrojaba intensa y fácilmente por pena durante el flirteo, o cuando rara vez enfurecía, así que le fue fácil heredar el apodo de su padre, *El Chapeado*, coincidencia con el sobrenombre con que sus detractores lo llaman o caricaturizan desde un debate que sostuvo en 2011 por la gubernatura.

Fue un adolescente bien parecido, con cabello negro y rizado, distinto al pelo lacio con el que aparece ahora, y de mentón fuerte. Ávila no necesariamente viajaba en autobús a la escuela, sino en un buen auto deportivo blanco, hay quienes dicen que un Phantom de Chrysler, y hasta se le recuerda como un conductor precavido.

En la secundaria conoció a Grimalda Muñoz, con quien se casó a los 18 años de edad luego de un noviazgo de año y medio. El matrimonio, ahora disuelto, tuvo cuatro hijos: Isis, quien funge como presidenta estatal del DIF en ausencia de su madre; Eruviel, a quien se le refiere como alejado de su padre —otra coincidencia con Peña Nieto—; Raúl, un muchacho con aspiraciones actorales que ha participado en un par de telenovelas y obras de teatro; y Montserrat, la pequeña y trigueña versión del aspirante presidencial.

Algo más sobre la familia. El matrimonio Ávila Villegas amistó con Alfredo Torres Martínez, un inquieto vendedor que iniciaba su carrera política en el PRI con la representación de comerciantes ambulantes, gruesa arteria paralela a la del transporte público en el sistema circulatorio del PRI mexiquense.

A los 20 años, Eruviel inició su carrera política o, al menos, descubrió su interés por emprenderla cuando desempeñó su servicio social profesional en el Ayuntamiento de Ecatepec. El presidente municipal era Mario Vázquez Hernández, en ese momento jefe político de Alfredo Torres y uno de los principales responsables de la explosión desordenada de la vivienda que caracteriza al municipio.

Mario Vázquez se casó con Marcela González Salas, una política hecha en los días en que se confeccionó una estructura juvenil electoral para Alfredo del Mazo González en su búsqueda por la gubernatura mexiquense. Alfredo representaba a pequeños comerciantes, incluidos los de San Pedro Xalostoc, tal como lo era Raúl Ávila.

Era un excelente momento y lugar para el priismo. Carlos Hank González, fundador del Grupo Atlacomulco, concluía su regencia del D. F. y era un jugador de grandes ligas. El Edomex era gobernado por Alfredo del Mazo González, un hombre en la primera línea del afecto del presidente Miguel de la Madrid Hurtado, quien lo procuraba al grado de llamarlo "el hermano menor que nunca tuve".

Para las bases del PRI el momento también se antojaba inmejorable: la población del Estado de México no hacía más que engordar y la Ciudad de México se ensanchaba sin contención ni criterios urbanos, excepto por lo que entendieran los políticos dueños del clientelismo, de la invasión de terrenos y del transporte público. Como nunca ha dejado de ocurrir, la oferta masiva de empleo estaba dada en la informalidad. La oposición política era impensable.

Alfredo Torres arrancó su carrera a la vez que estudiaba derecho en la Universidad Nacional Autónoma de México. Voluntarioso, vivía de un puesto de ropa instalado en un tianguis y logró acomodo como asistente del diputado Javier Gaeta Vázquez, un político priista de la Confederación de Trabajadores de México (CTM) cuya familia política era cercana a Fidel Velázquez.

Sin ser obrero, pero activo importante de una central obrera así fuese a nivel municipal, Alfredo se hizo de una casa —ahora son cuatro conectadas entre sí, pero con una sola fachada— en el desarrollo habitacional emprendido por la CTM al que se llamó Río de Luz, y donde se fundó el grupo político que hasta ahora lleva su nombre, primero con tianguistas, luego con vendedores de cualquier cosa en la vía pública y finalmente con taxistas sólo regularizados por el sello impuesto en una papeleta por la organización priista.

Como pasante de leyes, Alfredo Torres adquirió la conducción jurídica en el equipo del diputado Gaeta en uno de los momentos de mayor explosión demográfica del —así se reconocía entonces— cinturón de pobreza de la capital mexicana.

El trabajo político priista consistía y consiste en la ocupación ilegal de terrenos y su regularización mediante la escrituración y el otorgamiento de servicios públicos. En cada parte del proceso existe una tajada de dinero para el invasor, quien además funciona como gestor ante el Ayuntamiento, al que no rara vez pertenece, para la consecución de drenaje, pavimentación y agua potable, o nada de esto, como se observa hasta ahora en buenas porciones de Ecatepec, como es la Sierra de Guadalupe.

Ésa era la tarea de Torres Martínez: apoyar la legalización del paracaidismo y vivir como líder del comercio informal, otro gran filón priista en el valle de México.

Además de Torres, el equipo de Gaeta estaba compuesto por un arquitecto, Federico Vázquez Gómez, quien supervisaba la entrega de los materiales, práctica permanente de los legisladores mexiquenses: la distribución discrecional de cemento, varilla, tubería, tinacos y demás materiales de construcción utilizados para el levantamiento de casas, escuelas, pequeñas clínicas, cárcamos y demás inmuebles de uso comunitario de sus bases políticas.

Si bien la maquinaria de una elección desboca el día en que se lleva a la gente a tachar tres siglas sobre la bandera de México, el aparato es aceitado durante el trienio que dura una regiduría, una diputación o una alcaldía con la entrega de recursos materiales que permiten a los operadores callejeros justificar su liderazgo comunitario y la simpatía por el partido. A la vez, esto hace que los jefes seccionales del PRI comprendan el ánimo político en cada colonia, en cada calle, en cada cuadra, en cada lado de la banqueta. En buena medida, este es el voto duro priista y, si hubiese algo de honestidad política, un lema de campaña bien podría ser "Necesitemos siempre lo básico".

Los *mapaches* lo son porque saben perfectamente en qué lado de un cerro pavimentado se debe regalar pintura y en qué parte de una ladera es razonable el riesgo de no dar ni siquiera las gracias. Como parte de un mismo sistema nervioso, los fontaneros electorales apuran la salida de su gente a votar temprano, para que así su jefe muestre encuestas favorables, lo que fortalece su capacidad de negociación —una elección es, a la vez, un intenso día de acuerdos velados para los electores—. O bien, los operadores transmiten el impulso de que la tropa no marche hacia la urna o lo haga a favor de otro partido, si es que así se ha negociado peldaños arriba de la escalera.

En resumen, esta es la política que aprendió a hacer Alfredo Torres Martínez y, en consecuencia, Eruviel Ávila Villegas.

Esteban García lo recuerda bien. El veterano político hoy separado del PRI fungía en esa época como secretario general del Comité Regional Campesino de Ecatepec-Coacalco. En 1985 el dirigente agrario fue electo primer regidor del Ayuntamiento, momento en que coincide con Alfredo Torres, entonces asesor de Gaeta.

En 1988 el alcalde Mario Vázquez Hernández, proveniente de la CNOP, incluye en su planilla a Torres Martínez como su segundo síndico y, un año después, aparece el joven Eruviel para prestar su servicio social. La siguiente administración municipal fue encabezada por Vicente Coss, el histórico *pulpo* del transporte público del norte y oriente del valle de México.

El currículum oficial de Ávila no explica qué ocurre en su trayectoria entre 1991 y 1994. Hay quien lo recuerda como juez cívico en la presidencia municipal, sin experiencia para el cargo. Lo cierto es que, en 1994, Torres ganó la alcaldía de Ecatepec y designó a Eruviel, sin ninguna trayectoria política propia, como secretario del Ayuntamiento, el segundo puesto de mayor importancia en la administración municipal.

Esteban Sánchez Villanueva, el líder campesino en la demarcación, aporta un dato: "Realmente, llegó por un mero accidente, un triste accidente. Alfredo Torres era padrino de casamiento del hermano mayor de Eruviel, quien murió muy joven, entonces le propusieron a Alfredo que, en lugar del difunto, entrara su hermano Eruviel".

En 1994 Carmen Cerón fue electa decimotercera regidora por el PRD. La sorpresa al inicio de la administración de Torres fue la presentación del secretario del Ayuntamiento, un joven al que la oposición no tenía en el radar. "Nadie conocía a Eruviel, ni los mismos priistas. Si acaso alguien lo recordaba repartiendo volantes de chiquillo. Cuando nos lo presentaron en el cabildo, todos decían: '¿Y este quién es?'. Los mismos priistas decían: 'Es la niña del presidente'. Era muy joven y eso se comentó muy duro".

Cerón, igual que políticos panistas y priistas, representantes empresariales y líderes sociales de la época entrevistados para la elaboración de este perfil, recuerda a un joven de trato amable y atento, incapaz de decir que no a cualquier demanda que luego convertía en alguna otra concesión, si la exigencia inicial atentaba a los intereses de Alfredo. El alcalde no hacía más que deshacerse en elogios por el talento descubierto, al grado de desear "diez Eruvieles".

"Era de muy buen trato con todos los ediles, yo lo que siempre admiré de esos priistas es que, a cada uno, le daban su lugar. Eruviel exigía que todos los directores y mandos tuvieran respeto. Él pedía: 'Respeto a mis ediles', con un trato muy cordial hacia todos. Siempre decía 'mi regidora, con todo respeto' y cordialidad", sigue Carmen Cerón.

En poco tiempo, Alfredo optó por dejar buena parte de la conducción de su gobierno en manos de Eruviel. En los días previos a las sesiones de cabildo, el joven abogado abordaba a cada uno de los regidores para establecer los acuerdos y anticiparse a cualquier sobresalto. No había un momento en que no hiciera política.

Un exrregidor recuerda el estilo:

—Oye, te vengo a pedir este favor —se lo pedía.

—No, no, no, por favor, olvídese, no me pida, ¡ordéneme, mi señor! —Eruviel engolaba la voz y reclinaba la cabeza hacia delante en señal de reverencia.

¿Qué negociaba Eruviel, secretario del Ayuntamiento? Existen dos temas en que el hoy aspirante presidencial tuvo protagonismo, ambos conectados con Onésimo Cepeda. Con su asistencia a la investidura de Onésimo como obispo, Ávila fue decisivo en la cesión del terreno en que ahora se alza la catedral y donde estuvo el mercado de San Cristóbal.

Así recuerda Cerón a Ávila Villegas:

"Nos llamaron a uno por uno. Como saben que soy muy católica, Eruviel me dijo: 'Mi regidora, usted es muy católica y, mire, el señor obispo viene a pedirnos de favor que le donemos lo de la catedral. Y no sólo se dio el terreno, sino parte de la construcción. Y sí..., la votación fue unánime'."

Además, empujó decididamente las autorizaciones que, tiempo después, culminaron con la construcción del Fraccionamiento Las Américas. Carmen recuerda el momento: "Nos ofrecieron viviendas en Las Américas. Onésimo tenía intereses y a mí me ofrecieron dos viviendas a las que ellos se referían como acciones para que autorizáramos la construcción. Nosotros no lo hicimos, pero quien entra después sí, pues ahí están Las Américas", dice en referencia a que la siguiente administración, también priista, otorgó los permisos para que se construyeran las 13 000 casas.

A la vez, son tiempos en que se recuerda a Eruviel muy unido a su esposa, Grimalda Muñoz.

$$* * *$$

Líder de ambulantes, es fácil entender la emigración de Alfredo Torres hacia la Confederación Nacional de Organizaciones Populares (CNOP), uno de los tres pilares del priismo, al menos del que se decía descendiente de la Revolución Mexicana, junto con la CTM y la Confederación Nacional Campesina (CNC). Escaló. Alcanzó la dirigencia de la CNOP en el municipio y luego en el estado, sin que esto significara distanciamiento con la CTM. Al contrario.

El padre político de Eruviel ha mantenido desde su juventud una estrecha amistad con Heberto Barrera Velázquez, nieto del casi eterno Fidel. Tan amigo que Alfredo, en su carácter de alcalde, obsequió la responsabilidad del rastro municipal —un sitio de notable importancia económica y nula fiscalización— a un hermano de Heberto de nombre Rogelio, a quien nadie recuerda despachando en realidad.

Heberto es padre de Laura Barrera Fortoul, diputada federal cercana al presidente Peña, de quien fue secretaria de Turismo en el Edomex, cargo que repitió con Eruviel. Otro apunte: Heberto fue uno de los picaportes que abrió Atlacomulco al Río de Luz. Heberto es un veterano colaborador de 12 gobernadores mexiquenses, y actualmente se desempeña como presidente del Consejo Estatal de Infraestructura y Desarrollo Social, en tanto que Alfredo Torres Martínez es el secretario de Desarrollo Urbano.

Hace 23 años el alcalde de Ecatepec tuvo la visión de convertir a Arturo Lugo Peña en director del Sistema de Agua Potable, Alcantarillado y Saneamiento, dependencia considerada en ese municipio, y en cualquier otro de México, como una mina de recursos económicos fuera de escrutinio. Para Lugo Peña, lo mejor de su currículum llegaría con el tiempo al convertirse en tío del presidente de México. Si bien este hombre es pieza del tablero de la administración pública mexiquense, específicamente en las áreas de infraestructura, tiempo antes de que alguien conociera el nombre de Enrique Peña Nieto fuera de su casa, el apellido Peña deslumbra en la corte de Atlacomulco desde hace mucho tiempo.

Lugo Peña ha padecido cuestionamientos por su supuesta incapacidad administrativa y, por la evidencia de su parentesco, no ascendió al Gobierno Federal, pero hoy es subsecretario de Agua y Obra Pública, dependencia que antes fue una secretaría.

Para el caso que nos ocupa, el personaje muestra cómo Eruviel es gobernador y aspirante presidencial gracias a las relaciones tejidas por Alfredo durante cuatro décadas de hacer buena política, no buena en términos éticos, sino de eficacia en la complicada arena priista. Cada 30 de diciembre, el día que cumple años Torres Martínez, el centro cívico de la colonia Río de Luz reúne a la clase política, priista y opositora de Ecatepec. Gobernadores, senadores, diputados, alcaldes, obispos y figuras del espectáculo se reúnen a cantarle *Las Mañanitas* a un tianguista, este sí, producto de la cultura (política mexiquense) del esfuerzo.

ONÉSIMO

Durante la presidencia municipal de José Alfredo Torres Martínez ocurrió otro afortunado evento en la carrera política de Eruviel Ávila, quien sin mayor experiencia política previa, ocupaba la secretaría del Ayuntamiento.

En ese tiempo, los últimos meses de 1994, Ecatepec pertenecía, de acuerdo con la cartografía católica, a la Diócesis de Texcoco, entonces tutelada por el obispo Magín Camerino Torreblanca Reyes, un hábil político de la Iglesia que se interesó en estrechar la relación con la alcaldía de Ecatepec, lugar ya muy enfermo de gigantismo.

A los priistas les pareció buena la idea de amistar con los religiosos bajo la simple lógica de que "el púlpito es el púlpito", pues si alguien conoce la desesperanza en una comunidad, además del líder seccional, ese es el sacerdote. Amén.

Encabezados por el alcalde Torres y el obispo Torreblanca, religiosos y funcionarios convinieron un viernes de cada mes en encuentros de igual número de servidores del pueblo y siervos de Dios. En la tradición católica, los primeros viernes tienen importancia al consagrarse al Sagrado Corazón de Jesús. Cuando los curas eran los anfitriones, recibían a los laicos en el hermoso Convento de las Siervas Guadalupanas de Cristo Sacerdote, en Tulpetlac.

Una de las primeras tardes, Esteban Sánchez Villanueva, en ese momento cuarto regidor, colocó una carterita de cerillos con el nombre de un motel de paso en el cartón sobre la mesa en que comían ediles y párrocos, intercalados en los asientos.

—Oyes, cabrón —llamó la atención el sacerdote junto a Sánchez —, pues cuando vayas a esos lugares, al menos invita.

A las risas siguió la sed. Alguien sugirió un tequila, otro recordó que al alcalde Torres le gustaba el brandy Torres y uno más sugirió al obispo que su coñac estaba listo. En el siguiente encuentro la fiesta fue amenizada por el mariachi Real de Jalisco. Los de sotana y los de corbata se retaron a competir en el canto. Los de Magín Camerino apabullaron a los de José Alfredo, que en sus filas tenía al sonrosado Eruviel y a un regidor que tocaba la marimba.

Tras el octavo convivio, Torreblanca propuso cambiar la comida por un desayuno en que descubrió el propósito del cortejo. Ante el tamaño de la población de Ecatepec, el Vaticano había resuelto convertir el municipio en una diócesis independiente de la de Texcoco. Agregó que Juan Pablo II había decidido, en la inspiración del Espíritu Santo, nombrar como primer obispo a Onésimo Cepeda Silva, un empresario avenido a la facción más conservadora de la Iglesia.

Los gobiernos federal y estatal ordenaron al municipal se brindara todo el apoyo a la Iglesia. La entidad era gobernada por César Camacho Quiroz, actual coordinador de los diputados federales del PRI, quien asumió el cargo en interinato por la asunción del gobernador electo, Emilio Chuayffet Chemor, a la Secretaría de Gobernación, siendo en consecuencia responsable de las relaciones entre el Estado mexicano y las iglesias en el país.

Todo estaba listo. Habría catedral consagrada al Sagrado Corazón de Jesús. Quince días después, en la sala de cabildos, el gobierno municipal conoció al aún sacerdote Onésimo Cepeda, quien presentó a su equipo para la organización de la ceremonia de investidura. Llamaron la atención ocho o diez muchachillos que se quedaron a la entrada del salón a la espera de su padre.

Torres designó a Eruviel como el responsable de satisfacer las necesidades económicas de los religiosos, quienes si necesitaban un papel o un lápiz, lo pedían al hoy gobernador del Estado de México, quien inmediatamente se dirigió a Onésimo en términos de "Su Excelencia", "Su Ilustrísima" y similares.

Si bien en las estructuras de gobierno civil estaba todo resuelto, en las de la Iglesia no. Todo lo contrario. La explanada del palacio municipal fue escenario del duelo sostenido entre Girolamo Prigione, el nuncio apostólico en las renovadas relaciones entre el Vaticano y el Estado mexicano, y Cepeda, el amigo de Carlos Slim.

El pleito pasó por la ubicación del templete para la celebración y llegó hasta la partición de la Iglesia en dos bandos, uno a favor de continuar con la creación de la nueva diócesis y el otro que pretendía frenar el proyecto. Eruviel se mantuvo en el lado correcto, junto al ganador: Onésimo.

—Platíqueme de la importancia de Onésimo Cepeda en los gobiernos —pido a Carmen Cerón, regidora perredista en ese momento.

—Él mandaba ahí. Él ponía a los secretarios particulares de los funcionarios.

—Él le hacía todo el juego…

—De todo lo que quisiera Onésimo, por decir, lo de la catedral. Onésimo era el que manejaba todo.

—¿Qué tan cercanos se veían Eruviel y Onésimo?

—Muy cercanos, muy cercanos, muy cercanos. Hablo yo de cuando se iban a sus fiestas, porque también hacían buenas fiestas con Onésimo, ahí no nos invitaban, cuando eran las fiestas muy cerradas con ellos.

—¿Recuerda la actitud de Eruviel en ese momento?

—Sí: estaba feliz. Eruviel siempre andaba contento, yo nunca lo vi enojado; como ahorita, que aunque le mienten la madre, él está contento. Siempre traía esa risa, ya ves cómo es, decían, una señorita, de trato amable. Más con Onésimo, él siempre le decía "Nuestro Nonseñor".

Cuando Eruviel terminó su gestión como secretario del Ayuntamiento, se convirtió en diputado local en el periodo de 1997 a 2000, donde presidió la Comisión de Procuración de Justicia, desde la cual fue autor de cinco iniciativas. De ellas, tres se plasmaron en ley, la principal fue la creación del Distrito Judicial de Ecatepec.

Es decir, en este momento Eruviel era, a simple vista, algo más que un diputado raso; pero en 1999, la Coordinadora Río de Luz se anotó un tanto, pues desde el inicio apoyó la polémica candidatura de Arturo Montiel Rojas a la gubernatura del estado. Torres Martínez y Ávila Villegas apostaron fuerte contra el favorito, Humberto Lira Mora.

"Aquí no hubo desviaciones", dice orgulloso un priista ecatepense sobre la apuesta ganada en que, además, Eruviel coincidió en la campaña del candidato Montiel con un sobrino suyo, cuya única responsabilidad era decidir dónde debían ser colocados los espectaculares de Arturo, incluidos los que advertían: "Los derechos humanos son para los humanos y no para las ratas". El nombre de ese sobrino es Enrique Peña Nieto.

Río Místico II

La primera de las tres ocasiones que hablamos —y siempre lo hicimos por teléfono—, me pidió escribir y explicar el proyecto periodístico. Me proporcionó una cuenta de correo electrónico y ahí envié una explicación general. Me respondió a través de una tercera persona: "La verdad nos hará libres". Explicó que necesitaba preguntar a Dios si le era posible hablar.

Y conversamos.

—De lo que yo he visto del señor gobernador... Sí, he visto cosas, sé cosas, pero es una palabra contra otra palabra, una afirmación contra una negación [...]. No me siento con la fuerza necesaria —dijo.

—No hable del gobernador. Sólo hable del obispo —propongo.

—La ropa sucia de la Iglesia se lava en casa. [...] Ahí está él con su figura y, a pesar de todas sus fechorías, aún anda sabiendo ser el ajonjolí de todos los moles.

—Y está lo que tiene que ver con las víctimas y el derecho a la verdad de las personas.

—Sí, pero fíjese: el Episcopado Mexicano conoce y sabe cantidad de cosas. ¿Qué ha hecho? Hay quienes saben quién es Onésimo Cepeda y no han sabido poner las cosas sobre la mesa. Todos le tienen miedo, todos le tienen miedo. La Iglesia quería quitárselo de en medio. El Estado quería quitárselo de en medio. Los políticos querían quitárselo de en medio. Pero nadie quería ser el que pusiese el primer momento y, uno por otro, la casa quedó sin barrer.

—Usted dijo que la verdad nos haría libres.

—Exacto. Eso es verdad, eso es verdad, pero la verdad es muy difícil de probar.

—¿Hubo niños en situaciones sexuales? ¿Menores de edad?

—Pues, sí.

—¿Y ésta fue una situación que se repitió durante aproximadamente cuánto tiempo?

—No lo sé, durante bastantes años… Los niños que cantaban en televisión con este muchacho que no me acuerdo cómo se llama, que era el que los manejaba.

—¿En qué canal de televisión?

—En Televisa.

—¿Estos muchachos iban a la catedral? ¿De qué manera llegaban a estar cerca de Onésimo?

—O se iba él. El mentor de ellos… En Televisa había un señor que tenía grupos de cantantes, de bailarines, de artistas. Gente joven. Él era quien le preparaba las cosas e iban a los sitios.

—¿No se llamaba Sergio Andrade?

—No.

—Esto que refería usted, ¿ocurrió con alguno de los integrantes de estos grupos?

—Sí. Fue hace muchos años que pasó… Él ya estaba en Ecatepec.

—Me han descrito situaciones de fiestas en las que Onésimo aparecía con entre ocho y diez jovencitos.

—Sí, en el mismo seminario hubo un escándalo y hubo hasta un video en que era bochornoso lo que se decía y lo que se hacía.

—¿Qué era lo que se hacía?

—Bailes, tocamientos, palabras…

—¿Qué pudo hacer Onésimo para mantener el silencio durante todo este tiempo?

—El poder y la economía y la imposición.

—¿Hubo algún jovencito que intentara quejarse y que fuera silenciado?

—No lo sé, no lo sé.

—¿Tuvo relación con alguien en especial o eran contactos esporádicos con diferentes?

—Perdone que no le conteste, porque remueve mi conciencia y remueve mis sentimientos tremendos de las cosas que no se deben hacer. Perdóneme.

—¿Esto ocurría en Ecatepec?

—Y en otros sitios.

—¿En qué otros sitios?

—Perdóneme, no le voy a contestar. No quiero tocar ese tema ya. […] No me ponga en un brete.

Es difícil escuchar la súplica de un hombre de 82 años de edad, exiliado por Onésimo luego de ser su segundo, de sus patrias adoptivas: México, el Estado de México y Ecatepec. A 9 357 kilómetros al este, en Valencia, España, retumban las palabras del sacerdote Vicente Boada y Gordon, quien fuera secretario canciller de Onésimo Cepeda Silva.

—¿Recuerda usted cómo fue la decisión del Vaticano para que se creara la Diócesis de Ecatepec y para que la gobernara Onésimo Cepeda?

—Porque era un municipio sin nada, pobre, y como él tenía interés en ser obispo, monseñor Girolamo le dijo: "Ahí tienes ese obispado y pones desde la catedral hasta la casa sacerdotal y el seminario", porque no había nada.

—¿Hubo absoluto apoyo del gobierno municipal y del estatal?

—Bueno, él pidió todo e incluso un poco más.

—¿Y todo se le dio?

—Pues en parte sí.

—¿A qué lo atribuye usted?

—A presiones de unos y otros.

—"Entre todos la matamos y ella sola se murió."

Es letra del Himno del Estado de México:

Mexicanos por patria y provincia
responsables en este momento
son un solo y viril sentimiento;
son un alma de fuerza y amor.

LAS AMÉRICAS

¿Qué tanto se debió hacer y deshacer para que se concretara el conjunto habitacional Las Américas, una planeación urbana a la inversa donde se consintió el súbito asiento de 65 000 personas, más de las que residen en 81 de los 125 municipios del Estado de México?

La autorización de Las Américas no sólo era competencia de la autoridad municipal, sino también de la estatal. Como reportero del diario *Reforma* adscrito al Estado de México entre 2000 y mediados de 2003, conocí directamente aspectos del desarrollo inmobiliario y los incluí en un reportaje publicado por ese diario, en la sección "Estado", el 13 de febrero de 2003, mientras las obras estaban en curso.

En ese trabajo documenté que el gobierno de Arturo Montiel Rojas permitió al Consorcio ARA la construcción de 13 076 nuevas viviendas en Ecatepec de manera irregular, pues además de haber dado las autorizaciones sin que fueran dueños del terreno, el proyecto no contemplaba nuevas vialidades.

El proyecto se ejecutó sobre las 341 hectáreas donde existió la empresa Sosa Texcoco y obtuvo las factibilidades correspondientes desde 1998, antes de que la inmobiliaria fuera dueña del terreno, requisito contemplado entonces por la derogada Ley de Asentamientos Humanos, por el simple hecho de la certeza jurídica de la propiedad.

La Secretaría de Desarrollo Urbano y Obras Públicas otorgó, el 8 de septiembre de 1999, la factibilidad para que en los mismos terrenos que Onésimo Cepeda ofreciera para la canonización de San Juan Diego, se incrementara la densidad poblacional para permitir edificar casas de 60 m² en lugar de 120 m².

El Consorcio de Ingeniería Integral, subsidiaria de ARA, celebró después el contrato de compra-venta el 10 de diciembre de 1999, según consta en las escrituras notariadas ante Claudio Ibarrola, fedatario público número 3 del Distrito de Tlalnepantla.

En medio de la inconformidad del Ayuntamiento, el gobierno estatal publicó, en la *Gaceta de Gobierno* del 25 de febrero del 2002, el plan parcial de desarrollo autorizado sin el refrendo de licencias municipales.

El asunto significaba la promulgación de un plan parcial, competencia del municipio, sin la existencia de un plan de desarrollo urbano municipal ni del plan de desarrollo ni de reordenamiento regional metropolitano.

Formalmente, la inmobiliaria pagaría 94 millones de pesos al final de las obras, sólo por concepto de impuestos, a los gobiernos estatal y municipal.

Ecatepec es considerada una ciudad dormitorio, por lo que se estima que cada día salen alrededor de 650 000 habitantes a estudiar o trabajar al D. F., saturando las cinco vialidades cercanas. Tres lustros después de esa autorización y de otras más a la misma inmobiliaria en el vecino municipio de Tecámac, la realidad aplastó a quienes viven en Las Américas: muchos de ellos invierten seis horas al día en transportarse de su casa a su trabajo, en la Ciudad de México, y volver a Ecatepec.

Al final, todos bajan al Río de Luz

Previo a los comicios del año 2000, Eruviel dejaba clara su intención de regresar a la presidencia municipal, pero como alcalde; logró la candidatura del PRI.

De acuerdo con algunos copartidarios y militantes de otros partidos, Onésimo habría ofrecido que por cada peso puesto por el PRI para la campaña de Eruviel, él se encargaría de poner otro. Esta versión nadie la admite de manera oficial, aunque muchos la comparten, incluidos priistas que recuerdan a Eruviel amagar con dejar el partido e irse al PRD si no se le otorgaba la candidatura. Desde Río de Luz se enviaron señales a Toluca del interés de Porfirio Muñoz Ledo por la joven promesa del priismo ecatepense. En las negociaciones participó José Luis Gutiérrez Cureño.

Así, Eruviel logró la candidatura, pero sólo por un día.

Los priistas derrotados, Gustavo Coss y Pablo Bedolla, cabezas de las hoy casi extintas corrientes priistas La Curva y Amigos de Ecatepec, impugnaron la decisión del Comité Estatal con el alegato de que la designación de Eruviel abría las puertas a Onésimo a un gobierno que debía mantenerse laico, y llevaron la inconformidad hasta una manifestación en Toluca.

El partido optó por lanzar a un candidato intermedio entre los grupos enfrentados: Sergio Rojas Andersen, quien perdió la contienda ante el exedil panista, Agustín Hernández Pastrana, con una diferencia de más de 46 000 votos, una diferencia significativa que sólo puede ser comprendida porque Ecatepec se dejó arrastrar por la ola levantada por Vicente Fox.

De último minuto, se ingresó en los primeros lugares de la planilla priista, en una posición segura, a un hermano de Alfredo Torres Martínez, mientras Eruviel aceptó el consuelo de competir por una diputación federal, pero el tsunami azul también se llevó los lugares en San Lázaro, y le tocó pastorear vacas flacas. Montiel lo rescató en abril de 2001 y lo designó subsecretario de Gobierno en la Zona Oriente del Edomex, donde le tocó operar el escándalo de Eulalio Esparza, el edil de Chalco que huyó luego de ser acusado de extorsión. Aunque mantuvo la paz en Chimalhuacán tras el enfrentamiento entre priistas en agosto de 2000, que llevó a la cárcel a la lideresa Guadalupe Buendía, La Loba, se le achacó no lograr el retroceso del PRD en Ciudad Nezahualcóyotl, el municipio de segunda importancia electoral por su volumen de votantes.

A la vez, promovía que la gobernabilidad se saliera de las manos de Agustín Hernández Pastrana, el flamante presidente panista, lo que tampoco era difícil. Nadie, ni siquiera en el PAN, supuso que ese hombre ganaría las elecciones, pero como era necesario competir, lo designaron a partir de la amistad que tenía con José Luis Durán Reveles, uno de los eternos aspirantes de Acción Nacional a la gubernatura del estado. Agustín ganó y, como suele ocurrir con los alcaldes del Estado de México, de inmediato se comportó como un pequeño faraón y se otorgó un sueldo de 400 000 pesos mensuales.

Los priistas mexiquenses no pasaron bien el trago amargo de la derrota. Montiel gobernó con mano pesada. Encarceló algunos rivales y desestabilizó el gobierno de otros. El caso de Ecatepec fue emblemático, pues los camisas rojas ingresaron al palacio municipal. En un gesto de ingenuidad, Hernández Pastrana admitió dialogar directamente con ellos, pero fue capturado por la horda y llevado al mismo balcón en que se grita el 15 de septiembre, y ahí, humillado, se le obligó a responder frente a la gente a un pliego petitorio. La policía municipal debió rescatar al hombre y, afuera de la oficina que tanto anhelaba ocupar Eruviel, la manifestación se convirtió en un pleito campal propio del futbol llanero.

Torres Martínez y Ávila Villegas no participaron en el asalto, pero los desmanes sí fueron protagonizados por la Coordinadora Río de Luz. En los empujones, puñetazos y mentadas de madre estuvo José Luis Flores

Gómez, quien sería diputado federal por Ecatepec, donde también fungiría como director de Seguridad Pública y Tránsito, director de Gobierno, secretario y presidente municipal sustituto de Eruviel.

También se vio a Noé Martín Vázquez, quien sería regidor, diputado federal y director del gobierno del Ayuntamiento cuando éste se convirtió en propiedad de Eruviel Ávila Villegas.

Y a Miguel Ángel Barrera López, quien sería secretario del Ayuntamiento durante parte del segundo mandato municipal de Eruviel, y quien a fines de abril de 2012, cuando Ávila ya fungía como gobernador, fue asesinado en la delegación Gustavo A. Madero de la Ciudad de México. Se pretendió sostener que el crimen ocurrió como consecuencia de un pleito de tráfico, pero las autoridades de la capital revelaron que los asesinos fueron directamente por la vida de Barrera, en ese momento candidato a síndico.

✳ ✳ ✳

Otra peculiaridad en la política de Ecatepec es la cantidad de personas asesinadas.

Araceli Caballero Hernández era una joven reportera de 24 años de edad. Trabajaba para el periódico *El Día* y murió de un balazo en la cabeza el 2 de junio de 1993. Encontraron su cadáver en el interior de un auto en la esquina de Avenida Central y SUTERM, en la colonia Río de Luz. La prensa señaló al entonces presidente municipal, Vicente Coss Ramírez, blanco de las publicaciones de Araceli, y principalmente por la revelación que hizo la periodista de que un hijo del alcalde, Jorge Luis Coss Tirado, defraudó a decenas de familias con la venta de terrenos del "Grupo Solidaridad, 90 desarrollos habitacionales de la República Mexicana, A. C.". Los terrenos de propiedad federal fueron vendidos con engaños y la estafa significó el declive del grupo político La Curva, encabezado por los Coss, cuya caída permitió la prosperidad de la Coordinadora Río de Luz.

Hacia las 11:30 de la noche del 14 de agosto de 1995, se apagaron las luces del Tropibar. Si se atiende a las declaraciones de las meseras, es fácil comprender cómo, desde el principio, nunca hubo interés por esclarecer las cosas. Según las empleadas, cuando los focos se encendieron nuevamente, descubrieron a un hombre tundido e inconsciente bajo una de las mesas. Lo llevaron a un hospital donde murió 38 horas después. Su nombre era Mario Romero Murillo, director de Desarrollo Económico en el Ayuntamiento de Ecatepec. El joven funcionario aspiraba a la Presidencia Municipal, y en el cabildo era bien sabido que la Coordinadora Río de Luz se oponía a sus intenciones.

Fernando León Loreña, dirigente priista e integrante de la Asociación de Jubilados y Pensionados de Ecatepec, murió asesinado en su propia cama luego de recibir tres disparos de una pistola .38 súper, arma común en las policías municipales. Los asesinos entraron a su casa con el pretexto de querer comprar unos terrenos y lo acribillaron el 5 de septiembre de 1996; antes de ejecutarlo, advirtieron a la familia que iban con órdenes de matarlo. Meses antes, en mayo, Fernando León denunció el posible fraude gigantesco cometido con unos predios situados frente a la Central de Abastos de Ecatepec, en el que involucraba al alcalde Alfredo Torres Martínez, al secretario del Ayuntamiento, Eruviel Ávila Villegas, y al cuarto regidor del PRI, Esteban Sánchez Villanueva.

El perredista —lo preciso es decir que simpatizante de Nueva Izquierda— Daniel Cruz Sánchez fue ejecutado el 26 de noviembre de 2012. El suyo no fue un homicidio más en la ola de sangre que baña Ecatepec. Daniel Cruz era asesor del entonces presidente de la Cámara de Diputados del Estado de México y presidente de la Comisión Legislativa de Seguridad Pública, Octavio Martínez Vargas. En la elección de ese año, Cruz operó exitosamente la campaña electoral de Jéssica Salazar, quien ganó el Distrito Electoral 17 en Ecatepec.

En julio de 2016, Rubén Alfredo Rodríguez Morales, policía estatal comisionado como escolta de la esposa del presidente municipal en funciones, Indalecio Ríos Velázquez, fue baleado y muerto en la colonia Ejidal Emiliano Zapata de Ecatepec.

Araceli Gutiérrez fue una lideresa del autotransporte que se definía de izquierda. En algún momento se afilió al PRI y alcanzó alguna cercanía con Eruviel, al grado de suplirlo en su segunda diputación local y lograr asiento en la Mesa Directiva del Transporte de Ecatepec, que reúne a los principales representantes del sector. Araceli tenía el estilo de cobrar públicamente cuanto favor se le debiera y hacerlo con un lenguaje que sonrojaría a cualquiera. Se quejó con amargura de que le habían otorgado pocas concesiones para taxis. "Me vale madres y les voy a armar un desmadre", recuerdan que dijo días antes de morir acribillada, el 18 de marzo de 2014, cuando salía de sus oficinas de la colonia Tolotzin.

✳ ✳ ✳

Desde antes de que el PRI perdiera Ecatepec por primera vez, a fines de la década de 1990, Eruviel sostuvo reuniones con líderes locales del PAN y el PRD para buscar su postulación. El chantaje es un juego que Eruviel ha jugado y juega hasta hoy. Para la elección de 2003, a decir de varios actores, la advertencia de que Ávila dejaría el partido si no se le entregaba la candidatura, fue dada a conocer directamente por Onésimo Cepeda al gobernador Arturo Montiel Rojas.

"Si no le damos la oportunidad, el muchacho se nos va", son las palabras que repiten quienes aseguran que conocen el acuerdo. Montiel habría aceptado y pedido a Pablo Bedolla, rival interno de Eruviel, que aprendiera del error cometido en el 2000 y cediera la oportunidad al entenado del obispo.

¿Cómo fue la campaña por la presidencia municipal de 2003, la misma que colocaría a Eruviel en la carrera que termina en Los Pinos, así sólo sea él y unos pocos más quienes vean su sueño como algo más que eso?

Como enviado de la sección "Estado" del diario *Reforma*, conocí el proceso desde antes de su inicio y hasta después del día en que se dieron por concluidas las quejas levantadas contra la elección.

Entrevisté varias veces a Eruviel. En una ocasión durante un buen rato en el restaurante la Casa de Pedro y Sara, cerca de la Presidencia Municipal. Contrario a lo que aparenta hoy, la línea del pelo huía en franca retirada hacia la coronilla. Poseía un mentón recio, pero no lucía partido, quizá porque ha perdido unos diez kilos. Vestía camisa, chamarra y pantalones de gabardina. Su aspecto correspondía al de un profesionista mediano y no, como ahora, al de un alto ejecutivo de una empresa trasnacional. La transformación sólo es comparable a la vista con la de Arturo Montiel, quien también, en su ambición por la Presidencia de la República, se deshizo del aspecto de cacique de pueblo y, pasando por el uso de un desvanecedor de canas que le dejó el pelo color ladrillo, se convirtió en un caballero maduro, digno de conquistar con tunas verdes y moradas de Nopaltepec, Estado de México, a una belleza francesa —ésa fue la versión oficial del *affaire* con Maude Versini—. Arturo inauguró el estilo que Enrique llevó a nuevas alturas al matrimoniarse con Angélica Rivera, y que Eruviel replica al presumir públicamente un noviazgo con Lola Villegas Leal, una muchacha de 29 años de edad también surgida de la cantera de Televisa, a quien se le ha presentado como conductora y actriz.

En 2003 entregué a Eruviel un examen enviado desde la redacción. La idea era que los candidatos de los tres principales partidos políticos de los diez municipios más grandes del Edomex mostraran sus conocimientos del lugar que querían gobernar. Ávila aceptó. En realidad, los candidatos a una alcaldía aceptan hacer cualquier cosa. Eruviel hizo trampa, pues se apoyó en un asistente. En otra ocasión lo vi enrojecerse hasta el color del jitomate cuando le pregunté —otra orden del editor— cuándo había tenido relaciones por primera vez con su novia, esto a propósito del 14 de febrero.

* * *

En la oposición política, las estrellas también se alineaban para el hoy suspirante presidencial.

De mala gana, el PRD de Ecatepec aceptó que el jefe de Gobierno del Distrito Federal en 2003, Andrés Manuel López Obrador, impusiera como candidata a la alcaldía del municipio más poblado de México —la bolsa más grande de votos del país— a una priista resentida, Marcela González Salas Petricioli, la mujer que inició su carrera política dando tortas a los priistas que pintaban bardas con el nombre de Alfredo del Mazo González y, más importante para el caso, esposa de Mario Vázquez, el alcalde bajo cuyo gobierno municipal Eruviel nació, al menos en su versión, en la política.

Marcela hizo las maletas el mismo día en que su partido de origen designó a Eruviel como candidato. Existen tres o cuatro datos que hacen dudar de los motivos de López Obrador.

Uno es que Marcela, cuando se proyectó al plano nacional, lo hizo bajo la tutela de Carlos Salinas de Gortari en la Secretaría de Programación y Presupuesto, primero, y después en la campaña presidencial de

1988, la que culminó con el supuesto fraude —así denunciado por el PRD— electoral a la izquierda.

En 1991 la mujer se incorporó como jefa de asesores en la Secretaría de Hacienda y Crédito Público, entonces dirigida por Pedro Aspe Armella, uno de los blancos favoritos de Andrés Manuel cuando dispara contra la política económica vigente. En esa dependencia mantuvo cercanía con el área responsable de la desincorporación de las empresas públicas.

Aunque las negociaciones del PRD con Marcela fueron cerradas por Ricardo Monreal, uno de los más destacados operadores electorales de López Obrador, no se mantuvo a la vista, o se fingió que era punto ciego, el hecho de que Mario Vázquez y uno de los hijos de la candidata se mantuvieron en las filas del PRI.

Y, finalmente, la fortuna de Mario Vázquez y Marcela González se fincó sobre el fraccionamiento de 15 800 terrenos en la quinta zona del municipio.

Onésimo cumplió con las expectativas de los priistas que cantaban con sus muchachos y 30 sacerdotes se sumaron a la campaña de Eruviel en la calle y dentro de sus parroquias, especialmente las existentes en las partes más pobres del municipio. Los curas recordaban a la gente las bondades de las despensas priistas y advertían que los perredistas, presentados en esa circunstancia como feroces comunistas, les quitarían sus casas. La tautología de los priistas era correcta: "El púlpito es el púlpito".

Por si fuera poco, desde algún lugar indeterminado de la política mexiquense —se presumió que desde la chequera de Isidro Pastor, una pieza de Montiel con más colmillos que un tigre dientes de sable— apareció el Partido Liberal Mexicano, mismo que no logró su reconocimiento ante las autoridades electorales, pero que participó decididamente denostando al PAN y al PRD. El líder de la organización reveló que recibiría 10 millones de pesos del PRI por la campaña difamatoria.

Hasta en los papeles para envolver tortillas estaba el nombre de la coalición PRI-PVEM, y por todos lados se veía el logotipo de campaña de Eruviel, formado por dos siluetas con los brazos hacia arriba, de manera triunfal, casi igual al que utilizaba el gobernador Montiel para presumir sus acciones de gobierno.

Eruviel prometía en cada oportunidad que cada casa de la demarcación tendría agua, expectativa social de primera importancia si se considera que en ese municipio existen viviendas construidas hace décadas con lavabos, regaderas y fregaderos de los que nunca ha salido una gota. El priista sostenía la viabilidad de su oferta en la idea de que "el agua de Ecatepec sería para los ecatepenses", y explicaba que no se permitiría más el envío de líquido extraído del subsuelo municipal al Distrito Federal.

Como gobernador, Ávila Villegas pondría en práctica una variación de este propósito cuando sacudió por las solapas al jefe de gobierno Miguel Ángel Mancera al cerrar, durante un par de días, los basureros situados en su estado y que reciben desperdicios de la Ciudad de México. Mancera ni se atrevió a revirar, por ejemplo, que el ambulantaje en la Ciudad de México está compuesto en su mayoría por mexiquenses, como también lo son buena parte de los usuarios del Metro, o que millones de ellos trabajan o estudian en la capital.

* * *

¿Cómo fue el tono de la campaña? El 5 de marzo de 2003 publiqué esta nota en el diario *Reforma*:

Pelean en Ecatepec priistas y perredistas

ECATEPEC.- Alrededor de cinco miembros del Partido de la Revolución Democrática chocaron violentamente con quince simpatizantes del PRI, luego de que los primeros descubrieron una bodega en donde se reparte ilegalmente cemento, balastras y botes de pintura etiquetadas con propaganda de José Luis Herrera Camacho, candidato a la diputación local por el Distrito 42 de la alianza PRI-PVEM.

Hacia las 15:15 horas los simpatizantes del sol azteca arribaron al inmueble ubicado en la esquina de Río Tigris y Río Éufrates, en la tercera sección de Valle de Aragón, inmueble propiedad del Consejo de Participación Ciudadana considerado como un edificio público.

Luego de un forcejeo con el encargado del edificio, arribaron al sitio los miembros del PRI e iniciaron la zacapela provistos de cinturones y piedras, sin que los elementos de la policía auxiliar intervinieran en momento alguno.

Tanto perredistas como priistas utilizaron sus vehículos para intentar atropellar a sus adversarios mientras se arrojaban tabiques. Entre ellos se encontraba el propio candidato tricologista, Herrera Camacho.

Aunque *Reforma* obtuvo fotografías durante el pleito entre priistas y perredistas, los militantes de la Alianza para Todos del PRI-PVEM amenazaron con golpear al reportero y lo obligaron a entregar el rollo fotográfico por la fuerza, sin que los cuerpos policiacos intervinieran.

En el inmueble se constató la existencia de unas 1 000 cubetas de 19 litros de pintura e impermeabilizante, unas 1 000 lámparas de alumbrado público, 1 000 balastras y tubería para armar 15 juegos infantiles, así como malla de protección, todas etiquetadas con la propaganda del aspirante a la diputación local.

También se observó la existencia de unas 50 toneladas de cemento que eran cargadas a una camioneta con las mismas calcomanías propagandísticas.

A las 14:20 horas llegaron representantes municipales y distritales del IEEM , quienes iniciaron un acta circunstanciada acreditando la existencia del material usado como propaganda de manera irregular.

"Efectivamente vemos que en el interior de lo que parece una bodega hay cubetas de pintura, cemento, lámparas, juegos infantiles y malla ciclónica con las calcomanías de lo que evidentemente es propaganda de la Alianza para Todos."

"Esta situación es violatoria a lo que dicta el Artículo 157 del Código Electoral, en cuyo tercer párrafo se prohíbe el uso de ayuda y entrega de materiales con fines electorales", afirmó Cirilo Barrientos, secretario técnico de la comisión de Propaganda por el Distrito 42.

Deslinde

Eruviel Ávila, candidato a la presidencia municipal por la Alianza para Todos, descalificó los hechos y se dijo ajeno al empleo de entrega de material como vehículo de propaganda electoral para la campaña de los tricologistas.

"Desconozco el origen y destino de ese material, la propiedad del inmueble, y considero que, en caso de acreditarse alguna irregularidad, se debe actuar conforme a derecho. Me deslindo y no comparto esas cuestiones", aseveró Ávila en entrevista vía telefónica.

* * *

Temprano, el día de la elección por la que Eruviel se convertiría por primera vez en presidente municipal, Onésimo ofició misa con un pendón de terciopelo morado —el color de la penitencia—, colgado al lado del altar dedicado al Sagrado Corazón de Jesús en el que se leía: "No sólo de pan vive el hombre".

Al final, los resultados arrojaron que sólo 31% de los ciudadanos inscritos acudieron a las urnas, de 1 017 274 potenciales votantes con que cerró la lista nominal, y que Eruviel Ávila ponía fin a los días de las vacas flacas con 116 000 sufragios, 11% del electorado.

El PAN se fue al segundo lugar y, dos días después, en los tiempos en que Acción Nacional consideraba válida la demostración de la inconformidad electoral en las calles, sus simpatizantes sitiaron la Junta Municipal Electoral y la bombardearon con huevos. Estuvieron a punto de hacer lo mismo con la catedral de Onésimo, pero fueron contenidos desde la dirigencia nacional.

La lista de irregularidades fue larga. Por ejemplo, en el acta de escrutinio de la casilla 1930 básica, ubicada en Ciudad Azteca, el barrio de Eruviel, el candidato del PRI-PVEM tuvo 71 votos, pero en el registro del cómputo oficial apareció con 7 169.

Marcela González e Ignacio Labra, candidato del PAN, presentaron 848 impugnaciones, entre ellas pruebas documentales en video de que Ávila superó los topes de gastos de campaña al invertir 20 millones de pesos sólo en televisión, cuando el Instituto Electoral estatal estableció que máximo serían 22 millones lo que podía gastar cada candidato en la campaña de Ecatepec.

Así me declaró Ignacio Labra hace 14 años: "La lista nominal fue rasurada, tenemos constantes señalamientos de ciudadanos que nos refieren su imposibilidad para votar el 9 de marzo aunque no hicieron ningún cambio de domicilio o de ningún tipo. Calculamos que por cada casilla se rasuraron entre 15 y 20 votos. Si tomamos en cuenta que se instalaron 1 685, hablamos de que pudieron excluirse hasta 30 000 personas".

Isidro Pastor, dirigente del PRI, golpeó la mesa: "Que ni se atreva el Tribunal Electoral a fallar en contra de nosotros en Ecatepec, porque entonces sí, se descompone todo el Estado y se descompone el país. No les vamos a entregar Ecatepec, así sea a sangre y fuego lo vamos a defender, no vamos a permitir los excesos de un Tribunal que no justifica sus acciones, que se siente omnipotente y todopoderoso".

El tiempo daría la razón a los perredistas que desconfiaron de la postulación de la expriista. Con posibilidades de ganar la batalla en los tribunales electorales, Marcela obtuvo, en julio de 2003 y con el apoyo de la corriente perredista Nueva Izquierda, una candidatura plurinominal a la Cámara de Diputados, cerrándose la posibilidad jurídica de seguir la pelea. En 2006 Andrés Manuel pretendió nuevamente la candidatura para Marcela, pero los perredistas locales se rebelaron y empujaron a José Luis Gutiérrez Cureño, quien ganó la contienda y cuyas rencillas con López Obrador persisten hasta hoy. Marcela volvió al PRI en 2009 apoyando decididamente a Eruviel en su segunda campaña por la presidencia municipal. Como gobernador, Ávila la designó, sin experiencia alguna en medios de comunicación, directora general del Sistema de Radio y Televisión Mexiquense. Como presidente, Peña la hizo directora general de Juegos y Sorteos, cargo en que tuvo como secretaria particular a Lizbeth García Coronado, una joven exdiputada perredista de Nueva Izquierda, la corriente que convirtió al PRD en un mecanismo de acompañamiento al gobierno que sea, en vez de ser una propuesta de gobierno por sí mismo. Hoy Marcela es, nuevamente, diputada federal por la vía plurinominal y una de las más entusiastas defensoras de la presidencia de su paisano Enrique Peña Nieto.

Del PAN estatal también bajó la orden de que se soltara Ecatepec.

Y así, Eruviel se hizo alcalde en el más representativo de los escenarios de la política mexiquense: con dinero a raudales, violencia, sin competencia real por la infiltración de la oposición, con alternancias que no representan el cambio, sin autoridades electorales que en realidad lo sean, con intervenciones fuera de la ley hasta del clero...

—¿Qué tanta influencia tuvo Onésimo sobre Eruviel?

—¡Uta! —se escandaliza Esteban—. Fue al grado que, cuando fue presidente municipal por primera ocasión, en 2003, encima y a un lado del director de Administración que hacía las compras, estaba la figura de Onésimo. Él era el encargado de la compra del parque vehicular. Él se manejaba con las agencias que él quería. Yo me di cuenta porque fui asesor de la presidencia municipal.

"La Dirección de Administración era el área exclusiva para comprar lo que necesites, desde una aguja hasta un avión. Se dio además la adquisición del helicóptero, que fue idea de ellos y que fue utilizado por Onésimo más que por nadie", recuerda.

En coincidencia, otras fuentes recuerdan que el obispo volaba y, sin empacho, presumía que ocupaba el helicóptero para jugar golf en Ixtapan de la Sal con el gobernador Arturo Montiel, con quien consolidó una estupenda relación.

El helipuerto estuvo, primero, junto al Puente de Fierro, muy cerca de donde murió fusilado José María Morelos y Pavón, de ahí que el municipio se llame Ecatepec de Morelos. La ubicación resultó incómoda para Onésimo, así que la base se mudó al panteón municipal, muy cerca de la presidencia y de la catedral.

—¿Onésimo volaba en el helicóptero del Ayuntamiento? —pregunto a Esteban.

—Sí, continuamente —responde sin dudar.

—¿Todo el tiempo?

—Sí.

—¿Qué tan frecuente lo hacía?

—Pues cuando menos una vez al mes. Sí, él disponía, no pedía el favor, ya sabía quién era el jefe de tal área y con él trataba directamente: "Yo le aviso al presidente", advertía.

—¿Nunca se le decía que no?

—Pues no, nunca se le decía que no, porque eran las instrucciones.

—¿Se sabía con quién se iba a jugar?

—No, pues es otro nivel ya. Eso ya es de ángeles y arcángeles. Ya estaba fuera de nuestra visión.

¿Con quién jugaba Onésimo al golf? En el Estado de México, políticos de todos los partidos y distintos periodistas dan detalles que Cepeda jugaba con el gobernador Arturo Montiel Rojas, a quien acercaría a la joven promesa del priismo ecatepense: Eruviel.

La otra gran influencia sobre Eruviel es de casa. Se trata de su hermano Germán, así descrito por Esteban: "Ése es el verdadero poder atrás del hermano y es muy hábil. Si hubo algún meneo de dinero, solamente fue con la autorización de Germán, quien tenía oficinas fuera del palacio municipal. Alfredo Torres también es padrino de casamiento de Germán, y el trabajo sucio, si se puede llamar así, lo hace Germán".

En el primer gobierno de Eruviel apareció en las oficinas municipales otro personaje que adquirió influencia, Teolindo Fortes, hoy dirigente de la Unión Industrial del Estado de México y dueño de los hoteles que, en su momento, se atribuyeron a Eruviel, lo cual no es posible demostrar. Sobre Teolindo también se coincide en que fue él quien tuvo la ocurrencia de construir el teleférico que, años y cargos más tarde, inauguraría Ávila como una magna obra a la que especialistas en transporte público consideran un enorme dispendio de relumbrón.

Río Místico III

Varias de las reuniones ocurrieron en el centro cívico de la colonia Río de Luz, en avenida SUTERM, esquina Sección 25, nombres alusivos al origen obrero del barrio popular. Siempre gentiles, los priistas invitaban a algunas de sus fiestas a la oposición, a la que Eruviel sabe bien enamorar. Actor político indiscutible, Onésimo aparecía con su riguroso traje negro y una comitiva de jóvenes a quienes no se les preguntaba si querían beber y simplemente se les servía.

—Platíqueme de las fiestas —pido a Carmen Cerón, exregidora perredista.

—A las que sí acudí, porque nos invitaban a todos, eran a los cumpleaños de Alfredo Torres. Lo hacían en grande, en grande, pero uno llegaba un rato ahí, y… te digo, el obispo llegaba también ahí a las fiestas y a ponerse hasta atrás.

—¿Y Eruviel?

—De joven no tanto. Él era muy cuidadoso y, más bien, cuidaba mucho a Alfredo Torres, Alfredo sí se ponía hasta atrás, hasta las manitas…

Pues casi la mayoría. Había un síndico que se ponía a bailar como Juan Gabriel y luego hasta lo acusaron de violación.

Cerón relata un momento en una de esas fiestas en que llamó su atención la presencia de Onésimo, bebiendo y rodeado de un grupo de hombres jóvenes. "Los niñitos aquí, en las piernas, y él abrazándolos. Había otros dos padres, Rafael y otro que era su segundo de Onésimo. El padre Rafael supuestamente no le entraba mucho a eso y decía: 'Yo estoy en contra, Carmen, pero pues ellos son los que mandan'".

—¿Niños de qué edad? —pregunto a Carmen.

—Yo digo que de 13 o 15 años; no más de 18 años.

—¿Y de dónde venían esos niños?

—Quién sabe.

—¿Cuántos eran?

—Siempre andaban como ocho, igual cuando fueron al cabildo, se quedaron afuera, nada más entró Onésimo. Eran como sus guaruras.

—¿Vinieron gobernadores a las fiestas?

—Yo vi a Alfredo del Mazo [González] y a [Arturo] Montiel, muy reservado, nadie se acercaba.

—¿Usted confrontó a Eruviel o a Onésimo respecto a la presencia de niños en esas reuniones?

—En una ocasión, cuando ya no era regidora, le dije que la gente no sabemos en qué manos estaba nuestra fe, me dijo: "Los políticos son unos corruptos". Le respondí: "Yo no soy político, sino política". "Entonces política pobre, pobre política, usted no va a pasar de lo que es". Sí, te digo que yo hasta sentí la excomunión… También se le iban los ojos con las mujeres, era morboso pues, te digo que yo quedé asqueada de Onésimo. A un padre con el que hicimos amistad, le pidió ocho niños y le dijo más o menos las características: pobres, de familias disfuncionales y de edades desde ocho a 12 años. El cura le dijo que no, que él no podía hacerlo y que lo iba a denunciar. Onésimo se burló de él y le dijo: "¿Sabes quién soy yo?". Y, al final, echaron al padre, a nuestro amigo.

—¿Había alguien de su partido?

—Sí, estaba el [entonces] regidor Octavio Martínez —dice en referencia del actual secretario electoral del PRD nacional.

—¿Le reclamó algo Octavio?

—Antes estuvieron tomando juntos. Algo le dijo, como de broma, y Onésimo le recordó a Octavio que había sido su monaguillo, y le dijo: "Tú también eras raterillo, te llevabas las limosnas". Y Octavio nomás respondió: "¡Ah!, mi ilustrísima", como también le decía Eruviel, y rieron.

—¿Y Eruviel estaba en la fiesta?

—Sí, estaba en la fiesta.

* * *

En uno de los cumpleaños de Alfredo Torres Martínez se estableció que el evento tenía la suficiente importancia como para no sólo ser disfrutado por quienes asistieran, y se contrató a una estación radiofónica local para que transmitiera desde el centro cívico Río de Luz. Los aniversarios del padrino de Eruviel se convertían en una verbena popular donde se servía barbacoa a la gente, y *whisky* y coñac a los invitados especiales. Tras la presentación de payasos y magos para los niños, la celebración se convertía en baile, que alguna vez fue amenizado por el grupo Merenglass.

—Oye, es que esto para un cumpleaños… Por más presidente municipal que seas, mi querido amigo, a mí me parece que es un exceso —reprochó Esteban en alguno de los agasajos.

—No, no. Estamos gastando exactamente lo que se requiere para seguir haciendo política —reviró Torres.

Durante sus gobiernos, Eruviel adoptó la fórmula y convirtió en tres o cuatro ocasiones al 1 de mayo, fecha de su natalicio, en día de fiesta municipal. Otras juergas encontraban ocasión el 16 de septiembre o las posadas navideñas.

Beatriz Ochoa fue regidora por el PRD durante la alcaldía de Eruviel, y acudió a una fiesta en el centro cívico de la colonia Río de Luz organizada para el cumpleaños de Alfredo Torres Martínez en 2004.

—Onésimo es de lo peor con los muchachillos. Su pederastia es cabrona, muy evidente en ese tipo de fiestas, y yo me salí porque esas cosas no me gustaron. Estaban Onésimo, Jorge Hernández, que fue candidato a diputado federal, y varios diputados. A Alfredo no lo vi con ningún chiquillo, pero a Onésimo sí. Estaban muy niños, muy flaquitos, o sea muy niños se veían, yo creo que no tenían…, bien chavitos, yo creo no se veían ni de 18 años, menores de edad —relata Beatriz Ochoa.

—Describa la situación.

—Pues los tenía encima de sus piernas, agarrándoles todo, besándolos. Al ver eso me salí.

—¿Estuvo Eruviel en esa fiesta?

—Sí estuvo.

—¿Como cuántas personas iban?

—Eran masivas sus fiestas, como 2 000 personas más o menos. Ellos se apartaban, obviamente, y la gente estaba lejos. Ponían una zona VIP donde nada más los conocidos de Alfredo Torres, los regidores en ese entonces, Eruviel y los invitados especiales estaban en un área protegida. Entonces, no se convivía con toda la gente, sí invitaban y la invitación era masiva. Llevaban grupos y bandas, todo eso. Ellos estaban hasta la zona VIP que estaba acordonada, ahí es donde nos metían a nosotros.

—¿Cuántos muchachos, que considera usted eran menores de edad, estaban en ese momento?

—Unos diez.

—¡Diez! ¿Y qué pasaba con Eruviel?

—A él no lo vi haciendo nada de eso.

—Pero él estaba presente mientras eso ocurría.

—Sí.

—¿Hubo alguien que le dijera algo a Onésimo al respecto?

—No, nadie.

—¿Esos jovencitos de dónde salieron? ¿Los reconoce?

—No.

—¿Los puede describir físicamente?

—Eran guapos, delgados, jóvenes, porque igual era de noche, nada más les veías la fisonomía. No se acercaban tampoco a ti, sino que estaban lejos y así nada más los veías.

—¿Quién estaba junto a Onésimo, aparte de estos muchachos, había algún funcionario público?

—Prácticamente estaban todos. En su mesa había varios padres de las iglesias. Ya después estábamos nosotros en la siguiente mesa, que era Octavio Martínez, nosotros, la compañera Carmen Cerón también ese día me acompañó.

—¿Recuerda qué se sirvió de cenar?

—Barbacoa de borrego.

—¿Qué importancia tenía Onésimo?

—Mucha importancia. Prácticamente era el que decidía las candidaturas, si no es que todavía las decide, pero antes todos tenían que ir con Onésimo para ver cuál era su opinión sobre las candidaturas a diferentes puestos políticos del PRI.

—¿Sólo del PRI? ¿Tuvo las manos sobre el PAN o sobre el PRD?

—No, sobre el PRD no, nada más sobre el PRI.

—¿Qué casos conoce de alguien que haya ido a consultar a Onésimo respecto a sus intereses políticos?

—De Araceli Gutiérrez, que en paz descanse. Ella me dijo que tenían que pasar por Onésimo si querían ser candidatos, inclusive a regidores.

Es letra del Himno del Estado de México:

Cuando el mundo se agita en el odio
reventando en ciclones de guerra
e inundando de horror de la tierra
la antes fresca y prolífica faz,
el país, que ya supo de angustia
semejante, en el mundo tan vieja,
a los pueblos en pugna aconseja
el amor, el trabajo y la paz.

✳ ✳ ✳

Eruviel no concluyó su periodo en el gobierno. Pidió permiso para contender por una diputación local que ganó. Dejó como su suplente a un hombre de todas sus confianzas, José Luis Flores Gómez, uno de los priistas que años atrás habían tomado por asalto la alcaldía del panista Agustín Hernández Pastrana.

En el Congreso mexiquense fue investido como coordinador del Grupo Parlamentario del Partido Revolucionario Institucional y como presidente de la Junta de Coordinación Política.

Eruviel ya no era más un diputado raso con alguna iniciativa insípida que presumir. Por su oficina pasó toda la operación legislativa que requirió Enrique Peña Nieto para cursar el mediodía de su gubernatura sin más problemas que las denuncias sostenidas por organizaciones civiles y periodistas, como es el tema de los feminicidios, y que para fines prácticos en la política mexiquense, no representan mayor apuro.

LA ELECCIÓN

En 2010 Eruviel envió mensajes de su inconformidad ante la designación de Alfredo del Mazo Maza como candidato del PRI a la gubernatura, en ese momento alcalde de Huixquilucan e hijo y nieto de los exgobernadores del Estado de México.

El escritor y periodista Alejandro Páez Varela mostró la estampa en su columna publicada el 8 de febrero de 2016 en el portal de noticias *SinEmbargo.mx*:

> Fue a principios de 2011. Eruviel Ávila Villegas se había reunido una o dos veces antes con esos mismos personajes que le llevaban un ofrecimiento. Los encuentros se daban en total discreción. Nadie, en teoría, debía saberlo.
>
> Pero apareció un fotógrafo.
>
> Uno de los dos personajes con Eruviel era del Partido Acción Nacional (PAN); el otro, del Partido de la Revolución Democrática (PRD). Le ofrecían que él, alcalde de Ecatepec, encabezara la "coalición perfecta" para el Estado de México. Una alianza contra el PRI. Pensaban en la "coalición perfecta" porque Eruviel, ese gobernador que es hoy un desastre, podría jalar votos mientras que, como es sabido, PAN y PRD no se pisan en esa entidad: su presencia está distribuida de tal forma que las dos fuerzas opositoras no se pisan entre sí, sino en contados municipios.
>
> Los dos líderes del PAN y PRD asumían que, de aceptar, Ávila Villegas detonaría una bomba dentro del proyecto del Grupo Atlacomulco, del que no era miembro. Una bomba cuya onda expansiva pondría a temblar los planes de Enrique Peña Nieto para la Presidencia.
>
> Cuando se daban las conversaciones, la candidatura del Revolucionario Institucional (PRI) para gobernador ya se había pactado. Pero no era oficial. Sería el alcalde de Huixquilucan, Alfredo del

Mazo Maza, de copete tan alzado que el de Enrique Peña Nieto palidecía: era —y es— un copete estilo Fernando Gutiérrez Barrios.

El fotógrafo, pues, apareció.

Los dos opositores se extrañaron y después se les hizo saber que era un fotógrafo "de casa"; es decir, que las fotos no verían la luz.

Las fotos no vieron la luz, en efecto. Pero llegaron a las manos correctas en el momento preciso. Llegaron a manos del gobernador Peña. […]

Las fotos de Eruviel Ávila, de aquellos encuentros con los enviados del PAN y PRD, llegaron a manos de Peña Nieto. Estaban allí el alcalde mexiquense, Manuel Camacho Solís y Javier Corral Jurado.

Los dos últimos habían logrado una alianza importante en Oaxaca y Gabino Cué le había ganado al PRI. Estaban de buena estrella y querían repetir la hazaña dándole un golpe a los planes del Grupo Atlacomulco.

Poco después de que las fotos llegaron a la persona correcta, se destruyeron las pancartas que ya había impresas —con dinero quién sabe de dónde— con el nombre de Alfredo del Mazo Maza.

El 26 de marzo de 2011 Eruviel dejó la presidencia municipal de Ecatepec y al día siguiente se registró como candidato del PRI a la gubernatura.

Hábil Eruviel: enseñó la bomba mientras acariciaba el detonador, sin decir una palabra.

Hábil Peña: le quitó suavemente la granada de la mano y lo hizo candidato. Pero cedió al chantaje. Y el que cede una vez, cede dos.

Sobre la misma ruta, la de una postulación no priista encabezada por Eruviel, existen versiones de que el perredista Héctor Bautista, líder de la corriente Alianza Democrática Nacional, abrió el camino de las negociaciones para que se estableciera un esquema similar al que bordó Marcelo Ebrard, en ese momento jefe de Gobierno de la Ciudad de México, en el estado de Guerrero donde se empujó exitosamente al expriista Ángel Aguirre Rivero. Según otro relato, Ebrard y Ávila se sentaron frente a frente a discutir el tema en un restaurante de Tlalnepantla.

Cuando perredistas y panistas vieron la imposibilidad de comprar la carta de Eruviel, negociaron una candidatura común que resultaba favorable para los perredistas, quienes llevarían mano con el candidato. El derechista Luis Felipe Bravo Mena aceptó declinar a favor del izquierdista Alejandro Encinas.

La fórmula fue antes ensayada en Oaxaca, con Gabino Cué, y en Puebla, con Rafael Moreno Valle, cuyos gobiernos, como el de Ángel Aguirre, tampoco serían razón para defender este tipo de alianzas. Para el caso del Estado de México la estrategia era igualmente respaldada por Ebrard y por Roberto Gil Zuarth, tan cercano a Felipe Calderón que, así lo entendían todos, el plan corría con el visto bueno del presidente de México, pero no así del "presidente legítimo de México". López Obrador ejerció su ascendencia política sobre Encinas y le prohibió caminar con los panistas.

Entre los priistas de Ecatepec se tiene la certeza de que Onésimo intercedió nuevamente a favor de Eruviel ante Arturo Montiel. El obispo subrayó que su protegido era tentado por los demonios de la oposición y que lo mejor era dejar, por el momento, el gobierno en manos de alguien ajeno a su sangre, pero de toda la confianza. La reflexión de colocar en la carrera a alguien menos parecido a Peña Nieto se fortaleció con que, en el análisis de vulnerabilidades, Del Mazo Maza, alcalde de Huixquilucan, tenía tras de sí la polémica obtención de una beca que hizo al contribuyente pagar sus estudios de maestría en el extranjero con cargo al presupuesto de Pemex, "la gallina de los huevos de oro seca" como ha descrito su primo Enrique a la paraestatal.

Y algo más: en la cárcel de Barrientos, en Tlalnepantla, quedan algunos de los casi 30 policías de Huixquilucan presos durante la alcaldía de Del Mazo Maza. Llegaron ahí por vender su alma a un pequeño y rabioso minicártel ya extinto, La Mano con Ojos. Entre algunos de ellos existe una certeza: Eruviel metió el asunto en el escritorio de los priistas que tomarían la última decisión, como quien mete una espada en el hígado de su adversario.

* * *

La elección fue típica: carretadas de dinero, hordas de Camisas Rojas, periodistas contratados para lamer la mano del PRI y morder la de cualquier otro, el servicio público de transporte dedicado al acarreo de porristas del candidato oficial.

De acuerdo con los resultados electorales publicados por el Instituto Electoral del Estado de México, la coalición Unidos por Ti, formada por el PRI, el PVEM y el PANAL con Eruviel Ávila Villegas a la cabeza, obtuvo 62.5% de la votación.

La coalición Unidos Podemos Más, formada por el PRD, el PT y Convergencia, encabezada por Alejandro Encinas Rodríguez, alcanzó 21.1%, y el PAN, con Luis Felipe Bravo Mena como candidato, se desfondó con 12.4%. Eruviel aplastó. El PRI ganó la elección para gobernador en 124 de los 125 municipios. Fue, en términos de reducción de la oposición, una mejor campaña que la de Montiel, y esta es la principal cualidad de Eruviel ante los priistas: ha ganado cinco de seis competencias a un cargo de elección popular y nunca ha ganado sin pelear el voto.

El eje PRD-PT-Convergencia presentó un recurso ante el Tribunal Electoral del Poder Judicial de la Federación, para invalidar la constancia de mayoría de Ávila, y lo hizo con base en el supuesto gasto de 1 604 millones de pesos en la campaña, siete veces más que el tope permitido. El alegato fue desestimado y el Instituto Electoral del Estado de México, árbitro siempre acusado de amaño con los gobiernos priistas, extendió el visto bueno al dispendio.

LA PATRIA ES ECATEPEC

Si el Gobierno Federal fue tomado por el *Chorizo Power*, como se llama a la clase política del valle de Toluca, incluido el municipio de Atlacomulco, el gobierno del Estado de México fue ocupado por funcionarios con experiencia —o sin esta— en la administración pública municipal de Ecatepec.

Ávila Villegas designó a su tutor Alfredo Torres Martínez como secretario de Desarrollo Urbano, de tal manera que su jefe político es su subalterno administrativo. Con más de 15 millones de habitantes y los proyectos de infraestructura más importantes impulsados por el gobierno del mexiquense Enrique Peña Nieto, la cartera de Alfredo Torres Martínez no es menor: por su escritorio pasa el diseño de los planes de desarrollo urbano de los 125 municipios, lo que implica palomear o tachar los proyectos de vivienda, comerciales, industriales y de infraestructura.

Por ejemplo, entre 2012 y 2016, años gobernados íntegramente por Eruviel, el despacho de Torres ha autorizado la construcción de 86 588 viviendas. En 2011, año en que Ávila ganó e inició su gubernatura y en el que Peña Nieto siguió su camino a la Presidencia, el gobierno mexiquense otorgó autorización para la construcción de 30 313 casas, la mayoría en zonas sin esperanza de calidad de vida mínima y el triple que las permitidas en 2013.

La Secretaría de Desarrollo Urbano del Edomex también toma parte en decisiones como las autopistas urbanas construidas por el consorcio español OHL, desde hace algunos años sujetas a acusaciones probadas de corrupción; el nuevo aeropuerto de la Ciudad de México, el tren México-Toluca, o el también denunciado por irregularidades Walmart de Teotihuacán.

Como en la década de los 70 u 80, Eruviel impuso el nombre de su padrino a una estación del Mexibús, en vida. La importancia de Alfredo Torres Martínez es tal, que su capital político alcanzó para que su hijo José Alfredo Torres Huitrón se convirtiera en diputado federal. Otro de sus hijos, Hazael, recibió de Eruviel una notaría pública sin que entre los abogados se le considere otro mérito que el de sus apellidos. Hazael es un joven de quien medios locales en línea publicaron una foto arriba de un Ferrari —rojo, por supuesto—, y que es reconocido por su afición a la música de banda, especialmente a los narcocorridos compuestos y cantados por El Komander. Este es un fragmento de la letra de "La mafia se sienta a la mesa":

Los jefes ya se reunieron
y los enemigos tiemblan.
Respeto, guarden silencio,
que la mafia está en la mesa.

Otro es José Luis Flores Gómez, el mismo que tomó por asalto la alcaldía de Ecatepec cuando estuvo en manos de Acción Nacional. Además de hacerlo su suplente como presidente municipal en una ocasión, Eruviel lo empujó a una diputación y luego lo nombró subsecretario de Gobierno. Y, por si alguien duda de la importancia de las elecciones para renovar la gubernatura mexiquense, a principios de este 2017 el secretario federal de Desarrollo Social, Luis Miranda Nava, también operador electoral, pero de Peña Nieto, nombró a Flores como delegado en el Edomex.

Flores Gómez tiene el suficiente capital como para convertir a un hijo suyo del mismo nombre en segundo regidor municipal. A principios de 2016, el joven se vio involucrado en un escándalo luego de que se revelaran mensajes de texto en que habría ofrecido trabajo en la alcaldía a cambio de favores sexuales.

"Mi amor, ¿no te gustaría trabajar en el gobierno de Ecatepec? Ya está todo arreglado, voy como alto servidor y tengo vacantes disponibles, ¿quieres? Necesito verte en ropa interior o desnuda porque debo asegurarme de que no tengas tatuajes ni cicatrices como de cesaria (*sic*) o algo así", se lee en los mensajes, que fueron acompañados de imágenes del regidor en las que aparece mostrando su pene.

En la conversación, la mujer rechaza la propuesta. "No puedo creer lo que estás haciendo, Luis, lo que buscas es tener putas a tu disposición, eso es trata. Maldito puerco, soy abogada, no puta".

Y Erasto Martínez Rojas, un abogado que es para Eruviel lo que este fue para Alfredo Torres Martínez. Erasto fue tesorero de Ecatepec durante el primer gobierno de Ávila y es quien suscribió el endeudamiento histórico de 750 millones de pesos. Para comprender el tamaño del crédito se puede decir que, en 1997, la alcaldía ejerció un presupuesto de 250 millones de pesos que creció hasta 1 000 millones en 2000, un claro apoyo del presidente Ernesto Zedillo para que los priistas mexiquenses retuvieran Ecatepec. Con un presupuesto similar, Eruviel y Erasto adquieren un crédito por 750 millones de pesos que, según diversas denuncias, no terminaron en obra pública, sino en la precampaña presidencial de Arturo Montiel Rojas. Ávila, gobernador, lo hizo secretario de Finanzas, luego de Infraestructura y es muy posible que concluya este gobierno como su jefe de gabinete, figura creada para él.

O Isis Ávila Muñoz, hija del político, que hace las veces de presidenta del DIF en ausencia de primera dama y quien, en 2011, presidió el Club de las Erufans, una iniciativa a favor de la gubernatura de su padre que, entre otras cosas, hacía videos de borrachos aclamando a Eruviel.

Un cercano suyo me dice: "¿En verdad crees que Eruviel está despejando a la oposición mexiquense para que el Grupo Atlacomulco vuelva al gobierno estatal y ya? Eruviel está trabajando para su candidatura presidencial y sabe perfectamente que esa posibilidad es real sólo si retiene al gobierno del estado y al de Ecatepec".

Y un periodista que conoce desde adentro el equipo compacto de Peña Nieto advierte: "En ocasiones parece que, en Presidencia, tienen clara la imposibilidad de continuar en el Gobierno Federal a partir de 2018 y que la existencia política de los mexiquenses depende de volver al palacio de gobierno en Toluca. Eruviel es visto como un *alcaldote*, un empleado que confunde ser el cuidador de la casa con ser el dueño".

Más del himno:

Piensa el hombre y trabaja en la vida;
dentro de ella su anhelo que crece,
útil la hace y al par la embellece
con talento, cultura y bondad.

EL LIBRO DE ERUVIEL

Busqué a Eruviel Ávila Villegas para entrevistarlo. En la oficina de comunicación social del gobierno mexiquense me pidieron escribir un correo electrónico con una petición que nunca fue atendida. Tras emerger la información sobre los posibles contactos del obispo Onésimo Cepeda con muchachos supuestamente menores de edad, y la presencia de Eruviel Ávila en esas situaciones, recurrí a Carlos Aguilar, director de Imagen Institucional, un muy joven funcionario considerado una de las personas más cercanas a Eruviel.

Aguilar afirmó que la entrevista se concretaría, pero luego simplemente dejó de responder los mensajes.

¿Qué opina de sí mismo y cómo ve Eruviel a Eruviel? Un acercamiento al estado de la autoestima del gobernador mexiquense se encuentra en su "Quinto Informe de Resultados", un compendio que incluye, en 415 páginas producidas con recursos públicos, 178 fotografías del precandidato presidencial.

La primera imagen es la fotografía oficial de Peña Nieto con la banda presidencial terciada y sentado en la silla presidencial. La segunda es de él, sonriente, en la escena clásica de político mexicano con el fondo del librero abarrotado con los libros de derecho, la bandera de México, la del Estado de México y, sobre el pecho, una corbata roja tan brillante que parece hecha del mismo material con que se fabrican las esferas navideñas.

Llama la atención una foto en que Eruviel aparece, protector, tocando el hombro de Irinea Buendía, a propósito de los feminicidios en el Estado de México. Nunca se menciona su nombre ni el de su hija, Mariana Lima. Tampoco a Julio César Hernández Ballinas, el policía judicial que la asesinó y montó una inverosímil escena de suicidio, tras lo cual fue ascendido a comandante.

No se dice que el gobierno del Estado de México combatió la búsqueda de justicia de Irinea, quien combatió a la fiscalía mexiquense hasta llegar a la Suprema Corte de Justicia de la Nación, desde donde los ministros ordenaron a Eruviel reabrir el caso e investigarlo con perspectiva de género.

Y existe un universo alterno narrado en 456 páginas del "Tercer Informe de Resultados" en que el gobernador del Estado de México, Eruviel Ávila, aparece con la mirada tranquila atravesando el horizonte mientras una bandera mexicana ondea detrás de él.

También atrás del político priista, un contingente de elementos de la Marina vestidos como si estuvieran por partir en ese mismo instante a la guerra, aparecen en posición de firmes, junto a un grupo de policías de la Secretaría de Seguridad Ciudadana que aprietan las mandíbulas e hinchan el pecho.

Fotos y fotos de Eruviel, unas 153 imágenes donde el hombre aparece con niñas, ancianas, obreros e indígenas. Todos sonríen, incluidos los funcionarios con quienes Ávila comparte el retrato, como el secretario de Gobernación, Miguel Ángel Osorio Chong, quien asumió, de facto, la responsabilidad de la seguridad en el Estado de México.

La imagen aparece, precisamente, en la parte dedicada a informar sobre cómo en el Estado de México se le gana la guerra a la delincuencia. Entre las fotografías de Eruviel se puede leer lo siguiente:

Con información del Sistema Nacional de Seguridad Pública —que se compone con la estadística proporcionada por los gobiernos de los estados—, en el último año se observa que la incidencia delictiva en la entidad disminuyó cerca de 10 por ciento; en particular, destaca la disminución de 18 por ciento de los delitos de alto impacto.

En relación con los delitos que afectan directamente al patrimonio de los ciudadanos, como pueden ser el robo con violencia y el de vehículo, se registró una disminución aproximada del 20.8 y 15.4 por ciento respectivamente. En cuanto al secuestro, hubo una disminución superior a 11 por ciento.

En el libro de Eruviel, ni un comentario merece que en 2015 el Estado de México registró la segunda cifra en la proporción de delitos que no se denuncian, con 95.4%, ubicándose exclusivamente después de Guerrero, cuya cifra negra fue de 97.5%. Esto significa que en el Estado de México se denuncian aproximadamente cinco de cada cien delitos cometidos en la entidad.

¿Por qué los mexiquenses no denuncian? El microscopio de la Encuesta Nacional de Victimización y Percepción de Seguridad Pública (ENVIPE) muestra que es por razones atribuibles a la autoridad: 73.3% de los delitos sin denuncia declarada de 2011 a 2015 reportados no fueron denunciados por dicho factor. Algunas de las situaciones por las cuales las víctimas no acudieron al Ministerio Público son las siguientes: "por miedo a que lo extorsionaran", "pérdida de tiempo", "trámites largos y difíciles", "desconfianza en la autoridad" y "por actitud hostil de la autoridad".

Esto ha aumentado desde que inició la administración de Eruviel Ávila en el Estado de México, pues durante 2011 sólo 72.4% de los delitos sin denuncia declarada se encontraban bajo dicho supuesto. El alza de los casos en esta categoría, así como la cifra negra, ha sido relativamente constante de 2011 a 2015, con excepción de la disminución observada en 2014.

En el caso de la extorsión, actividad en auge, el punto ciego de la autoridad es un cuarto oscuro que cubre 99.3% de ese delito.

Si se examinan las tasas de prevalencia delictiva en el Estado de México y el país, como se observa en la gráfica, la prevalencia en el país se incrementó hasta 2013 cuando alcanzó el máximo histórico en 28 224 víctimas por cada 100 000 habitantes. Después de ese año, la prevalencia delictiva a escala nacional se ha mantenido prácticamente constante. Al comparar con la tasa registrada en el Estado de México, destaca el hecho de que su tasa de prevalencia siempre ha sido mayor que la tasa nacional. Entre 2010 y 2011 las diferencias entre las tasas fueron de 17% y 27%, respectivamente; en cambio, estas diferencias se incrementaron a partir de 2012 hasta alcanzar 69% en 2013. Lo anterior sugiere un empeoramiento relativo muy marcado respecto al escenario nacional.

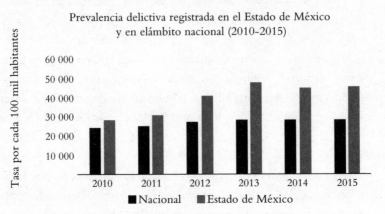

Prevalencia delictiva registrada en el Estado de México
y en elámbito nacional (2010-2015)

Fuente: Encuesta Nacional de Victimización y
Percepción de Seguridad Pública (ENVIPE) levantada por el INEGI.

La primera de las imágenes que atestan el "Tercer Informe de Resultados" de Eruviel Ávila no es del gobernador, sino de su predecesor. Es la fotografía oficial de Enrique Peña Nieto. El segundo rostro es la placa institucional de un Eruviel sonriente, radiante y con corbata roja, símbolo evidente: que nadie dude de su lealtad y de su priismo.

Luego es el río de fotos del gobernador: Eruviel pensando, Eruviel sonriendo, Eruviel abrazando a una anciana, Eruviel dirigiendo a un obrero. En la imagen 153, la última de todo el volumen pagado con impuestos de los mexicanos y los mexiquenses, Ávila no está solo. Sonriente, corre detrás de su predecesor, Enrique Peña Nieto.

Río Místico IV

María Victoria Santos Gámez trabajó en dos gobiernos municipales de Ecatepec: en la primera administración de Eruviel y en la siguiente, a cargo del entonces perredista José Luis Gutiérrez Cureño. En ambas gestiones tuvo responsabilidad en la elaboración del presupuesto municipal.

—¿Qué tanta ascendencia observas que tuvo Onésimo en las decisiones de gobierno? —pregunto a la mujer.

—Definitivamente tenía muchísima influencia. Él asignaba proveedores; por ejemplo, el de seguros que nos proveyó de las protecciones para todo el parque vehicular, seguros de vida y de gastos médicos mayores, etcétera, fue asignado por Onésimo Cepeda. Eran importantes cantidades —responde Santos sin titubear.

Hubo una situación que agrió las cosas. Una tarde, María Victoria entró a un restaurante en el centro comercial Las Américas donde encontró a Onésimo. El obispo se había mostrado preocupado por el acceso que habría tenido la funcionaria a su contabilidad y a las transferencias del erario municipal para la construcción de la catedral. Se veía molesto, pero intentó ser amable y le extendió la mano. La mujer no aceptó el saludo y el jerarca estalló.

—¡Te vas a arrepentir de esto! —recuerda ella que espetó monseñor Onésimo.

* * *

Antes de concluir la administración, Erasto Martínez despidió a Santos, quien al poco tiempo —sin nunca adquirir militancia de partido político alguno— se acercó al equipo de Gutiérrez Cureño, y él la designó subtesorera. Las amenazas telefónicas comenzaron.

—Recibí dos o tres llamadas a la extensión de la oficina. Me dijeron: "Ahora sí te va a cargar la chingada, hija de tu pinche madre" —dice la mujer, que rompe en llanto—. Antes de terminar la administración (perredista) noté que había autos extraños y personas extrañas en ellos, pero nunca puse atención.

Reinstalado Eruviel y el PRI en el gobierno de Ecatepec, María Victoria abrió un negocio de belleza. El comercio fue asaltado una vez. El asunto se sumaría a las sospechas de la contadora, pues los ladrones sólo robaron su computadora portátil.

La mañana del 19 de diciembre de 2009, mientras María Victoria resolvía algún asunto en la banqueta de su casa, tres o cuatro hombres la amagaron con armas de fuego, la sujetaron y la arrastraron a una camioneta tipo Van. La acomodaron entre los respaldos de los asientos delanteros y los asientos traseros, donde ella alcanzó a ver fusiles de asalto.

Fue un secuestro móvil. Durante el día que duró su secuestro, nunca fue confinada en una casa, sino que siempre se mantuvo en movimiento, adentro de una camioneta que sólo se detenía para que cambiaran a otra. Los secuestradores se hablaban entre ellos en clave y se identificaban entre sí como R1, R2, R3 y R4.

—Queremos 18 millones de pesos —le indicaron.

—Están locos —dijo ella, convencida de que si ésa era la verdadera cantidad reclamada, su único final sería la muerte.

Tras unas llamadas, el sujeto identificado como R1 presionó su pistola contra la cabeza de María Victoria. Dudó. Bajó el arma hasta apoyar con firmeza el cañón sobre su pierna derecha.

—Pues a ver si con 40 000 pesos que tienen les alcanza para tu entierro —dijo el secuestrador, pero no jaló el gatillo.

Algo llamaba la atención de la exfuncionaria: la amabilidad, casi gentileza de tres de los cuatro hombres. Durante los traslados, no volvieron a insultarla, no la golpearon ni pretendieron hacer tocamientos de tipo sexual. Al contrario. En algún momento, por la posición, ella sintió que su blusa se deslizaba hacia arriba, en la espalda. Uno de los sujetos bajó la prenda para cubrirla.

—Contadora, ¿quieres agua? —dijo uno—. Quien te mandó a secuestrar se sintió traicionado. Esto iba a pasar hace tres años —le confió—. No te voy a matar. Nosotros no hemos matado a nadie. —Ella sintió alivio y, tiempo después, encontraría en estas palabras una razón más para pensar que su plagio fue un encargo.

Esa noche fue liberada sin pagar un peso en ese momento. El rescate se cubrió con ella en libertad.

* * *

—Alguien me dijo que Erasto Martínez habló de que me arrepentiría de haberlos traicionado por mi apoyo a Gutiérrez Cureño […]. Estoy segura de que algunos de mis secuestradores eran policías. En algún momento escuché algo como una sirena de la policía. Y la forma en que hablaban.

—¿Tenían conocimiento o aparentaban tener conocimiento de la administración municipal?

—Sí, claro. Me hicieron preguntas administrativas de los bonos, gratificaciones y otras cosas, pero en montos estratosféricos. Las preguntas eran muy concretas, directas y con conocimiento de la administración.

—¿Alguno de tus secuestradores conocía tu trabajo en el gobierno?

—Me conocían perfectamente, inclusive me preguntaron de un novio que tuve, y me dijeron que quien los había mandado a hacer esto no era gente mala, que nunca habían matado a nadie, pero que era gente que se había sentido traicionada en algún momento […]. El R1 me dijo que enviarían mi cabeza a Cureño.

—¿Hubo alguna detención?

—No. Y no denuncié. Hasta ahora lo hago, y este testimonio lo hago porque creo que no hay nadie más grande que Dios, y porque después de años sin dormir, del miedo, del trauma, del dolor, estoy lista para hacerlo.

—¿Crees que te secuestró alguien del Ayuntamiento?

—Creo, estoy casi segura, que me mandó secuestrar Eruviel Ávila Villegas, coludido con Erasto Martínez Rojas y Onésimo Cepeda. De verdad, quiero decir que gracias a eso que yo viví, conocí verdaderamente a Dios. La verdad nos hace libres y yo los he perdonado, específicamente al doctor Eruviel Ávila Villegas.

HUMBERTO PADGETT LEÓN

Estudió Periodismo en la UNAM. Sus investigaciones se centran en el crimen organizado, la corrupción y los derechos humanos. Ha obtenido cinco veces el galardón del Consejo Ciudadano del Premio Nacional de Periodismo en México; ha ganado los premios Internacional de Periodismo Rey de España (Agencia EFE); Ortega y Gasset (*El País*); Kurt Schork (Agencia Thomson Reuters); de la Federación Internacional de Periodistas; Iberoamericano de Periodismo Joven; Nacional de Periodismo Cultural Fernando Benítez (FIL Guadalajara), y ha obtenido en tres ocasiones reconocimiento del Premio Alemán de Periodismo Walter Reuter, entre otros. Es autor de siete libros.

MIGUEL ÁNGEL MANCERA

Del Interior 6 a la Presidencia

ALEJANDRO PÁEZ VARELA

UNA PRIMERA LECCIÓN

Miguel Ángel Mancera Espinosa es un hombre de una memoria privilegiada. Recuerda todo aquello que lo mueve con un nivel de detalle impresionante. Y lo mueven muchas cosas.

Hay un dejo de melancolía en él cuando hurga en el pasado. Es claro que su madre lo mueve, su padre también, y una infancia cargada de esfuerzo y limitaciones; infancia muy distinta a la que cualquiera podría imaginar cuando se lo ve dirigiendo la ciudad más grande del planeta y codeándose con la nata del poder en México.

Mancera se muerde las uñas. Voltea los ojos hacia arriba y ve al vacío, y en ese piensa–que–piensa se sustrae por instantes. Mamá, que debe dejarlo solo, chiquito como está, para irse a trabajar. Papá, al que no ve a diario; que se gana cada peso con sudor del que hace sal. Sus hermanos, a los que conoció ya tarde en su vida. Y una habitación en la que cabe una cama; y un comedor, con mantel de plástico; y el viejo refrigerador que ronronea. Y sus juguetes. Y la mujer que lo cuida (y que le dio tanto caldo con pata de pollo como para aborrecerlo en su vida adulta) porque su mamá debe salir a enfrentarse al mundo.

Nació en el Interior 6, un cuarto de vecindad en los suburbios de una urbe donde la gente suele ser anónima. Fue el 16 de enero de 1966. Cosas de la vida, quién lo iba a decir: vino al mundo en el Distrito Federal y fue él quien, exactamente 50 años después, le cambió el nombre a la metrópoli. No más D.F., o de-efe, o como se quiera: desde 2016 la capital del país se llama Ciudad de México. Y es por su obstinación. Fue un regalo que pocos se pueden dar para un cumpleaños simbólico.

Mancera no brinca ni manotea. No es de esos políticos que se sacan la frase que en ese instante se esculpe en piedra. Pero algo estará bien hecho hasta aquí para él, con ese andar sin tanto ruido: irá por la Presidencia. Con posibilidades de ganar o no, con votos suficientes o no, pero irá por el más grande honor de un ciudadano de cualquier país, y tiene quien lo acompañe.

Nos sentamos a platicar en su oficina de pocos libros y pocos muebles, en el edificio del Ayuntamiento. Allí contó del día en que su padre le entregó la receta secreta de las mantecadas de Astorga —que son clásicas en los Bisquets de Obregón— y le dio, además, una primera gran lección: no pedirle nada a nadie; ganarse las cosas con su propio sudor.[1]

—¿Usted trabajó en algún momento ahí en los Bisquets de Obregón? —le pregunté. Es sabido que se trata de una empresa familiar, icónica de la capital mexicana, de la que él tiene acciones. Nació como simple café de chinos en 1945 y después fue un modesto restaurante popular un poco más en forma. Pero el tesón del padre de Mancera lo llevó más lejos; un tesón empírico, de un hombre de trabajo. Ahora "Bisquets", como le llama el propio jefe de Gobierno, es una cadena cien por ciento mexicana con sucursales por toda la capital y el interior del país.

—Fíjate que no. Yo no trabajé directamente en los Bisquets. Mi papá no me dejó.

—¿Y por qué?

—Porque decía que tenía que dedicarme a estudiar. Sí me enseñó a hacer pan, y sí me hizo vender pan.

—¿A qué edad?

—Híjole, ya estaba yo en secundaria. En secundaria y prepa.

—¿Y cómo fue? ¿Trabajaba con él?

—No, me dio la receta. Me dijo: "Te voy a dar una receta". Yo le pedí dinero para irme de vacaciones. Quería ir a Puerto Vallarta. "Psss", le dije,

[1] Entrevista realizada por el autor en septiembre de 2016.

"pues este…, me voy a ir en camión".Y me dijo:"No. No te voy a dar el dinero.Te voy a dar una receta y te voy a dar unos moldes y con eso vas a conseguir tu dinero para irte a ese viaje".Y así lo hice.

—Y se fue de regreso a su casa.

—Sí.Y compré harina, compré mantequilla, compré todo lo necesario.

—¿Y era la receta de qué?

—Era la receta de las mantecadas de Astorga que se venden en Bisquets.Y son unas mantecadas que tienen mucho éxito; son de un sabor delicioso porque se hacen con un kilo de mantequilla.Te podrás imaginar. Entonces yo las vendí en la colonia Narvarte. Tocaba las puertas, ponía cuatro mantecadas en una bolsita.Y la verdad es que sí se vendieron muy bien y sí me fui de vacaciones con ese dinero. Así era mi papá. Mi papá… no era un papá cariñoso, que te abrazara mucho, que te besara. Podía estar muy serio. Podría hacer una broma de repente. Así era. A veces se enojaba, pero nunca me pegó, por ejemplo. Nunca lo vi exaltado, pero era serio.Y era muy de… yo me acuerdo, por ejemplo, que cuando le dije que me iban a dar la medalla Gabino Barreda, me dijo:"Eh, pues qué bueno. Está bien. Así debía ser." Él no fue a mi examen profesional.Tenía otras cosas que hacer. Pero así era mi papá. "Oye, me dieron mención honorífica en el examen." "Pos ta bien, qué bueno, tus hermanos también han tenido muy buenas calificaciones."

Miguel Ángel Mancera fue un estudiante aplicado: licenciatura en derecho por la Universidad Autónoma de México (UNAM), en la Facultad de Derecho, con mención honorífica. Medalla Diario de México, "Los Mejores Estudiantes de México", en 1990. Medalla Gabino Barreda por ser el mejor promedio de su generación. Máster Internacional en la Universidad Autónoma de Barcelona en el año 2002, con las mejores calificaciones. Doctorado en derecho con mención honorífica. Medalla Alfonso Caso por ser el graduado más distinguido del programa, en 2008.

Mi papá fue uno de los que se oponían a que yo fuera médico. Yo creo que por dos razones: porque uno de mis hermanos es médico, y porque también se llama Miguel Ángel.

Soy hijo único. Mi papá Miguel Ángel, mi mamá Raquel. Mi papá tenía otros hijos: mis medios hermanos. Tengo cuatro medios hermanos: dos hombres y dos mujeres. Mi papá se dedicó a trabajar como encargado de un lugar de banquetes. Estaba de encargado de "El Cisne", un lugar en la colonia Roma, y tenía a su tío, el tío Isidro. Y el tío Isidro tenía un restaurante de los llamados "café de chinos" en la calle Álvaro Obregón. Mi papá era un hombre que se desvelaba mucho por lo mismo que se dedicaba a los banquetes. Era un buen jugador de beisbol. Un hombre que nunca fue de una posición acomodada, de dinero. Siempre estuvo cercano a sus tíos. No tuvo la figura paterna. Tuvo la figura materna, nada más. Después de estar en este lugar de banquetes, se fue trabajar con su tío, cuando el tío quería cerrar el restaurante que se llamaba "Perla de Oriente". Se fue a trabajar con él, a tratar de rescatarlo, porque estaba a punto de la quiebra. Le cambió el nombre a "Perla del Este", yo creo que pensando en que tuviera otra imagen para la gente que ya no iba, que quizá llamara la atención. Le empieza a ir bien en la administración del negocio y ahí surgen Los Bisquets, Los Bisquets de Obregón. El tío le hereda el negocio a mi papá y la encomienda de mantener a sus tías, de proveerles todo lo necesario. Así lo hizo. Y ya.

EL GRAN DEBUT

Desde que puso un pie en un escenario después de una vida en el *backstage*, Miguel Ángel Mancera Espinosa empezó a prepararse para su gran debut.[2] En el camino renunció a sus maestros o sus maestros renunciaron a él. Se le fue un productor, un guitarrista, las voces; dejó ir al arreglista y al (en ese momento) líder del conjunto, obvio, porque ahora lleva la voz principal. Ha sustituido cada posición con alguien cercano y se ha quedado con el nombre de la banda: Partido de la Revolución Democrática (PRD), una fuerza de izquierda que conoció los excesos y envejeció prematuramente, pero que sigue controlando escenarios, y eso le permitirá al jefe de Gobierno de la Ciudad de México, al menos por ahora, organizarse una buena gira y muchas presentaciones.

---

[2] Miguel Mancera, con 110 días al frente del GDF, se destapa para la grande: "Sería feliz de ser presidente de México...". *SinEmbargo.mx*, 25 de marzo de 2013.

No es fundador y tampoco miembro del PRD, aunque heredó la conducción porque posee el segundo cargo elegido democráticamente más importante del país. Entonces es, más bien, un solista acompañado por una banda bastante desvencijada para sus apenas 30 años de haberse fundado.

Mancera tiene fe, es aplicado, se ha graduado con honores y eso le da confianza. Y, al menos en apariencia, sabe en la que se mete: que si su desempeño es bueno, será por su propia persistencia y en contra de las predicciones de muchos; pero no es iluso como para ignorar que muchos de los que lo acompañarán a la gira van por interés. Así es ese ambiente. Entiende que si hay que cargar con el fracaso —y hay varios niveles de fracaso—, será sobre su lomo y el de un puñado, y que la banda se conseguirá un nuevo vocalista para mantenerse en los escenarios durante los siguientes años; así lo ha hecho; así suelen hacerlo. Los productores de esa banda lo acompañarán hasta el día del estreno y luego lo dejarán allí para que muestre lo que trae. Los escenarios son prestados para Mancera; la banda es prestada. Y los músicos andan con él porque habrá chicas y rocanrol.

Mancera, sin embargo, deberá convencer al público por su propia garganta porque el PRD ya no es lo que era. Las chicas no se desgreñan cuando pasa. Los miembros fundadores, los que le inyectaban vida, han tomado distancia y andan por su cuenta: una gran parte como solistas de escenarios más modestos, pero uno de ellos en particular tiene banda propia y un buen repertorio, compuesto por una mezcla de letras nuevas y arreglos de su pasado inmediato.

De hecho, este último es el verdadero reto de Miguel Ángel Mancera. Andrés Manuel López Obrador, una vieja estrella en el firmamento, es ahora líder del Movimiento Regeneración Nacional (Morena) y es, también, una especie de hombre-orquesta y la principal amenaza de Mancera. Y del PRD. López Obrador tiene lo suyo; le falta un buen coro, aunque tiene lo que realmente se requiere: seguidores que van con él aun cuando los boletos sean caros, aun cuando toque en escenarios alternativos o desafine y tenga un extraño gusto por controlar hasta la taquilla. Los analistas en México y en el extranjero coinciden en que AMLO, como se le dice en el medio, es la voz del momento —sobre todo después del triunfo de Donald Trump—, y en gran embrollo se encuentra Mancera frente a él porque quiere la misma audiencia, los mismos fans y los mismos escenarios del puntero.

No es cosa menor, pues, la apuesta de Mancera. El riesgo es alto y tiene mucho que perder, lo que obliga a una primera pregunta: ¿por qué lanzarse? Lo van a responsabilizar de su derrota y de la del PRD, en el término más amplio, aunque no sea necesariamente toda su culpa. López Obrador y Morena podrían arrasar en los escenarios de la capital del país y eso será histórico. Una derrota histórica. Mancera deberá entregarle el poder a una fuerza distinta al PRD por primera vez en dos décadas. Y a él mismo, al jefe de Gobierno, lo persiguen sus propios números: en 2012, con AMLO y con Marcelo Ebrard Casaubón al lado, le ganó con más de 60% de los votos a Beatriz Paredes Rangel, del Partido Revolucionario Institucional-Partido Verde Ecologista de México (PRI-PVEM); a Isabel Miranda de Wallace, del Partido Acción Nacional (PAN), y a Rosario Guerra del Partido Nueva Alianza (PANAL). No se ve cómo repita la hazaña.

Ciertamente, no es Mancera culpable de la tragedia perredista, pero el tamaño del triunfo o la derrota serán atribuidos a él. El PRD está en sus manos hoy —con su expareja Alejandra Barrales a la cabeza—, aunque la decadencia llegó desde las presidencias de Jesús Ortega y Jesús Zambrano, conocidos en el medio como "Los Chuchos". Ellos acercaron el partido al poder y tomaron decisiones que, básicamente, aceleraron el crecimiento de Morena y la renuncia de decenas de líderes de primer orden. Ahora al PRD se le ve muy cercano al PRI, y en eso sí ha participado el propio Mancera.

Entonces, ¿qué lleva a Mancera a competir en 2018? ¿Por qué lanzarse? De lejos, parece un misterio. Algunos cercanos y él mismo me dijeron, en algunas ocasiones, que apelan a la sorpresa; que quizás el público esté cansado y quiera apostar por algo distinto. Argumentan que las dos bandas con más posiciones de poder en este momento, el PRI y el PAN, llegan con un desgaste brutal a 2018; y de Morena, aunque es una banda nueva, su principal atractivo es el hombre-orquesta que también lleva unos buenos años de gira y tiene "negativos", como dicen los encuestadores cuando alguien carga con mala imagen. Entonces, afirman los cercanos a Mancera, allí es donde la audiencia podría engancharse; en ese "alguien-nuevo" en el escenario. Mancera quiere salir a dar todo y mandar un mensaje: "¿Cansados de los mismos de siempre? ¡Pues aquí estoy, sangre fresca, la voz que viene a estremecer a los indecisos!".

El problema de ese discurso es que es similar al de su competidor, aunque al revés: AMLO será una voz algo pasada de años, pero su estructura es joven. Y ofrece cambio, sangre fresca (su partido), estremecer a los indecisos. López Obrador ofrece justamente eso: "alguien-nuevo" después de mucho PRI y 12 años de PAN que no dejaron buenos recuerdos a pesar de que el electorado dio al panismo un tanque de oxígeno en 2016, cuando ganó por primera vez Veracruz y Tamaulipas, recuperó Chihuahua y mantuvo otras entidades, como Puebla.

Mancera ofrece sorprender, pues; ir por los cansados de la escena actual. Venderse como un vocalista sin una banda formal, que está dispuesto a sumar a los mejores —sin importar de dónde salgan—, a los que quieran participar en un gran proyecto. Así me lo dijo.[3] Un proyecto incluyente y no como, según él, es Morena: una banda que repele a todos y que pone alta la vara para quienes quieran ser, siquiera, jalacables o cargadores de agua.

Pero el *doctor Mancera*, como le llaman entre sus colaboradores, deberá empezar por sorprenderse a sí mismo y a los más cercanos. Tiene que responder a ese ¿por qué lanzarse?, que es un misterio. Tiene que convencer, más allá del círculo interno, que vale la pena empacar antes de emprender la gira, antes de iniciar la búsqueda formal, oficial, del gran sueño de casi cualquier político: ser candidato presidencial. Y le urge convencer porque la taquilla apenas cuadra con sus aspiraciones: llegó con escenarios a reventar, cuando ganó la elección en la Ciudad de México, y poco a poco se han venido vaciando. Por él, o por la banda que lo acompaña, o por su competidor principal, pero se han venido vaciando. Las encuestas de popularidad lo ponen por los suelos, y hay además una sospecha constante: su cercanía con el poder. Y el poder, en este momento, es el PRI y el presidente, ambos con pésimo desempeño y muy mal calificados por las encuestas de opinión.[4]

Sus adversarios, sobre todo los de Morena, dicen que la candidatura de Mancera es parte de una estrategia del PRI, el partido en el poder, porque mientras más candidatos haya, más posibilidades tiene de que su base

[3] El autor cita una serie de entrevistas realizadas con Miguel Ángel Mancera durante los últimos meses de 2016.
[4] El autor cita a las distintas casas de opinión en México, desde Mitofsky hasta Parametría, Buendía y Laredo, así como *El Universal* y *Reforma*.

dura de votantes le sea suficiente. Dicen que irá a la contienda para restar votos a López Obrador, que es la verdadera oposición del PAN, el PRI, el PRD y la llamada "chiquillada", partidos *satélite* o *paleros* que existen para canjear votos por posiciones.

Morena y los cercanos a Marcelo Ebrard dicen que el PRI absorbió a Mancera. Lo dicen también algunos experredistas. Y es que hay razones para pensarlo, allí está el archivo: en estos poco más de cuatro años, Mancera se ha tomado más fotos con el mandatario en turno, Enrique Peña Nieto, que todos los jefes de Gobierno juntos desde que la ciudad cayó en manos de la izquierda, en 1997. Jefes de Gobierno que, por cierto, fueron en su momento la primera voz de la banda y que han renunciado a ella, al PRD. Incluso los suplentes. Cuauhtémoc Cárdenas se fue, lo mismo que Rosario Robles, López Obrador, Alejandro Encinas y Marcelo Ebrard Casaubón, mentor de Mancera, su maestro.

Porque en su vida política, y él lo sabe y no lo niega, el doctor Mancera contó con dos maestros. El primero es el más importante: Ebrard. El segundo, López Obrador.

Hoy, sin embargo, algunos hablan de un tercero. Quizá no maestro, pero sí un político decisivo en su vida. Es Miguel Ángel Osorio Chong, secretario de Gobernación (Segob) y aspirante presidencial por el PRI. Su tocayo y muchas veces, durante años —y no en sentido metafórico—, su pareja en el tenis. Tienen un club de tenis desde hace años, se dice. Otros miembros regulares son Emilio Gamboa Patrón y Javier Lozano, uno del PRI y otro del PAN y claramente dos hombres del sistema.

Los cercanos a Mancera argumentan que la desbandada en el PRD no puede achacársele al jefe de Gobierno, al menos no exclusivamente. Dicen que viene de una serie de decisiones tomadas antes de que él tuviera mayor influencia en el partido, y que el mejor ejemplo es que gente como Cuauhtémoc Cárdenas o Alejandro Encinas siguen cerca de él. Señalan la firma del Pacto por México, por ejemplo, al que el PRD de "Los Chuchos" se adhirió en 2012. Pero eso no explica por qué Mancera se mantuvo cerca del gobierno federal en los años siguientes, lo que coincide, por las razones que sean, con el distanciamiento que tomó de López Obrador y de Ebrard Casaubón.

Los números son duros: en 2015, con Mancera a la mitad de su mandato, el PRD perdió 48 diputaciones federales y se quedó con 56. El electorado restó al PRI apenas nueve (quedó con 203), pero su partido satélite, el PVEM, recogió 18 más para cerrar en 47. El PAN quedó casi tablas, con cinco diputados menos que en 2012; y Morena, apenas con recursos para esa elección, se armó de 35 nuevos legisladores federales, mientras que Movimiento Ciudadano (MC) se quedó casi a la mitad del PRD, con 25 espacios, nueve más que los 16 de la elección federal anterior.

En la votación general el PRD bajó a segunda fuerza en la Ciudad de México. Así de contundente. Y Morena se consolidó como cuarto partido nacional (el primero en la capital), pisándole los talones al PRD.

En el año siguiente, 2016, la capital del país volvió a las urnas. Ahora fue para nombrar la Asamblea Constituyente, órgano que discutió la Constitución Política de la Ciudad de México (aprobada el 31 de enero de 2017), un proyecto del propio Mancera. El 5 de junio de ese año, con muchos menos sufragios dado el tipo de elección, los ciudadanos confirmaron su preferencia por Morena. Ganó 652 286 votos; es decir, 33.06%. El PRD, 572 043, 28.99 por ciento.

Las cifras del PRD no asombran si se revisan las del propio Mancera. En abril de 2013, con cinco meses en el poder, tenía 70% de aprobación contra 29% de desaprobación, de acuerdo con una encuesta de *Reforma*, el medio que estuvo más cerca de los pronósticos presidenciales en 2012. Para diciembre de ese año, los líderes daban una calificación reprobatoria de 65 puntos porcentuales al jefe de Gobierno y apenas 35% de aprobación. De allí no volvió a recuperarse, al menos hasta el cierre de este texto (principios de 2017), sino todo lo contrario: montado en el mismo tobogán del presidente Peña Nieto, bajó, bajó, bajó más. En diciembre de 2016 los líderes consultados por *Reforma* dieron una calificación de 27% a Mancera, con desaprobación de 73 por ciento.

Miguel Ángel Mancera Espinosa lleva años preparándose para su gran debut. Se quedó con el nombre de la banda, aunque perdió a varios de sus miembros más importantes: desde el guitarrista hasta la voz principal. Mantiene muchos de los escenarios con los que empezó, pero, evidentemente, ha perdido audiencia. Aunque él no sea la razón única de la caída del PRD, una posible derrota le será atribuida completamente. Sobre todo porque, en su deseo de participar en 2018 desde esa posición débil, no puede aspirar a una alianza, pues en tal caso no sería líder de la banda y primera voz. El PAN no querrá darle la candidatura; el PRI y Morena tampoco. Entonces le queda aislar al PRD, ir solo y, por lo tanto, asumir el costo del resultado, cualquiera que sea.

La pregunta, hasta aquí, sigue siendo la misma: ¿por qué lanzarse?

Mancera, abogado ————————————————

El doctor Mancera relata:

—La historia es que, un sábado, íbamos a una fiesta y tuvimos un accidente muy fuerte, un choque. Yo iba de copiloto y entonces salí proyectado al parabrisas; me lastimé fuerte. Tuve cortadas en la cara y paré en la Cruz Roja. Me hicieron una intervención para suturarme todas las heridas que tenía. Tuve casi 40 puntos de sutura en la cara. Imagínate cómo había quedado. Muy, muy lastimado. Un ojo lo tenía totalmente cerrado por el golpe. Un golpe tan fuerte que había destrozado el vidrio del parabrisas, de los viejos parabrisas que no tenían la película antiastillas. Era un Volkswagen 65 o algo así. Ya en la Cruz Roja, me acuerdo muy bien, el doctor Sandoval, un norteño y bajito, llegó como jefe de servicio, porque una doctora quería coserme, pero dijo: "No, hasta que llegue el cirujano plástico".

"Porque era en la cara. Entonces llegó el doctor Sandoval (nunca se me va a olvidar el nombre) y con una gran paciencia me cosió: pum, pum, pum, pum. ¡Psss! Eran inyecciones de xilocaína. Me dieron como unas 20 inyecciones de xilocaína. Una cosa muy traumática. Cuando salgo del shock traumático (en el mismo espacio de tiempo, porque no creas que me pasaron a una sala de recuperación o algo), ahí, en urgencias me dicen: 'Ya se puede ir'.

"Y me vendan. Un ojo totalmente cerrado. Iba yo de salida, y me dicen: 'Oiga, antes tiene que pasar aquí, al Ministerio Público'.

"Que paso al Ministerio Público, y me dice uno de los señores de ahí: '¿Ya le explicaron?'. '¿Me explicaron qué?', pregunté. Pues este…, tiene usted que firmar unos papeles antes de irse'.

"'Pero, ¿papeles de qué o qué?'.

"'Son unos papeles que son su salida. Es para poder salir de aquí'.

"'Ah, ¿tengo que firmar para poder salir?'.

"'Sí'.

"'Okey'.

"Entonces con un solo ojo, me pusieron unas hojas, me dieron una pluma y yo firmé. Y firmé y ya, me fui. Me crucé en el camino con mi mamá, y ya después me vieron mis tíos:

"'¿Pues quién los chocó? ¿Cómo fue esto? ¿Quién es el responsable?', me dijeron.

"Les platiqué: 'Fue un Mustang que salió a gran velocidad y se estrelló contra nosotros'.

"'Bueno, ¿y el responsable de eso?'.

"'Pues cuál responsable, pues quién sabe'.

"'Vamos a ver'.

"Fuimos a buscar en el archivo de ahí, de la Cruz Roja, y efectivamente estaba el accidente y todo. Pero lo que había era un perdón mío.

"'Pues sí, pero ya no hay nada que hacer aquí porque hay un perdón. Las lesiones son lesiones que tardan en sanar menos de 15 días', me dijeron.

"Imagínate. En ese tiempo, me acuerdo muy bien, eran lesiones 2-90, de las que te dejan cicatriz perpetua en la cara. Ni siquiera admitían perdón y bueno....

"¿Qué? ¿Firmaste el perdón?

"Pues yo firmé una salida, no un perdón.

"Fuimos a ver a la procuradora, que en ese tiempo era la licenciada Victoria Adato. Total, que llegamos al piso donde estaba la procuradora. Nos atendió un auxiliar de la procuradora del Distrito Federal, y me acuerdo muy bien del nombre, era la licenciada Lamoglia. La licenciada Lamoglia vio el asunto. Sancionó al Ministerio Público. O sea, sí se abrió toda una investigación.

"Y fue ahí donde me dije: '¿Sabes qué?, no quiero pasar por otra cosa así'.

"Y ahí cambié mi decisión de ser médico, para ser abogado.

"Hablé con la directora de mi preparatoria, porque yo ya había llenado mi pase automático. Y no solamente había llenado el pase automático: cuando tuve el accidente, estaba estudiando químico-biológicas. Hice toda el área de químico-biológicas, porque iba a ser médico.

"Le dije a la directora de la Prepa 6, que era la maestra Gorostieta. Ella me dijo: 'Pues, sí que tienes un problema porque este cambio que pides sí se puede hacer, pero necesitas acreditar el área de sociales y ya se pasaron los exámenes extraordinarios. Entonces, la única posibilidad que tienes es hacer exámenes extemporáneos y esos son dentro de un mes, y tú tendrías que acreditar cuatro materias en un mes'.

"Tenía que acreditar Historia, Doctrinas de las Culturas Filosóficas, Historia de las Culturas, Sociología y no me acuerdo qué otra. Y las acredité. Pasé. Le dije que sí, que si me daba la oportunidad. Hice todos los trámites, bla, bla, bla, bla. Total, que al final me cambié a derecho y ahí empecé mi carrera de abogado, en la Facultad de Derecho de la UNAM".[5]

EBRARD, OSORIO
Y LA GALLINA DE LOS HUEVOS

—¿Te sabes el chiste de Dios y la gallina?

—No.

Héctor Serrano se echó para atrás en su silla y empezó su relato.

—Resulta que hubo una rebelión de animales contra Dios y él decidió recibirlos uno por uno en la oficina. El león se quejó de la melena, se sentía ridículo; Dios lo convenció de que era el rey, y de que ese gran traje concordaba con su aire. La jirafa le reclamó el cuello y los dos cuernos sobre la cabeza; Dios le dijo que había decidido distinguir esa alargada elegancia con una corona. Y así. Todos llevaban su queja y Dios los convencía y salían contentos. Hasta que llegó la gallina. "Mira —interrumpió a Dios antes de que dijera cualquier cosa—, a mí no me haces pendeja: o me haces el culo más grande o el huevo más chico."

—Con "Los Chuchos" hay que irse al grano —me dijo Serrano entre risas.

—Así de duros.

—Sí, son duros para negociar.

(El hombre fuerte de Mancera suele recurrir a las metáforas para explicarse. Y lo hace con mucho humor, cuando se presta).[6]

Culo grande o huevo chico, los manceristas ganaron una por una dentro del PRD. Serrano fue tan efectivo como las mismas prácticas de

---

[5] En conversación con el autor. El texto fue muy ligeramente editado y viene de una grabación.
[6] El autor cita una serie de encuentros realizados con Héctor Serrano, secretario de Movilidad de la Ciudad de México, durante 2016.

"Los Chuchos" para cambiar de rostro al PRD. Y después de haber reventado la operación política de Marcelo Ebrard, quien en 2013 quiso ser presidente nacional perredista, el partido fundado por la izquierda organizada a partir de un viejo reclamo democrático quedó en manos de Alejandra Barrales en 2016.

El jefe de Gobierno se quedó con el partido en una escala que no había conseguido ninguno de sus antecesores. En 2015, después de una década de controlar el PRD, el último de los presidentes *chuchistas*, Carlos Navarrete, dejó su puesto en medio de una crisis nunca antes vista. Entró un "neutral", Agustín Basave, en un periodo que resultó de transición, y el año siguiente Barrales, vinculada a Mancera (sin intermediarios, sin interferencia). Y así fue como el jefe de Gobierno dio el último paso en la colocación de incondicionales que le permiten decidir, desde una posición más cómoda, una buena parte de las candidaturas que vengan. Incluso la suya, en 2018.

—¿Cómo fue el pleito entre el actual jefe de Gobierno y Marcelo Ebrard? ¿Por qué? ¿De dónde?

—Quería seguir gobernando —me dijo un secretario del gabinete de Mancera—. Seguía dando órdenes al jefe.

"El jefe", claro, es Mancera.

Afirmó que Ebrard era déspota con la gente, versión que fue confirmada por unos y rechazada por otros. Contó un par de episodios en los que él le mostró lealtad y recibió, a cambio, un balde de agua fría. Argumentó que, además, muchos se sintieron ofendidos y defraudados cuando Ebrard decidió "dejarle la candidatura de 2012 a López Obrador. Sobre todo los que estábamos en su gobierno. Él era nuestro candidato. Nos dejó colgados".

—Marcelo se comportó como una bestia —me dijo el funcionario, quien prefirió guardar el anonimato—, ofensivo con la gente, sin tacto.

—¿Una bestia?

—Sí. Hinchado de poder —agregó.

"Ebrard es duro y claro. En ese momento tenía un proyecto y lo hacía cumplir. ¿Déspota? No, no creo. Duro y claro", me dijo Alfonso Brito, su director de Comunicación Social en los últimos años al frente de la ciudad, y hasta principios de 2017 un leal de Marcelo.

"Marcelo Ebrard fue ofensivo con él", afirmó un político de primer nivel en el PRD con quien me reuní en octubre de 2016. También me pidió conservar el anonimato. "No sugirió que era un pendejo: le dijo pendejo, así, con esa palabra. Lo pendejeó".

Hizo una pausa.

"Mancera aguantó y aguantó y aguantó a su amigo y jefe hasta que un día, tranquilo como es, se puso de pie, le dio una patada a su escritorio o a lo que tuviera cerca, no sé, y empezó a hacer algunas llamadas. Y a la chingada Marcelo Ebrard. A la chingada su prepotencia y su soberbia. A la chingada con todos sus proyectos y, sobre todo, a la chingada sus ganas de quedarse trabajando horas extras como jefe de Gobierno".

Le sugerí si fue entonces que Mancera afianzó su amistad con los priistas en Los Pinos.

—Pregúntale a Mancera —me respondió.

Le recordé que no tenía que citarlo.[7]

—Con los priistas, con los perredistas, con todos [afianzó amistad]. Hasta con los amigos de Marcelo. Se trataba de dejarlo sin nadie. Un hombre lastimado por otro arrogante y abusivo es capaz de hacer algo así. Es como un niño al que madrean y madrean en la escuela. Un día, harto, saca todas sus fuerzas y suelta un puñetazo. Pero resulta que Mancera no es un niño y que no tiene para un solo puñetazo. Un chingo de puñetazos. Lo mandó al exilio.

Otro político encumbrado en la administración de Mancera, y que había servido a Ebrard, me dio la versión anterior. Sin grabadora. Y varios más me dijeron que lo anotara y más adelante me dirían si podía incluir su nombre.

El 21 de abril de 2015, con Ebrard moviéndose para quedar al frente del PRD, Mancera dio esa patada. Al menos públicamente. "Yo soy el jefe de Gobierno de la Ciudad de México, nada más —dijo en una conferencia de prensa realizada en el Antiguo Palacio del Ayuntamiento—. No estoy en la contienda política, ni estoy formando parte de ésta que se desarrolla ahora. Les deseo mucha suerte a todos los que están participando, a los y las candidatas".[8]

Al secretario y al funcionario partidista les pregunté por la traición. Los marcelistas hablaron siempre de "traición".

---

[7] Cerca de 30 entrevistas fueron realizadas, algunas fuera de libreta, para la realización de este texto.

[8] "Soy el jefe de Gobierno del DF, nada más", responde Mancera a críticos de su gestión. *La Jornada*, 22 de abril de 2015.

—No es traición. Mancera no traiciona a nadie. Es venganza, en todo caso. Ebrard fue abusivo con muchos, arrogante y soberbio. Y un día, cuando más necesitaba esa cuerda, la cuerda se rompió. Y a la chingada —dijo el secretario.

Alfonso Brito me dijo:

—Mira, Miguel [Mancera] fue cambiando. Pensó que él había ganado en la Ciudad de México. Sí contó él, por supuesto, pero se compró la idea de que podía ser autosuficiente. Miguel tuvo siempre temor de compartir sus ideas con Marcelo. Nunca dialogó con él. Siempre fue inseguro, mostraba temor.

—¿Por qué? —pregunto.

—Un tema de personalidad. Le pesaba mucho Marcelo. Fue un funcionario de tiempo completo y eso no se lo puede reclamar nadie. Pero siempre fue seguidor, no un líder.

La Línea 12 del Metro o "línea dorada", que marca el punto más alto de la ruptura entre Mancera y su antecesor, fue inaugurada el 30 de octubre del 2012 por Ebrard Casaubón. Asistió el presidente Felipe Calderón Hinojosa. Ambos estaban en el cierre de sus respectivas administraciones.

El nuevo gobierno de la ciudad anunció el cierre parcial de la línea a los pocos meses de su inauguración. Argumentaba daños que ponían en riesgo a los usuarios. Marcelo Ebrard lo consideró una acción política de parte de Mancera. Le rompía en pedazos una de sus obras insignia. Y cuando la Junta de Coordinación Política de la Cámara de Diputados creó una comisión especial de mayoría priista para revisar el uso de los recursos federales asignados para esa obra (4 de abril de 2014), dijo que había una alianza tácita de su exalumno con el PRI para hacerle daño, para inutilizarlo.

Ebrard quiso ser presidente nacional del PRD después de que pudo ser el candidato presidencial de 2012, y no lo consiguió. Luego quiso ser diputado federal, y tampoco: el Tribunal Electoral del Poder Superior de la Federación (TEPJF) se lo negó. Con todas las puertas cerradas, efectivamente, acusó al presidente de haber promovido entre los magistrados la anulación de esa candidatura y dijo que el secretario de Gobernación, Miguel Ángel Osorio Chong, fue el operador directo.

"El origen de lo que estamos viviendo es claramente el Gobierno Federal, Enrique Peña Nieto y sus aliados […]. La presión sobre el Tribunal fue impresionante, como en pocos casos. Me recordó el 2006 después de la elección de Andrés Manuel López Obrador, así estaba el Tribunal, lleno de gente de Gobernación, presión sobre los magistrados, etcétera", dijo Alfonso Brito.

El 1 de mayo de 2015 López Obrador afirmó que el TEPJF cobró a Ebrard la "Casa Blanca". "Como si se tratara de cobrarle la afrenta de haber proporcionado, supuestamente, la información a la periodista Carmen Aristegui."[9]

En una entrevista con *SinEmbargo.mx*, Ebrard dijo que el PRI, Los Pinos y Miguel Ángel Mancera "están hipercoordinados" para dañarlo. "Hay varios tipos de coordinación: institucional, mega, intensiva y total. Entonces yo creo que la coordinación entre ellos es muy grande, o la cercanía o como le quieras tú poner..."[10]

Pregunté a Mancera sobre el tema. Le dije cuántas veces se había reunido con Osorio Chong para el "caso Ebrard".

—Mira —dijo muy serio—, ni siquiera hay "caso Ebrard".

A las 10 de la mañana del 29 de noviembre de 2015, el jefe de Gobierno del Distrito Federal abrió el tramo de la estación Tezonco a la Tláhuac, con lo que la Línea 12 quedaba otra vez en servicio.

Para entonces, Ebrard ya estaba en el destierro.

Años antes, en 2011, hablé con Mancera sobre Ebrard. Estaban por definirse las candidaturas del PRD para la Presidencia y para la Jefatura de Gobierno. En ese entonces escribía la biografía de Ebrard para Los *Suspirantes 2012* (Temas de hoy, 2011), que después se convirtió en *Presidente en espera* (Planeta, 2012).

De aquella conversación de 2011, escribí en *SinEmbargo.mx* el 1 de abril de 2013:[11]

Miguel Mancera me ofreció la mitad de su sándwich. Sándwich con papas fritas. Estábamos en su sala de juntas. "Adelante, doctor. Provecho", dije. Y lo devoró. El procurador traía el primer botón de la camisa desabrochado y la corbata floja. Sin saco. El mismo corte

---

[9] "El TEPJF cobró a Ebrard 'la afrenta' de la Casa Blanca: AMLO", *Proceso*, 1 de mayo de 2015.
[10] "El ataque viene del PRI y de Los Pinos: Ebrard; y con el GDF —dice—, están 'hipercoordinados'", *SinEmbargo.mx*, Mayela Delgadillo, 3 de febrero de 2015.
[11] "Miguel Mancera vs. Marcelo Ebrard: aullar como lobo". *SinEmbargo.mx*, Alejandro Páez Varela, 1 de abril de 2013.

de cabello de hoy, con su característico copete de Tintín. Dijo que no había comido por la cantidad de trabajo que tenía. Era tarde ya, porque cuando salí caía la noche. Hablamos de Marcelo Ebrard. Dos horas. En algún momento le pregunté: "Y usted, ¿le entra a la Jefatura de Gobierno?". Justo se definía esa candidatura por el DF, mientras que Ebrard movía el mundo para alcanzar la suya, la presidencial.

—Si es parte del proyecto de Marcelo Ebrard, sí —respondió Mancera.

Antes me había contado cómo conoció a Ebrard. Mancera recuerda datos impresionantes, como la ropa que llevaba su entonces jefe en cada encuentro, quiénes lo acompañaban y, sobre todo, cuántos años tenía él. "Estamos hablando de 1998, más o menos", contó sobre la primera vez. "Lo recuerdo de traje. No sé si estaba el licenciado García Cordero, pero fue en su despacho. Ese fue el primer contacto que tuve con el licenciado Ebrard. Posteriormente, volví a tener contacto con él en la Secretaría de Salud. Él era el secretario y yo era abogado litigante en materia penal". Esa primera vez, dijo, tenía 30 años. Y cuando Ebrard lo jaló a su primer puesto público "...en un nivel pequeñito, ¿eh? Era una Subdirección de Investigaciones y Procedimientos, algo así se llamaba. Yo tenía 32 años". Y cuando lo llamó a la Procuraduría de Justicia del Distrito Federal: "Le dije que si era por su proyecto, adelante. Yo estaba a punto de cumplir 40 años".

En ese momento, cuando salí del búnker en la colonia Doctores, Mancera me pareció de lo mejor: sencillo, leal, sin gatos en la barriga, alejado de los lobos. Hasta inocente.

Ebrard seguía en México cuando publiqué el texto. Todavía no se daba a conocer la "Casa Blanca"; el desencuentro por la Línea 12 era un zumbido y el exjefe de Gobierno estaba muy lejos de sospechar que le seguían los años de exilio, después de perder todas, una tras otra.

INTERIOR 6 ERA UNA CAMA————————————

Hijo único de Raquel Espinosa Sánchez, Miguel Ángel Mancera Espinosa tiene medios hermanos de su padre —que no vivía con ellos—, Miguel Ángel Mancera Segura.

"Mi mamá, Raquel, nació en Jiquilpan, Michoacán. Vivió en una ranchería, primero, y después estuvo viviendo en Jiquilpan. Ella siempre me platica, o platicaba, de esa parte de su niñez. No le gustaba vivir en el rancho con mi abuelo. Mi abuelo era gente así, de rancho. A ella no le gustaba porque tenía 11 hermanos. Entonces se fue a vivir con unos tíos a Jiquilpan", me contó en una de las conversaciones.

Por unos tíos conoció a la familia Cárdenas y, en particular, a doña Amalia Alejandra Solórzano Bravo, esposa de Lázaro Cárdenas del Río y madre de Cuauhtémoc Cárdenas Solórzano. "Para Amalia, mi madre era como su niña. Ellos la asimilaban como hija, pero no era su hija. Ahí vivió, con ellos, y ya después en su juventud se vino a la Ciudad de México, y aquí, cuando yo nací, mi mamá trabajaba en unos laboratorios. Ofimex, creo que se llamaban. Eran unos laboratorios por la calle Gabriel Mancera. Y trabajó en otros que estaban en Miguel Ángel de Quevedo.

"Siempre trabajó mi mamá. A mí me dejaba encargado. En kínder. Yo fui muy pata de perro de niño. Creo que si viera a uno de mis hijos, incluso al más grande actualmente, si lo viera hacer lo que yo hacía a los cinco años, me daría un infarto. No te estoy exagerando."

Miguel Ángel Mancera habla poco de sus relaciones y de sus hijos, pero tiene dos, de la que es quizá su relación más larga. Miguel y Leonardo no aparecen mucho en fotos, en su vida.

En aquellos primeros años, Mancera y su madre vivían en la calzada México-Tacuba, una de las más antiguas avenidas de México y quizá de América. Ese trazo llevaba a Tenochtitlan. Por allí pasó Hernán Cortés, con la derrota a cuestas. Allí mismo fue la Masacre de Corpus Christi, conocida como "El Halconazo", donde un grupo paramilitar atacó, el 10 de junio de 1971, una manifestación estudiantil. Más de 100 jóvenes murieron entonces; muchos periodistas fueron atacados, heridos y vejados. En 2006, el expresidente Luis Echeverría fue culpado formalmente del ataque, pero, como suele suceder en México, no hubo consecuencia alguna.

En esa avenida llena de historias es que nació Mancera.

Segunda cerrada de la Calzada México-Tacuba, muy cerca del Colegio Militar —cuenta él—. Mi mamá se iba a trabajar y yo me iba con el grupo de chavos más grandes. Me llevaban ahí como mascota. Me iba a Plan Sexenal, o sea, nos íbamos caminando: pa-pa-pa-pa-pa... hasta el Plan Sexenal. A esa edad (cinco años). Yo recuerdo regresarme con uno o dos, ya no con toda la bola, desde ahí. O me iba a Popotla, hacia el parque donde está el Árbol de la Noche Triste. Me iba hacia Santa Julia. Me iba en una bicicletita de rueditas, cuando ya supe andar en bici. Me iba al cine Tlacopan. Obviamente ya imaginarás, digo, era calle, eran malas palabras. ¡Era barrio, pues! No era una cosa refinada.

Yo vivía en un cuarto con mi mamá. Me acuerdo que era un cuarto porque en el mismo espacio teníamos la cama, teníamos un comedorcito. Me acuerdo muy claro que el mantel era de plástico; el mantel del comedor. A mí me gustaba estar apretando las bolitas, lo corrugadito que estaba. Como los de fonda. Mi mamá me regañaba por eso.

Mi mamá me dejaba y se iba a trabajar muy temprano. Yo creo que mi mamá ha de haber entrado a trabajar a las ocho de la mañana y se iba como a las seis, o al cuarto para las siete. Y entonces llegaban por mí al Interior 6.

Y le digo Interior 6 porque así me lo aprendí de niño. Era el cuarto número 6. Ahí llegaban por mí. Al cuarto 6. Primero me encargó con una señora que tenía una hija que se llamaba Martha. De mi edad, la niña. Pero después le pedí que ya no me dejara con ella porque me daba puro caldo de pollo todos los días. Con patas de pollo. Entonces hoy, si quieres que no coma, diles que en el menú haya caldo de pollo. No puedo superarlo. ¡Imagina si trajera patas de pollo!

Interior 6 era una cama. Segunda Cerrada de la Calzada México-Tacuba. Creo que ya está demolido el lugar. Era el número 5 de la Segunda Cerrada de la Calzada México-Tacuba, Interior 6. Yo nací ahí. Esa fue mi primera vivienda. Era un cuarto. Un cuarto que tenía baño. Y tenía un pedacito, que era la cocina. Estaba el comedor y estaba la cama. La verdad, no me acuerdo que haya habido un sillón para las visitas o algo así, se utilizaban las sillas como sillones.

Había una conserjería, que era de la Señora del A. Yo la conocía como la Señora del A. Obviamente en ese tiempo escuchaba que era "la conserje". Y si a mí me preguntas entonces qué era eso, no sabría decirte.

Con ella me encargó después mi mamá, con la Señora del A.[12]

MANCERA
Y SU GENERACIÓN

Todo olía a elecciones el 23 de noviembre de 2010. Era una cumbre muy competitiva, con una mezcla de políticos nuevos y jóvenes que echaban lumbre: varios de ellos eran precandidatos presidenciales y otros representaban a lo más encumbrado de la clase política del país. El PRI estaba echado para adelante y la izquierda también: la caballada era gorda y había para escoger. El PAN cerraba un sexenio desastroso —sobre todo en seguridad—, con Felipe Calderón Hinojosa a la cabeza, y después de la gran derrota de 2009 se esperaba que en 2012 simplemente garantizara la transición.

Nadie se habría imaginado el destino de más de la mitad de los asistentes a la XL Reunión Ordinaria de la Conferencia Nacional de Gobernadores, que se desarrollaba en Veracruz, Veracruz. Seis años después, algunos estarían en prisión y otros bajo investigación o en la banca por señalamientos de corrupción o por "conflicto de intereses". Había 24 gobernadores allí, y cuatro mandatarios electos. Andrés Granier estaba en primera fila; Fidel Herrera y Eugenio Hernández se sentaron juntos; Rodrigo Medina, serio y bien peinado, meditaba; Mario Marín se veía amargado y cerca de él se encontraba su sucesor, Rafael Moreno Valle. Junto a Marcelo Ebrard se sentó César Duarte; Leonel Godoy estaba en una orilla. Y conversando en voz baja, Osorio Chong y Peña Nieto eran el centro de atención. Luis Armando Reynoso Femat sonreía a Fernando Toranzo. En fin. Al menos 15 de los 23 que encabezaban la reunión tendrían que enfrentar los reclamos públicos por mala gestión, y no por nada se señalaría más adelante a esta generación de gobernadores como una de las más corruptas de las que se tenga memoria.

Esa generación que Peña Nieto, entonces candidato a la presidencia de la república por el PRI, puso como ejemplo durante la campaña

---

[12] En conversación con el autor. El texto fue muy ligeramente editado y viene de una grabación.

244

electoral de 2012. "Los gobernadores de la mayoría de las entidades —dijo—, son jóvenes actores de la nueva generación política que forma parte [del PRI]". Los citó por su nombre y dijo: "Todos son parte de una generación nueva que ha sido parte del proceso de regeneración del partido."[13]

El gobernador Fidel Herrera, anfitrión del encuentro, había pedido a Dionisio Pérez Jácome que atendiera a Marcelo Ebrard Casaubón durante su estancia en el puerto. Así lo hizo. En la primera oportunidad, cuando estuvieron más o menos solos, el exsenador del PRI aprovechó para decirle al jefe de Gobierno:

—Tiene usted un gran procurador. Es un buen hombre. Está haciendo un gran trabajo.

Se refería a Miguel Mancera, por supuesto.

Marcelo, según los que estaban cerca, se sorprendió. Respondió con un parco "gracias".

Los marcelistas dicen que esta fue una primera señal, "de muchas que vendrían", de un acercamiento de Mancera con el PRI. Varios más se dirigirían a Ebrard "para promover al procurador como posible candidato al gobierno de la capital". Para ellos no hay duda de que el doctor se fue acercando y lo fueron cercando los priistas para separarlo de la estructura de la izquierda y tenerlo como aliado durante todo el sexenio de Peña Nieto.

El doctor Mancera me dijo, en dos ocasiones, que la relación con Miguel Ángel Osorio Chong, el operador político de Peña Nieto, era simplemente institucional. "El presidente designa a un interlocutor con los gobernadores. A mí me tocó Osorio". Dijo que eran relaciones que le convenían a la ciudad porque era más fácil gestionar presupuestos desde la cercanía, que alejado del gobierno federal. También afirmó que todos sus antecesores de izquierda dialogaron con Los Pinos, y que él no hacía sino transparentar esa relación.

El episodio de noviembre de 2010 pone en perspectiva otro tema crucial del jefe de Gobierno: la corrupción. Vistos desde arriba o desde abajo, a lo lejos o a detalle, los años de Miguel Ángel Mancera al frente de la capital han coincidido con los peores escándalos de corrupción a escala

---

[13] "El club de Duarte tiene más mañosos, ¿y cuándo los otros?: oposición", *SinEmbargo.mx*, Shaila Rosagel, 26 de octubre de 2016.

nacional. Quizás en varias generaciones. Los casos dentro del Gobierno Federal son muchos: OHL, Grupo Higa, Monex, Armando Hinojosa, etcétera. El presidente mismo está bajo sospecha; su hombre más cercano, Luis Videgaray Caso, también; y hacia abajo, en casi todos los estratos del servicio público —pasando, por supuesto, por los gobernadores y secretarios de Estado—, hay señalados por "conflictos de intereses" o posible corrupción.

Pero el gobierno de Mancera no se ve en esos listados de corruptos. Él, en particular, tampoco. Eso es un hecho. La pregunta es: ¿son tantos los corruptos que no reparamos en la capital, o es realmente que la administración ha salido bien librada?

Varios de los entrevistados en este texto hablaron de "diezmos" en la Asamblea Legislativa y también en el gobierno de la ciudad. Pero pocos con documentos. Pocos con pistas claras. Se menciona con insistencia una posible relación de Mancera con las constructoras y desarrolladoras. Me hablaron del exsecretario de Desarrollo Urbano y Vivienda del Gobierno del Distrito Federal, Simón Neumann. Pero nada que pueda decir, "sí, aquí están los datos: es y son corruptos".

Lo cierto es que el desarrollo urbano fue uno de los talones de Aquiles de Mancera. Mucho ruido, montones de nueces quebradas. Se le ha acusado de "beneficiar a particulares" en proyectos como el Corredor Chapultepec, la mega Rueda de la Fortuna en la misma zona o la torre de 40 pisos en el Centro de Transferencia Modal (CETRAM) Chapultepec; de querer concesionar casi dos hectáreas de la tercera sección de Chapultepec, y de planear que los terrenos del actual aeropuerto no sean para una reserva ecológica —en una ciudad con serios problemas ambientales—, sino para proyectos empresariales. Y muchos etcéteras.

En 2016, en el contexto de las discusiones de la nueva Constitución para la capital, varios grupos de activistas y organizaciones civiles acusaron al gobierno de la Ciudad de México de favorecer a las desarrolladoras inmobiliarias sobre los intereses ciudadanos. "La preocupación que tenemos sobre los usos de suelo es profunda: por un lado hay daños causados por los desarrolladores y, por el otro, por las autoridades que les dan permiso al hacer una normatividad a modo. Si no detenemos pronto la ambición desmedida de los inmobiliarios y la negligencia y corrupción de las autoridades, vamos a tener en la Ciudad de México otro caso como el de Sao Paulo, Brasil", acusó Enrique Pérez-Cirera, representante de la organización Suma Urbana Poniente.[14]

Greenpeace y otras organizaciones realizaron, en los años de Mancera, decenas de conferencias de prensa para denunciar casos de "voracidad de las constructoras y corrupción de las autoridades".

"No nos podemos dar el lujo de perder ni un metro cuadrado más de área verde, menos aún de áreas tan importantes en términos de servicios ambientales y aspectos culturales y sociales como es en este caso el Bosque de Chapultepec", dijo la organización internacional. Denunciaba que cerca de 5 000 metros en la tercera sección del Bosque de Chapultepec fueron entregados a la Inmobiliaria Trepi, S.A. de C.V., la cual "planea construir edificios de lujo, a pesar de que desde 1992 la zona fue declarada Área Natural Protegida". Y el caso del parque urbano más grande de América Latina no es único ni aislado, dijo Paloma Neumann, campañista de Megaciudades en Greenpeace: "Nuestros parques y áreas verdes están constantemente bajo la amenaza de la miopía e ignorancia de la industria inmobiliaria y de la construcción, que parecen ver las áreas verdes sólo como terrenos baldíos esperando ser cubiertos con concreto y asfalto".[15]

Una investigación realizada en noviembre de 2016 por la Unidad de Datos del portal digital *SinEmbargo.mx* reveló que

> desde que Andrés Manuel López Obrador asumió en 2000 como jefe de Gobierno de la capital del país y emitió el Bando 2, el andamiaje legal para el desarrollo urbano no ha parado. Marcelo Ebrard Casaubón y Miguel Ángel Mancera Espinosa emitieron más modificaciones, leyes y permisos. Así pasaron ya 16 años en los que, pese a provenir del mismo partido —el PRD—, los gobernantes no lograron consenso en su idea de ciudad: AMLO deseaba poblar el Centro Histórico con nueva vivienda, Ebrard quiso que se edificara en las 16 delegaciones, y Mancera aspira a zonas delimitadas como en Europa. Y de todo, muy pocos proyectos salieron bien para una población que vio cómo su entorno cambió y la oferta de vivienda se volvió inalcanzable.

[14] "El gobierno y las inmobiliarias, igual de ambiciosos, apresuran el colapso de la CDMX: activistas", *SinEmbargo.mx*, Ivette Lira, 18 de octubre de 2016.
[15] "Inmobiliarias, amenaza de áreas verdes: Greenpeace; 'Chapultepec es de todos', defiende", *SinEmbargo.mx*, Ivette Lira, 18 de febrero de 2016.

Hoy, dijeron las periodistas Alejandra Padilla y Daniela Barragán, en el paisaje urbano no sólo hay grúas y polvo: también un cúmulo de quejas por irregularidades y, además, cientos de desplazados. La legislación, de acuerdo con su investigación, permite edificar hasta 67 pisos y vender en millones de pesos en zonas que antes fueron barrios tradicionales. "Es la trayectoria de las decisiones políticas para una metrópoli de más de nueve millones de habitantes que, aun en el apogeo del sector de la construcción, se preguntan: ¿En dónde vamos a vivir?"[16]

De acuerdo con otra investigación conducida por la periodista Linaloe Flores:

> Metro por metro y partícula por partícula, el suelo y el aire de la Ciudad de México se venden a las constructoras inmobiliarias. No hay colonia que esté libre de una edificación nueva. Y por todos los rumbos han florecido los turistas, los bares, los cafés con mobiliario *vintage*, la comida típica mexicana elevada a *gourmet* y precios en la paridad del dólar. Es la llamada *gentrificación*, concepto que describe cómo un perfil de habitante con más poder adquisitivo desplaza a los originales de un barrio. En la capital mexicana ha ocasionado un promedio anual de 150 000 desplazados hacia los márgenes o ciudades como Querétaro, Cuernavaca, Ecatepec o Toluca. Especialistas pronostican la fatalidad de más cinturones de pobreza y violencia en torno a la Ciudad de México. Porque ya nada, en lo que fue la región más transparente, es igual.[17]

—No existe la sensación de que el gobierno de Mancera sea corrupto. No se le ha demostrado nada en cuatro años —le dije a Claudia Sheinbaum, delegada de Tlalpan, una de las favoritas a sucederlo en el gobierno capitalino, parte del equipo compacto de Andrés Manuel López Obrador y, claro, opositora en la ciudad: es parte de Morena.[18]

—Yo no tengo ninguna prueba, en papel, del Gobierno de la Ciudad y su trabajo. Pero creo que lo que ha habido es una permisibilidad muy

---

[16] "El *boom* inmobiliario en la CDMX: Tres gobiernos, vecinos hartos, leyes 'a modo' y, ahora, el caos", *SinEmbargo.mx*, Alejandra Padilla y Daniela Barragán, 19 de noviembre de 2016.
[17] "El apogeo de la vivienda de elite arroja a personas de sus casas y hasta de la CDMX", *SinEmbargo.mx*, Alejandra Padilla, Daniela Barragán y Linaloe R. Flores, 20 de noviembre de 2016.
[18] Entrevista con el autor, enero de 2017.

grande. Ese es el caso de cuando yo llegué a la Delegación. De diversos temas interpusimos denuncia ante Contraloría, ante la Procuraduría, y no se le dio seguimiento absolutamente a nada.

Detalla Sheinbaum:

—Los temas: En Tlalpan gobernó, hasta enero de 2015, una jefa delegacional que ganó la elección en el 2012 [Maricela Contreras Julián] y después, incluso en contra de esta jefa delegacional, se nombra a un personaje que no es de la confianza de ella [Héctor Hugo Hernández]. Este personaje, trabajador de base de la Delegación Tlalpan y que después fue subiendo en cargos de direcciones generales, se dedicó a tratar de ganar la elección para el PRD cometiendo una serie de irregularidades, como hacer obras sin licitar. Le pedían favor a una empresa, supongo amiga de ellos, y realizaron obras por 70 millones de pesos en seis meses. Al final de la administración, cuando se dieron cuenta de que perdieron, hicieron un "convenio de adeudo", obligándonos a pagarle a esas empresas. De eso seguimos en juicio. No existió una licitación. No se sabe qué empresas son, qué vínculo tienen con ellos para poder aventarse a hacer una obra por la que no les están pagando. También se trata de una obra que está fuera de la Ley de Obra Pública del Distrito Federal.

"Nosotros hicimos una investigación —explica—. Dimos todos los datos y dijimos que no íbamos a pagar porque no se licitó conforme a la ley y, además, los precios son mucho más altos de lo que deberían ser. Se envía una queja a Contraloría y, al final de su investigación, se sancionó con dos años de inhabilitación al director general de obras de la Delegación Tlalpan y no al delegado, a pesar de que éste firmó los convenios de adeudo. La Contraloría argumentó que fue quizá porque en ese momento no tenía conocimiento. Ahí hay un cobijo político a un grupo político que lo apoya, independientemente de si cometieron irregularidades o no, de si hubo recursos para ellos, que sería más difícil comprobarlo".

Abunda:

—Presentamos una denuncia porque encontramos vales de gasolina en un baño del director general de Administración, de una manera totalmente irregular porque ya ni siquiera se utilizan vales de gasolina. Eran por un millón de pesos. Y no hay respuesta. Tampoco por todo el mobiliario que falta. Este ex delegado tiene una plaza de base en la Delegación, y como no pide licencia a tiempo cuando nosotros llegamos, procedimos a la baja, pero hay un apoyo total de la Oficialía Mayor para que no proceda. Y no sólo eso. Nos llegaron a ofrecer por abajo del agua que les diéramos chance y a cambio nos daban otra plaza de base. Este personaje, sabemos, tiene un cargo en la Secretaría de Movilidad [a cargo de Héctor Serrano], pero no sabemos bajo qué cargo ni cómo, porque no aparece en el organigrama.

"Si Mancera personalmente está involucrado no lo sé, pero me parece extraño que si todo esto ha sido público, no haya una sanción como debería".

La delegada dice que en la elección de 2016 para el Constituyente —que perdió el PRD—, "se utilizaron plazas de empleo temporal operadas por el gobierno de la Ciudad para comprar votos. Hay una lista de los nombres de las personas, por líder; de operadores del PRD en Tlalpan y de cuántos empleos temporales les iban a corresponder. El estimado que nosotros hicimos fue de 1 000 millones para toda la ciudad".

Sobre las constructoras, Sheinbaum habla de un descontrol sospechoso en toda la ciudad; un desorden "muy conveniente" para las grandes empresas desarrolladoras. Aclara:

—No tengo las pruebas para asegurar que hay negocio, pero sí sé que hay un descontrol de desarrollo inmobiliario, sin planeación, sin una concepción regional de los impactos urbanos y ambientales.

—¿Se perdió el control con Mancera?

—Yo creo que sí.

De acuerdo con la militante de izquierda, Mancera rompió con la relación institucional. Trata de manera distinta a los delegados opositores que a los perredistas. Y en particular —dice— a ella la hace a un lado.

—La gente eligió a un priista en Milpa Alta y Cuajimalpa; es obligación del jefe de Gobierno reunirse con ellos para trabajar por los habitantes de esas delegaciones, aun cuando no tenga nada que ver con sus colores. Aunque esté Xóchitl Gálvez en Miguel Hidalgo [PAN] y no tengas nada que ver con ella, ni afinidad, tu obligación absoluta es trabajar con ella por los habitantes de la Miguel Hidalgo. No sólo ha sido conmigo, es con todos los delegados de Morena. En particular conmigo, porque yo busco una relación institucional, no de pleitesía. Yo tengo mis diferencias con Mancera porque creo que no ha gobernado bien la ciudad y no me voy a sacar la foto con él nomás para que le dé presupuesto a Tlalpan. Me la tomaré si llegamos a acuerdos. Pero no le *haré la barba* ni a él ni a nadie. Yo lo que quiero es una relación institucional. No estamos en un partido político, estamos gobernando una ciudad él y yo, y lo único que pido es una relación institucional, y hasta el momento no la ha habido.

Concluye: "Yo creo que se equivocó. Piensa que gobierna un partido político y no una ciudad. Cree que está en campaña y no gobernando".

—Su gobierno abrió con una gran purga, una gran depuración —comentó.

—Ahí está el conflicto Marcelo-Mancera. El problema es que la ciudad no se puede gobernar así. Debe establecer relaciones públicas con todos los que gobiernan.

—Entonces será interesante verlo entregar el poder a Morena, si es que pasa.

—Así es.

TODA UNA VIDA

Después del Interior 6, el cuartito donde Mancera nació, su mamá y él se fueron a vivir a la colonia Narvarte, en la misma Ciudad de México.

—Me cambié a Narvarte —me dijo—. Yo entonces le decía "la residencia" a ese nuevo lugar, porque cuando conocí el departamento, un día, no lo podía creer: ¡era una cosa, psss, era algo...! ¡Y ahí está todavía, eh! Sí. En la glorieta de Vértiz. Es Vértiz 808, departamento 17. Está pegado a unos tacos al carbón. Estaban los tacos al carbón y estaba una vidriería, en medio de los dos. Exactamente enfrente de la glorieta, está ahí la entrada. De los viejos edificios de Narvarte, que la puerta pesaba más que todo el edificio. Yo creo. Un mosaico. Entrabas y el departamento tenía una cocina chiquita, te cabía una estufa chiquita. Tenía alacena. Fíjate, lo que era en ese tiempo, no saber lo que eran las alacenas; ahora son tan sofisticadas las alacenas. La alacena la fuimos a comprar al mercado Hidalgo y era de lámina. De lámina, como con unos vidrios encima. Entonces, híjole, para mí era algo increíble. Decía: "¡Ps, chale, esto es una mansión!". ¿Por qué? Porque había esa alacena. Porque había un refrigerador. El refrigerador no estaba dentro de la cocina porque no cabía. El refrigerador estaba en el comedor, afuera. Y había un comedor y había una sala. Una televisión Phillips de a color; eso sí, era de a color. Y dos cuartos, bueno dos recámaras. Un baño. Eran varios edificios de los mismos dueños, que les llamaban los *españoles*. Era un edificio más de los *españoles*. Todos esos edificios eran de los *españoles*.

—¿No eran de los Vázquez Raña?

—No sé. Pero sí me acuerdo que eran de los *españoles*. Ahí tuve, ahí pasé, en ese edificio, toda la primaria. Para la secundaria me cambié a vivir a Narvarte, pero a la calle doctor Barragán. Doctor Barragán esquina con Cumbres de Acultzingo. Fíjate, no estoy seguro que sea el número, pero casi estoy seguro que era 745 departamento 403. Era el cuarto piso. Ahí estuve, ahí viví toda la secundaria y parte de la preparatoria.

—Estudió solo en escuelas públicas, doctor.

—Sí. Primero fui a una que estaba al lado del Colegio Militar, del viejo Colegio Militar, muy cerquita. Después fui al Kínder Tlacoquemécatl, que todavía está en Vértiz. Fui al Tlacoquemécatl, de Gobierno, kínder chiquito. Está en Vértiz, antes de Xola; entre Xola y la glorieta. Y luego fui a la Secundaria 45; bueno, a la primaria, a la Presidente Miguel Alemán. Estaba en el eje Lázaro Cárdenas; allí está. Y luego fui a la Secundaria 45. Secundaria 45 y luego a la Prepa 6. En Ciudad Universitaria.

—Luego se salió de Narvarte.

—Sí, pasando San Fernando. La calle es Ayuntamiento, hacia Fuentes Brotantes. En Tlalpan. Nos fuimos para allá porque íbamos a comprar. Y era para lo único que nos alcanzaba. Y sí, compramos. Me acuerdo que era un departamento. ¡Huy! Yo estaba feliz porque lo íbamos a decorar, y hoy lo pienso: el departamento tenía 68 metros cuadrados. No llegaba a 70 metros. Era un departamento de Casas HIR. Lo compramos con una hipoteca. Debe de haber costado como 800 000 pesos, 700 000 pesos. Pesos de aquellos. Fue un departamento que pudimos vender en, si no mal recuerdo, como en un millón de pesos. Una cosa así. Un departamento de dos recámaras y un cajón de estacionamiento. Ahí estuve buena parte de la Facultad (de Derecho). Más bien toda la Facultad. Y luego salí de esa casa y me casé la primera vez.

Mancera contó que su primera esposa era muy joven. Los dos estaban muy jóvenes. "Se llama Martha. Era una niña. La conocía en una fiesta en el Pedregal. Tenía su chiste porque, tú te imaginarás, cuando la conocí yo no tenía coche y ella vivía en el Pedregal. Yo ya estaba en la Facultad de Derecho. Séptimo semestre. Y me casé cuando tenía 24 años, más o menos".

—¿Dónde estaba trabajando?

—Trabajaba en un despacho con Víctor León Calleja. Trabajaba en un bufete privado. Bien. Me estaban pagando bien. Cuando me casé, ya llevaba yo asuntos míos. Compré un departamento en Pemex, en la unidad habitacional de ahí, del sur, del Hospital de Pemex.

"Tenía su chiste ir a verla [antes de casarse] porque yo no tenía coche. Me acuerdo muy bien que tomaba una *combi* [el transporte público por excelencia en la capital, antes del Metro, los camiones, el pesero y el Metrobús] que todavía debe existir, que sale por el Mercado Múzquiz, ahí en el Monumento a la Revolución, que se llama Pedregal-a-Domicilio. Entonces, tú te subías a la combi y cada uno de los pasajeros daba el domicilio y mentalmente el chofer organizaba la distribución. Tú le decías: 'Cráter, Lluvia [nombres de calles], no sé qué, bla, bla, bla'. Él organizaba el mapa e iba dejando a los que le quedaban más cerca. Como la niña vivía casi al final, por el Boulevard de la Luz, pues casi siempre me quedaba hasta el final de la repartición.

La pareja, sin embargo, se divorció a los dos años.

—¿La ha visto, a ella, después de…?

—Me la encontré en un evento en la Delegación Álvaro Obregón. En un evento vecinal, no político, vecinal.

—¿Se acercó?

—La saludé, de lejos. La vi con una niña. La saludé y nada más.

—¿Y ella fue amable?

—Sí, fue un saludo agradable. La verdad es que nos saludamos… mmmh, bien. No, nunca nos hemos hablado. Nunca. Nunca. Y pues ya. Pasó el tiempo. Pasó bastante tiempo y yo me debo haber divorciado a los 26. Y luego, que me caso otra vez. A los 32.

—¿Flechazo?

—Sí. Fue muy intenso. Flechazo. La conozco cuando tenía un poco más de 30 años. Me caso a los 32. En 1998.

—¿Hijos?

—Dos, con ella dos hijos.

—¿Cuántos años duraron juntos?

—Casi 11 años.

—Toda una vida.

—Una vida, sí.

Es el sistema político el que se hunde

Senador, presidente del Instituto Belisario Domínguez, coordinador del Grupo Parlamentario del PRD, también presidente del Senado en un breve periodo, uno de los políticos que más ha impulsado la Ley de Transparencia y un crítico duro de la corrupción en el país, Luis Miguel Gerónimo Barbosa Huerta, me dijo que Mancera es natural para ser candidato. "¿Por qué?", le dije.

—Bueno, yo veo al jefe de Gobierno como el político más sobresaliente después del presidente. Es el segundo cargo más importante, el de la Jefatura de Gobierno. Mancera, recuerda, ganó con un porcentaje de votación altísimo, en donde muchos factores se reunieron, entre ellos, la propia candidatura de López Obrador y la sola existencia del PRD como partido político en ese tiempo. Porque ni el PRI ni el PAN existen de manera real en la ciudad.

El senador Barbosa también aceptó que las mediciones no son tan favorables para su gallo, pero dijo que "puede reponerse tomando acciones muy concretas".

—¿Cuáles?

—Hablo de contrastar su gobierno con el Gobierno Federal. No hablo de rivalizar: hablo de contrastar su gobierno a través de acciones públicas, de políticas públicas. Hablo de generar con propuestas legislativas, con propuestas vanguardistas, con propuestas de una ciudad progresista de izquierda moderna para una población así.

—¿No es un poquito tarde como para tratar de tomar distancia del presidente?

—Siempre…, lo peor, es no hacerlo. Lo peor es no hacerlo, siempre es tiempo de hacerlo.

Le dije a Barbosa, antes de iniciar la entrevista formal, que jugaría al abogado del diablo. Le comenté que los índices de popularidad me decían que así como ganó, dilapidó todo.

—Sesenta puntos en apenas tres años y medio. Y por el otro lado, si en este momento, por razones políticas, empieza a hablar en contra del presidente, va a ser electorero…

—No importa.

—¿Cómo lo justificas éticamente?

—A ver, bueno. Todas las acciones públicas siempre tienen propósitos. En el primer día, en el primer mes, en el último día, en el último mes. Y en el último año del ejercicio de un gobierno: siempre se tienen propósitos políticos y electorales. Siempre. Un gobierno, cuando se instala, lo primero que tiene que hacer es instalarse. Instalarse. ¿Me explico? Mancera se instaló de manera correcta. Él debió haber estado fuera del Pacto por México, por ejemplo.

—El Pacto por México está muerto.

—Que se deslinde del Pacto por México.

—Ya ahorita no tiene chiste.

—Por eso, pero hay que tomar acciones públicas aunque la gente…

—Póngame un ejemplo donde sea creíble; donde él pueda tomar distancia del presidente.

—La reforma energética. El tema de la reforma educativa es muy delicado, por el tema de la educación y los niños, y todo lo demás y el tema del desorden social, los bloqueos. No puedes estar también a favor del caos, si quieres ser gobierno. Pero el tema de la reforma energética…

—Todos los que fueron al Pacto por México. Un gobierno completo se está hundiendo. El presidente está hundiéndose.

—Yo digo que lo que se está hundiendo es el sistema político mexicano.

—¿Incluyendo al PRD?

—Incluyendo al PRD. Se está hundiendo. El pueblo no está aplaudiendo a ningún segmento del sistema político mexicano. Por eso López Obrador, aun cuando no es el de 2006, creo tiene un sustrato mucho mejor que en 2006.

—A ver, el Mancera del que usted habla, ¿sería capaz de decir un día: "Vamos a apoyar cualquier moción que conduzca a un posible juicio del expresidente Calderón por los crímenes cometidos durante su sexenio y por los crímenes que se cometieron, incluyendo los de corrupción, durante el sexenio de Peña"? ¿Lo ve?

—No sé, no sé.

En un giro inesperado, después de haber defendido a Mancera como su gallo durante una larga conversación de finales de 2016, Barbosa anunció a finales de febrero de 2017 que apoyaría a Andrés Manuel López Obrador. Dijo que el PRD se estaba desfondando; que se iría a

Morena. También pidió a los perredistas unirse al proyecto de AMLO, como él.

EL TAMAÑO DE LA CIUDAD

Miguel Ángel Mancera dice que su segunda esposa, Magnolia, se topó básicamente con el proyecto en construcción. Once años clave en su vida y separaciones que fueron necesarias. "Una vida [juntos], sí. Pero a ella le tocaron momentos complicados. Le tocó mi doctorado, le tocaron algunos viajes de estancia internacional. No largos, no muy…, pero el doctorado es muy absorbente: fines de semana y cosas así. Y luego le tocó la época en que era yo policía. Un largo periodo, desde 2002. Le tocó desde 2002, 2003, 2004; en 2005 más o menos estuvo alivianado porque entré al Consejo de la Judicatura. Y eso estaba bien."

Y luego, su gran mentor, Marcelo Ebrard, se lo llevó a la Procuraduría General de Justicia del Distrito Federal.

—Entonces ella, su segunda esposa, termina por reventar.

—Yo le puse varios ingredientes. Le puse, como dicen, sazón al platillo. Le fui agregando ingredientes y, pues sí, ella es de un carácter fuerte y yo creo que llegó un momento en donde dijo, y además estoy seguro de que así fue: "Esto no es para mí, esta vida no la quiero".

—Y se vale.

—Y se vale, además. Pues dicho así, pues está bien. Y eso pasó y así fue. Yo ya le había dado muchos motivos. Y así fue.

JEFE DE GOBIERNO-POLICÍA

El primero de diciembre de 2012, cuando asumió el poder Enrique Peña Nieto, hubo una gran ruptura entre el gobierno perredista del Distrito Federal[19] y los activistas y miembros de la sociedad civil. No es que siempre fueran de la mano; la capital del país, sin embargo, se consideró desde 1997 una ciudad tolerante y cercana con los de a pie, muy distinta a las gobernadas por otras fuerzas políticas como el PAN (sobre todo el PAN de Felipe Calderón) y el PRI.

---

[19] Hasta 2016, la Ciudad de México se llamó Distrito Federal. La modificación del nombre es consecuencia de la reforma política impulsada por Miguel Ángel Mancera.

Ese día, que quedó marcado como 1DMX, un abismo se abrió entre los ciudadanos y la autoridad local. El jefe de Gobierno era Marcelo Ebrard Casaubón; Mancera asumiría seis días después.

Fuerzas federales y manifestantes se enfrentaron durante la toma de protesta del nuevo presidente en un amplio corredor entre el Palacio Legislativo de San Lázaro —donde se llevó a cabo la ceremonia—, el Centro Histórico y el Ángel de la Independencia. Cerca de 100 civiles fueron detenidos; se calculó en 30 los heridos, entre ellos Juan Francisco Kuykendall, quien moriría el 25 de enero de 2014 después de estar un año en coma. Fue un zafarrancho que duró casi un día completo. El Gobierno Federal entrante negó primero el uso de balas de goma y luego lo aceptó.[20] Negó excesos y después aceptó que los investigaba. Manuel Mondragón y Kalb, hombre cercano a Marcelo Ebrard, que ese día estaba ya en el gobierno de Peña como encargado de Despacho de la Subsecretaría de Planeación y Protección Institucional, intentó negar que los federales actuaron con rudeza, y luego la Comisión Nacional de Derechos Humanos (CNDH) lo desmintió, lo mismo que la Comisión de Derechos Humanos del Distrito Federal (CDHDF).[21]

> En la mayoría de las ocasiones resulta común percibir la protesta social como un fenómeno producido y generador de desorden […]. De dicho operativo, y el actuar de las autoridades, es posible deducir una postura gubernamental que no se percata con claridad de los alcances que tiene la protesta social en una sociedad democrática como un canal, no institucional, en donde confluye una pluralidad de voces que se manifiestan, se inconforman y exigen cuando consideran que hay un problema que requiere la atención e intervención de quienes gobiernan.

Dijo la Comisión capitalina en su informe, y agregó:

> La CDHDF observa con preocupación que en diversas ocasiones, en ambientes de protesta social, las autoridades actúan en sentido con-

---

[20] "Captan en video disparos de balas de goma contra manifestantes", *La Jornada*, Emir Olivares, 3 de diciembre de 2012.
[21] *1DMX. Informe especial sobre el impacto psicosocial en las víctimas de los acontecimientos del 1 de diciembre de 2012*, Comisión de Derechos Humanos del Distrito Federal.

trario a sus obligaciones de respeto, protección, garantía y promoción. Ello es consecuencia de la visión que han generado las autoridades estatales respecto a la protesta social o manifestación a través de un vínculo inmediato entre tales eventos, y la aplicación *ipso facto* del derecho penal y de las fuerzas de seguridad.

Darío Ramírez estaba al frente de Artículo 19, una organización internacional defensora de los derechos humanos y de periodistas, cuando se dieron estos eventos. Encabezó una serie de acciones para defender la protesta ciudadana y para exigir el respeto a los reporteros que cubren estos eventos. Se involucró, porque advertía un riesgo que después se confirmaría: la tendencia a criminalizar a quienes se manifiestan, e incluso a quienes difunden las protestas.

Ramírez, hoy en la organización Mexicanos Contra la Corrupción y la Impunidad, cree que esa tendencia se asomó con Ebrard… y se consolidó con Mancera.

—Mancera llega a la ciudad con el capital político de Marcelo. La ciudadanía pensaba que venía una continuidad en las políticas públicas y no fue así. Se pasó a un régimen represivo, claramente contra el disenso. Complicado para Mancera, porque la Ciudad de México siempre ha sido receptora de protestas: más de 1 000 al año, en los últimos 10 años. El cambio de políticas se iba acercando —dijo en entrevista.[22]

—Pero no con todas las protestas se actúa así: cuando marchaba López Obrador no había encapsulamientos; cuando marchaban sectores del PRI no había eso. Se empezaron a crear, como en los años 70, aparatos políticos y mediáticos para criminalizar a los manifestantes. Empezamos a ver coberturas en algunos medios tradicionales donde se ponía por delante a los anarquistas. Nunca una cobertura imparcial, objetiva. Se fue caminando hacia un régimen autoritario. Allí viene la cercanía con Peña. Porque desde Bucareli [desde la Secretaría de Gobernación], la misma sugerencia: "Ojo con las protestas, ojo con dejar crear". Hay muchos incidentes documentados donde el uso de la fuerza era legal, con cierto tipo de armas, como espuelas y extinguidores. O donde los policías usaban hasta piedras. Se empezó a gestar todo esto. No había un interés por proteger el derecho

---

[22] Entrevista de Darío Ramírez con el autor, febrero de 2017.

a la protesta. Y empezó un movimiento político liderado por el PAN y el Partido Verde, para regular la protesta; una censura *a priori* para limitar. Eso se complementó con el PRI y acabó siendo un movimiento político. Pasaron la Ley de Movilidad en la capital para regular las marchas. Para frenar la marcha. Limitarla —dijo Darío Ramírez.

"Había una prisa por acercarse a Peña. Prisa de Mancera. Las fotos de cercanía, de sonrisas. Su afán por salir en revistas rosas, de sociales, emulaba a un presidente creado en la televisión y por la televisión. Y luego vino lo del estacionamiento, la falta de respeto a la ciudad. El legado de libertad que habíamos logrado estaba en la mira de Mancera y sus secuaces", consideró.

Ramírez se refiere al 1 de septiembre de 2014, a un hecho inédito: Presidencia de la República convirtió el Zócalo capitalino en un enorme estacionamiento para los invitados de Enrique Peña Nieto a su Segundo Informe de Gobierno. La ciudadanía se sintió agredida, violada; una ciudad que se sentía bastión, que había repelido al PRI, se convirtió en su tapete. Las críticas al presidente duraron varios días. Y fueron duras con Mancera. Las encuestas muestran que, para ese entonces, el jefe de Gobierno se había distanciado de la gente a niveles alarmantes. En diciembre de ese año, en la medición de *Reforma*, 60% de los ciudadanos desaprobaba su desempeño y apenas 32% lo aprobaba.

Y vinieron otros eventos que acentuaron la inconformidad. Dos, en particular. Por un lado, se acusó a la Comisión de Derechos Humanos capitalina, a cargo de Perla Gómez Gallardo, de arrodillarse ante Mancera y llevar esa entidad a una dependencia del Ejecutivo local. Y por el otro, una serie de ataques a periodistas en la Ciudad de México, que se sentía santuario para el ejercicio de las libertades de prensa.

Ana Cristina Ruelas, quien sucedió a Darío Ramírez en la dirección de Artículo 19, comenta:

—A la par de la decadencia en los derechos humanos en el país, en la Ciudad de México hubo una caída muy fuerte con la entrada de Mancera. Simplemente porque, antes, la ciudad era el paraíso para los periodistas. Cuando tú desplazabas a un periodista de una zona de riesgo, lo traías a la ciudad porque se pensaba que era un sitio seguro para el ejercicio de la libertad de expresión, de mucha pluralidad y diversidad. Esta hipótesis se cae con el asesinato de Rubén Espinosa.

El periodista fue asesinado en un departamento de la colonia Narvarte de la Ciudad de México el 31 de julio de 2015. Con él estaban cuatro mujeres: Nadia Vera Pérez, activista; Yesenia Quiroz Alfaro, Mile Virginia Martín y Alejandra Negrete Avilés. Fueron torturados y ejecutados con arma de fuego. Nadia y Rubén habían dejado un video en el que acusaban al entonces gobernador de Veracruz, Javier Duarte de Ochoa, de perseguirlos. Los dos habían huido de ese estado para refugiarse en la capital. El refugio resultó su tumba.

—En ese momento, la ciudad dejó de ser ese lugar seguro y entró el miedo y la sensación de que esa idea de garantías se caía. Más cuando, a dos años de su muerte, hay una sentencia de cientos de años, pero la realidad es que esa sentencia deja mucho que desear. El proceso de investigación que está a cargo de la Procuraduría capitalina está lejos de ser un proceso diligente y no da certidumbre a las víctimas de que efectivamente la persona que está en la cárcel fue la única que cometió el asesinato —dice Ruelas.

Abogada de profesión, la directora de Artículo 19 acompaña sus palabras con datos.

En 2009 hubo nueve ataques a la prensa y en 2010 fueron diez. En 2011 hay un rebote a 21 y luego a 28 en 2012. Pero en el primer año de Mancera, 2013, los ataques crecen a 82 y en el siguiente año, 2014, ya son 85. En 2015 bajaron un poco, pero no suficiente: 67. Y 2016 cerró con 71 ataques a medios o a periodistas. Muchos para una ciudad que se consideraba santuario.[23]

—En la Ciudad de México, donde se concentran gran parte de los periodistas y medios de comunicación, encontramos que no solamente es una de las entidades donde, en términos reales, se cometen más agresiones contra la prensa desde que entra Mancera, y en términos per cápita, es la segunda entidad. Esto ha ido cambiando —dijo—. En general, en la capital del país hay un proceso de decadencia. Y más aún si se toma en cuenta que antes tenías una CNDH como la de Raúl Plascencia, que emitía recomendaciones que impactaban directamente en la política pública y en la forma en que las autoridades debían conducirse para garantizar la libertad de expresión.

—¿Una CNDH pasiva que no ejerce presión sobre los funcionarios?

—Sí, totalmente burocratizada. Por ejemplo —dice—, en el caso de

---

[23] Ataques a la prensa, informe de Artículo 19, abril de 2017.

Narvarte, la recomendación inicial, que se había fijado en 40 hojas, era fuerte y retomaba los estándares internacionales y ponía la libertad de expresión como primera línea de investigación, junto con la defensa de derechos humanos. Pero al ir con las víctimas, nos entregaron una recomendación de cuatro hojas.

Ana Cristina Ruelas critica que la Procuraduría de Rodolfo Ríos, un amigo y viejo colaborador de Miguel Ángel Mancera, recurra a las filtraciones, la entrega de información confidencial para los medios que son amigos de casa. A pesar de las críticas de distintas organizaciones, el equipo de Ríos sigue intacto; nada ha sucedido.

—Y la opacidad. Una de las cosas que distingue a la PGJ, y es lamentable porque atenta contra todos los derechos de las víctimas, y algo que nos hemos encontrado mucho en los casos de periodistas, son las filtraciones. Estigmatizan, legitiman y generan un agravio severo a las víctimas —dice.

—¿La Procuraduría se oscureció? ¿Eso dices?

—Sí. Ebrard promovió una práctica internacional, generó un sistema de averiguaciones previas donde se podía ver la efectividad del Ministerio Público, pero no siguió. Ahora es muy difícil acceder a los expedientes para las víctimas. Es el mundo al revés: lo que hace la PGJ es filtrar la parte de la averiguación previa que le conviene, negar la averiguación a las víctimas, que es su derecho para su proceso de coadyuvancia, y mantener todo en *secrecía*.

La Procuraduría en tiempos de Mancera tiene ante sí, además, otro gran pendiente: el incremento de la violencia. Delitos como el secuestro y la extorsión han bajado; sobre todo el segundo. De 1 181 denuncias de extorsión que había en 2012, en 2016 se contaron 608; una reducción considerable. En secuestro, en 2012 hubo 65 denuncias, en 2016 fueron casi 20 menos: 46. En cambio, el homicidio doloso ha ido en aumento: en 2012 fueron 779, mientras que cuatro años después fueron 952,[24] de acuerdo con datos del Secretariado Ejecutivo del Sistema Nacional de Seguridad Pública (SESNSP).[25]

También hay una percepción de inseguridad que supera la media nacional y que es de las más altas entre las entidades. Se arrastra desde los tiempos de Marcelo Ebrard, cuando Mancera era procurador. Según el

---

[24]Secretariado Ejecutivo del Sistema Nacional de Seguridad Pública, datos al cierre de 2016.
[25] *Idem*

Instituto Nacional de Estadística y Geografía (INEGI), el porcentaje de la población capitalina de 18 años y más que se sentía insegura en 2012, era de 75.3. El año siguiente fue un mejor año para Mancera: ese porcentaje bajó a 70.8. Luego subió, y en el tercer trimestre de 2016 fue de 71.9. La media nacional siempre estuvo, todos estos años, por debajo.[26]

Otro dato desalentador, también del INEGI, es el número de oficinas de derechos humanos por cada habitante. En su última medición, de 2013, la Ciudad de México tenía el segundo peor lugar nacional: apenas 0.4 puntos, donde el mejor es Baja California Sur con 8.4, y la media nacional marca 1.8 oficinas por millón de habitantes.[27] Pero eso no es un tema sólo de Mancera, sino de todas las últimas administraciones de una ciudad que se presume progresista.

EL VAGO

—¿Pasó hambre alguna vez, doctor?

—Yo estoy seguro que mi papá se encargó de que no pasara hambre. Pero, sí, no vivimos holgadamente. O sea, yo tenía mis zapatos; tenía mis tenis, que eran de la Canadá. Compraba mis uniformes en El Tranvía [una tienda de descuentos], o sea, no eran de marcas. Después tuve que usar zapatos de El Borceguí. Esa fue mi zapatería un buen tiempo porque además tenía el pie plano. Entonces, compraba botitas en El Borceguí. Y los Exorcista de Canadá.

El Borceguí, fundada en 1865, es quizá la marca de calzado más antigua en México. La tienda está en un edificio del Centro Histórico de la capital y su fachada es casi parte de la imagen, con sus remates neoclásicos y su majestuoso exhibidor. El Borceguí era una marca modesta, popular; tenía —y tiene—, además, tallas extras, y calzado ortopédico y especial para diabéticos.

—Mis primeros zapatos tenis de marca. ¡Uf! Bueno. Me acuerdo que los veía y los metía a la caja. Los sacaba de la caja. No quería tirar la caja. Fueron unos Adidas. Unos Adidas azul con blanco. ¡Uf! Olvídate. Esos

---

[26] Distribución del porcentaje de la población de 18 años y más, por entidad federativa, según percepción de la inseguridad en su entidad federativa, INEGI.

[27] Oficinas de derechos humanos por cada millón de habitantes, por entidad federativa, 2013, INEGI.

eran algo así como, no, no, no —contó el doctor Mancera—. Nunca viajé a Estados Unidos —agregó—. Estados Unidos lo conocí a los 25 años, más o menos. Fue mi primer viaje a los Estados Unidos y volé a Tijuana y me crucé a San Diego, porque ahí tengo un tío. Me crucé. Legal, pero me crucé. Y nunca fui de viajes. Ni de campamentos, como ahora mis hijos que sí son de campamentos y todo. Tú procuras que ellos no vivan lo que tú viviste, pero lo que yo pensaba de niño, hoy recordando, es muy diferente a lo que piensan mis hijos. Yo de niño pensaba en cómo podía hacer para que a mi mamá le fuera mejor; que mi mamá no trabajara. En las vacaciones yo quería ir a lavar coches. No entendía qué era lo que debía hacer. Incluso socialmente, si hoy mis hijos me dijeran: "Me voy a lavar coches", yo les diría: "¡No!". Pero yo me quería ir a lavar coches."

Lo más vago que llegué a ser, así, de vago, era ir al billar. Eso llegué a ser: vago de billar".

—¿Drogas?

—No. Y nunca me interesó. Alcohol sí, alcohol. Pero era otra mentalidad, no como ahora. Alcohol te estoy hablando de cerveza Tecate, segundo de secundaria. O sea, de 14, casi 15 años, en la casa de un amigo y a ver quién las compraba, yo no podía comprarlas porque me veía muy chico. A mí no me vendían ni de broma. No me dejaban entrar a los cines de adultos ni teniendo 18 años. Hubo una vez que me sacaron del cine, tenía que jurarles que tenía 18 años. Era una niñez distinta. Mis amigos que tenían apodos: "El Huesos", "El Ponchito". Tengo hoy un compañero que tiene una vulcanizadora, otro que es mesero.

—¿Ha visto a alguno de ellos?

—Sí. Sí, sí. De los de la secundaria, por ejemplo. A varios.

—¿Y de Interior 6?

—No. De Interior 6 no.

TRES DE TRES

Miguel Ángel Mancera Espinosa, de acuerdo con su declaración 3de3,[28] ha dejado muy lejos la pobreza. Ingresa al año 2 941 375 pesos: 1 070 387

---

[28] 3de3 (Tres de tres) es una iniciativa de la sociedad civil mexicana que reclama a funcionarios públicos, legisladores, líderes de partido y candidatos a cargos de elección popular a declarar sobre su patrimonio, sus intereses y su pago de impuestos.

por cargos públicos, 322 915 por actividad financiera y 1 548 073 pesos por "otras actividades" que no especifica, pero que pueden incluir participación en consejos, consultorías o asesorías de manera permanente u ocasional, en México y el extranjero.

Tiene ocho bienes inmuebles, todos en México (siete en la Ciudad de México y uno en Acapulco):

1. Casa de 360 m² de terreno y 280 metros cuadrados construidos. Ubicada en la delegación Magdalena Contreras. Adquirida en 2004 de contado, con un valor de 3 336 000 pesos. Es dueño de 50% del inmueble.

2. Local de 162 m² en la delegación Cuajimalpa. Adquirido en 2010 de contado, con un valor de 9 614 000 pesos. Es dueño de 5% del inmueble.

3. Un departamento de 283 m² en Acapulco. Adquirido en 2010 de contado, con un valor de tres millones de pesos. Es dueño de 50% del inmueble.

4. Un departamento de 135 m² en la delegación Benito Juárez. Adquirido en 2010 de contado, con un valor de 2 099 000 pesos. Es dueño único del inmueble.

5. Un local de 162 m² en la delegación Cuajimalpa. Donado en 2012, con un valor de 11 549 108 pesos. Es dueño de 5% del inmueble.

6. Un departamento de 224.77 m² en la delegación Benito Juárez. Adquirido en 2012 de contado, con un valor de 4 306 000 pesos. Es dueño único del inmueble.

7. Un departamento de 165 m² en la delegación Cuauhtémoc. Adquirido en 2012 de contado, con un valor de 5 100 000 pesos. Es dueño único del inmueble.

8. Un departamento de 125 m² y 128 m² de terraza en la delegación Cuauhtémoc. Adquirido en 2014 de contado, con un valor de 4 500 000 pesos. Es dueño único. En la declaración, anota que este departamento fue adquirido con la opción de liquidar el monto total en mensualidades, aunque no hay crédito de por medio.

Mancera declara haber pagado 1 100 000 pesos entre los años 1998 y 2006 por concepto de menaje de casa. En ese mismo periodo, gastó medio millón de pesos en obras de arte y 400 000 pesos en joyas. Dice tener ocho cuentas: cuatro a su nombre y cuatro en copropiedad, de las que él es el único titular. Una equivale a un monto menor o igual a 100 000 pesos, otra entre 100 000 y 500 000 pesos y las otras dos son mayores o iguales a 500 000 pesos; las tres primeras son administradas por Bancomer.

En cuanto a las cuentas que posee en copropiedad, se trata de cuatro inversiones mayores o iguales a medio millón de pesos: una de Grupo Gastronómico Maboma, S.A. de C.V., otra de La Tradición de Ixtapaluca, S.A. de C.V., otra de Pan y Café de Tradición, S.A. de C.V., y la última, de Proyectos Maaj, S.A. de C.V.[29]

LA SIGUIENTE RONDA

—¿Le estorba o no le estorba a Mancera jugar tenis con el PRI? —le pregunté a Héctor Serrano.

Con su clásico humor me respondió:

—El deporte no es mi fuerte.

Luego dijo:

—Lo que yo he observado es cortesía. Y en política, la única manera de corresponder a la cortesía es con cortesía. ¿Qué ha pretendido esta relación institucional? Una Constitución que es innegable; por mucho que quieran descalificar al doctor Mancera, nadie lo logró antes . "Haiga sido como haiga sido." ¿El mecanismo de cortesía lo logró? Yo creo que sí lo logró. ¿Favorece a los ciudadanos? Sin duda los favorece. O el Fondo de Capitalidad, del cual gozó la Ciudad de México en un tiempo en el que no hubo tantas presiones sobre las finanzas públicas federales. Lo intentaron muchísimos y él lo logró. Hay avances importantes en la ciudad que no se han reflejado porque requieren un proceso. ¡Fue tanto tiempo que estuvo aletargada la ciudad!

---

[29] El análisis de los bienes de Miguel Ángel Mancera Espinosa fue realizado por las periodistas Daniela Barragán y Alejandra Padilla especialmente para este perfil biográfico. El corte corresponde a noviembre de 2016.

Pero César Cravioto, el líder de Morena en la Asamblea Legislativa, asegura que la nueva Constitución, de la que Mancera y su equipo sienten orgullo, se quedó a medias.

—Quedaron temas que impulsó Mancera, no los de la ciudadanía. Quedaron por ejemplo los contratos multianuales, ahora por Constitución: imagínate, un gobierno puede dejar endeudado al que sigue con contratos de años. Hay reelección de alcaldes y diputados, se aprueba la revocación de mandato... Y se elevan los requisitos altos para hacerlo.

"La elección misma del Constituyente fue una imposición de Mancera, del presidente Peña y del PRI" —dijo.

Para la Constitución de la Ciudad de México, el Constituyente fue confirmado con 60 diputados de representación proporcional sobre una lista plurinominal que fue votada. Luego, 14 fueron electos por dos tercios de los representantes en el Senado de la República y 14 más, designados desde la Cámara de Diputados; hubo seis diputados designados directamente por el presidente de la República y seis del jefe de Gobierno del Distrito Federal. A esos 40 se refiere Cravioto. Morena, su partido, dijo que esa fórmula garantizó que Mancera y Peña pudieran meter mano directamente en la nueva Carta Magna.

—Desde la Asamblea Legislativa hemos visto la relación entre los diputados del PRI, del PRD y del PAN. Mancera está entregado al Gobierno federal, a Osorio Chong y a Peña Nieto. Pero ellos y él van en la misma ruta: están desaprobados —dijo Cravioto.[30]

HAY VIDA DESPUÉS DE 2018

En el último encuentro —finales de febrero de 2017—, antes del cierre de este texto, Serrano barajó una nueva idea: la "segunda ronda" de Mancera; la posibilidad de que el jefe de Gobierno no logre la Presidencia en 2018 y que la busque en el siguiente proceso electoral.

Defendió las políticas públicas aplicadas por su jefe durante esta administración, algunas que, consideró, son impopulares, pero tendrán un efecto "más adelante".

[30] Entrevista con el autor, febrero de 2017.

—En lugar de invertir 18 años en un proceso de elección, nos vamos a los seis primeros —dijo para explicar que Mancera podría ir por la Presidencia también en 2024, si no le dan los números en esta. Y habla de "invertir 18 años" porque Andrés Manuel López Obrador y Cuauhtémoc Cárdenas, ambos de izquierda, han intentado tres veces ser presidentes de la República.

Mancera tendrá 50 y 51 años (cumple en enero) cuando recorra el país en busca de los votos de los mexicanos. Un hombre joven, sin duda. Sobre su posible acercamiento con el PRI, con el presidente Peña Nieto o con Osorio Chong, no tiene que dar explicaciones: al final, él no pertenece a ningún partido y puede hacer política como lo crea correcto. Sobre el maltrato de las encuestas, ya lo explicaba Serrano: "Si no es en esta, es en la que sigue". De la decisión de separarse de sus mentores sólo debe rendir cuentas a él mismo: López Obrador y Ebrard Casaubón también han dejado regados en su camino a muchos aliados. Y en un periodo donde la República ha sido sacudida por escándalos de corrupción e ineficiencia, sale bien librado.

Desde que puso un pie en un escenario, Mancera Espinosa se ha preparado para un gran debut. Y cada vez, se le nota, lo dice, está más convencido de que el servicio público será su futuro. Se ve, definitivamente, más allá del año 2018.

—Ser procurador es lo que siempre abracé —me dijo en una conversación.

—¿Más que ser jefe de Gobierno?

—Bueno, ser procurador ya lo veo mucho muy lejano. Era algo más cercano a mi profesión.

Mancera Espinosa vio su oficina con detenimiento, abrió discretamente los brazos y agregó:

—Pero, a la distancia, te diré que es mucho más apasionante ser jefe de Gobierno. Esto. Por todo lo que ves, por todo aquello de lo que eres responsable, por todo lo que implica. Cuando aterrizas y ves el tamaño de esta ciudad. Cuando puedes ayudar a alguien. Cuando tienes una bronca. Cuando no duermes porque estás esperando que amanezca. Cuando ya sabes que algo no va a ser nada agradable. Todo lo que implica el ejercicio de gobierno.

Hizo una pausa y concluyó:

—Algunos dicen que ésta es una época extremadamente difícil. Pero yo creo que todas las épocas son difíciles: todas tienen su chiste.

ALEJANDRO PÁEZ VARELA

es director de contenidos del diario digital *SinEmbargo.mx*. Ha sido subdirector de *El Universal* y de la revista *Día Siete*. Fue editor de *El Economista* y de *Reforma*. Es autor del libro de relatos No incluye Baterías, y de las novelas *Corazón de Kaláshnikov*, *El reino de las moscas*, *Música para perros* y *Oriundo Laredo*. Es coautor de *La Guerra por Juárez*, *Los amos de México*, *Los Intocables*, *Los Suspirantes*, *Los Suspirantes 2012* y *Los Indomable*s.

AURELIO NUÑO MAYER

El custodio del águila

SALVADOR CAMARENA

La precandidatura presidencial de Aurelio Nuño Mayer llegó a su cenit en tan sólo 11 meses. Esa posibilidad había sido lanzada al cielo electoral por Enrique Peña Nieto incluso antes de nombrar a Nuño secretario de Educación Pública, en agosto de 2015. Los conflictos magisteriales de Oaxaca marcaron el despegue de lo que, de cara a la sucesión de 2018, se veía como una joven y prometedora carta en la baraja del presidente mexiquense. Pero Oaxaca sería, también, el punto de quiebre de ese meteórico ascenso.

El domingo 19 de junio de 2016 se detuvo la marcha triunfal de Aurelio Nuño. La mañana de ese día, en Nochixtlán, una población a 380 kilómetros de la Ciudad de México a la que sólo tenían en el mapa los viajeros frecuentes a Oaxaca, la policía retiró un bloqueo carretero ligado a la protesta magisterial de la oaxaqueña sección 22 de la Coordinadora Nacional de Trabajadores de la Educación (CNTE). Inicialmente, el operativo, encabezado por la gendarmería federal, fue exitoso. La carretera fue liberada. Pero luego, en un galimatías que nadie ha resuelto, la policía se adentró en el pueblo, en día de plaza en esa entrada de la mixteca, los federales comenzaron a detener gente a diestra y siniestra, el pueblo respondió y el desastre se cobró la vida de ocho pobladores (varios policías también resultaron con heridas, e incluso algunos fueron retenidos y vejados).

Con ese sangriento choque, un ciclo de 11 meses llegaba a su fin. El 20 de julio de 2015 la administración de Peña Nieto instrumentó, a través del acomodaticio gobernador Gabino Cué, la recuperación para el gobierno estatal del órgano encargado de la educación en Oaxaca, cuya gerencia había sido cedida oficialmente a la sección 22 desde 1992. El fin de esa aberración fue aplaudida por diversos sectores de la opinión pública.

Muchos supieron leer el mensaje. El golpe más rotundo en décadas a la facción más emblemática de la CNTE —se le cancelaba la fuente de ingresos y se le quitaban las llaves de escalafones y programas educativos— se había diseñado en Los Pinos y su autor era Aurelio Nuño, el jefe de la Oficina de la Presidencia que un mes después, el 27 de agosto, sería nombrado secretario de Educación.

Montado en ese éxito contra la 22, desde su primer día en el emblemático despacho de José Vasconcelos, Aurelio machacó una retórica de "todo o nada" frente a la CNTE: no importaba si protestaban o no, habría diálogo con los maestros disidentes sólo si ese combativo magisterio aceptaba en todos sus términos la reforma educativa de Peña Nieto, incluida la polémica evaluación de los profesores. Se expulsaría a quienes no la acataran: ya fuera por ausentarse tres días, ya fuera por desatender las evaluaciones.

Las palabras del nuevo secretario de Educación fueron más allá de la retórica. No era un miembro más en el gabinete. Era uno que podía hacerse fotografiar con mandos de la Policía Federal en reuniones preparatorias de las etapas de la evaluación magisterial.

La letra de la ley y la amenaza del tolete como argumentos: ni protestas, ni marchas, ni paros laborales detendrían a la evaluación educativa. Quienes no entendieron la advertencia incluso pisaron la cárcel. En abril de 2016 fuerzas federales detuvieron al tesorero de la sección 22, y en junio, sólo una semana antes de los hechos de Nochixtlán, el gobierno hizo lo mismo con Rubén Núñez, destacado líder de esa facción disidente del magisterio, quien fue enviado a un reclusorio de alta seguridad.

Parecía que todo iba sobre ruedas para Aurelio Nuño, quien desdeñó las voces que le recordaban que si el sistema se endurece de más, es amenazado por el fantasma de la represión, que ronda a todo político mexicano desde los hechos de Tlatelolco en 1968.

Por eso, la suerte de Aurelio Nuño cambió en una sola mañana. Los muertos de Nochixtlán extinguieron de un día para otro el discurso de firmeza en la aplicación de la reforma educativa y demudaron a su vocero más intransigente. De golpe, le fue arrebatada la negociación, que regresaría a Bucareli, donde Luis Miranda, subsecretario, podría entrar de nuevo en acción plena.

Lo que siguió a Nochixtlán ha sido un guion conocido para los mexicanos. Ante la tormenta que le cayó a Peña Nieto por el fiasco policial, los líderes magisteriales de la 22, que habían sido acusados de delitos desproporcionados, salieron de la cárcel en cuestión de días y fueron considerados, de nuevo, como interlocutores válidos. Las víctimas no han tenido justicia —el gobierno se ha enredado en comisiones legislativas de seguimiento y en pesquisas ciegas que no dan con cabo alguno de responsabilidades—. Y Aurelio ha ido recuperando su voz, pero nunca más su discurso radical, lastrado por la represión en Oaxaca, por la negociación de Miranda en Chiapas, que aplacó la protesta con promesas de más recursos económicos —incluso se conoció un audio de esa negociación—, y con la devolución de los privilegios (nunca como los de antes, pero privilegios al cabo) a la sección 22, a la que el nuevo gobierno de Oaxaca le restituyó 3 600 plazas magisteriales en noviembre de 2016.

El arranque de 2017 vio a un Aurelio más sosegado. Fijo en su agenda educativa, dispuesto a bajar algunos kilos (mandó poner una caminadora en su oficina), dispuesto a cerrar su ciclo como reformador de la educación, y atento a las encomiendas que pudiera recibir del presidente más allá de la agenda educativa, pues él es uno de esos pocos que en el peñismo son llamados a revisar temas cruciales, como cuando en agosto de 2016 se anunció la visita del candidato Donald Trump, a la cual se opuso.

Si la condición de presidenciable vuelve a cobrar vida para Aurelio Nuño, será a partir de una serie de rebotes de un destino que está por escribirse. Sería, en todo caso, el retorno a la carrera sucesoria de un cuadro que durante los dos primeros años fue batuta de la única parte del sexenio de Peña Nieto que es vista como efectiva y eventualmente provechosa: la del Pacto por México. Aunque también hay que recordar que esa misma batuta no supo ejecutar adecuadas respuestas de Los Pinos ante los escándalos de finales de 2014.

En todo caso, es cierto que después de Nochixtlán, Aurelio Nuño ya sabe de caídas en primera persona, sin el amparo de la figura presidencial, algo que le faltaba en el currículum antes de que Peña Nieto lo lanzara como presunto suspirante al nombrarlo, en el verano del 2015, titular de Educación.

EL JOVEN VIEJO

Aurelio Nuño quiso invitar a Carlos Salinas de Gortari a la Universidad Iberoamericana, donde el entonces joven Aurelio presidía la Sociedad de Alumnos de la carrera de ciencias políticas y administración pública. Quería que un grupo de estudiantes conversara con el mandatario de Agualeguas.

El periodo presidencial de Ernesto Zedillo había llegado a su fin, a pesar de ello Salinas era un personaje todavía muy polémico, para muchos el villano máximo. No para Aurelio, que por entonces sabía de memoria pasajes del libro del expresidente.

Las visitas a México del político autoexiliado en Cuba, Londres y Dublín, que era visto como el causante de la crisis económica de 1994 —la cual devoró el patrimonio de millones de familias—, eran tan polémicas que incluso se les asociaba con temblores, porque alguna vez esos eventos llegaron a coincidir.

Así que Salinas cuidaba al máximo sus presentaciones en público. Aurelio tocó la puerta de José Carreño Carlón, entonces catedrático de la Iberoamericana, para preguntar qué se necesitaba para lograr el diálogo con el expresidente.

La relación de cosas que se le pidieron a Aurelio para siquiera intentar el trámite de la visita habría disuadido a cualquiera, comenta alguien familiarizado con el encuentro, que tendría lugar en 2002.

Se le demandó la lista y los perfiles de los estudiantes que asistirían, específicas medidas de seguridad y logística que implicaban negociar con diversas instancias de la Iberoamericana, riguroso temario de los asuntos por plantearle al expresidente y, por supuesto, confidencialidad absoluta.

A las pocas semanas Aurelio había resuelto cada una de las solicitudes. "Lo mismo invitaba a López Obrador que a Carlos Salinas de Gortari. Eran conversaciones dirigidas por él, sin complejos ni temores. Aurelio pertenece a una generación de lo que alguien llamó el *México emergente*. No tienen ataduras, son abiertos a conocer personas, sin barreras, sin prejuicios", cuenta José Carreño Carlón, hoy director del Fondo de Cultura Económica (FCE), donde se ha desempeñado desde el arranque de la administración de Enrique Peña Nieto y que en los hechos depende de la Secretaría de Educación Pública (SEP) presidida por Nuño.

En la Iberomericana Aurelio se graduó de la licenciatura con honores, por lo que no tuvo que hacer tesis de título de grado. De su paso por esa universidad se ha dicho que sus compañeros le oyeron declarar que no tenía tiempo para divertirse, puesto que se estaba preparando para ser primer mandatario: "Ustedes nunca van a llegar a ser nadie; y yo en cambio voy ser presidente de la República".

Esa versión, publicada por Salvador García Soto (*El Universal* 27/04/2015), ha sido desmentida por el propio Aurelio, quien en una entrevista con Adela Micha (https://youtu.be/cAt9IItn_2A) dijo que esa aseveración "es una jalada, no es cierto".

Lo que sí aceptó Aurelio en esa misma conversación es que fue "más o menos [*nerd*], un poco, pero poco, no creas que tanto, siempre me ha gustado estudiar, siempre fui bastante normal, y promedio. Me ha gustado mucho la historia, la política, siempre me han apasionado las cosas con la historia, las ciencias sociales, con el servicio del país, con la política".

Alguien que coincidió en esos años con Aurelio en la Iberoamericana cree que es posible que las dos versiones tengan algo de cierto. Por la forma en que Nuño se concentraba en sus tareas académicas y de activismo estudiantil, cualquiera de sus compañeros habría llegado a la conclusión, expresada o no verbalmente, de que Aurelio prefería pasar de los reventones porque se estaba preparando para un futuro en la política.

El Aurelio de entonces, detalla esta misma fuente, que como tantas otras solo habló a condición del anonimato, es similar al actual: formal hasta un punto que parece engreído, torpe socialmente a un grado que se le etiqueta como petulante, con un singular sentido del humor (en enero de 2017 llegó una hora tarde a un brindis de Año Nuevo con los reporteros y, al saludar a los camarógrafos, no se le ocurrió nada mejor que decir: "¿Qué, ya echaron raíces?"), sin gracia para el baile —él, que en diciembre de 2014 se casó con María Aliaga, bailarina profesional de flamenco—, pero sobre todo incapaz de abandonar el rictus de alguien que se sabe con una gran responsabilidad, ya sea en la campaña electoral y en la transición de 2012, más aún en los tiempos de la Oficina de la Presidencia, primer puesto que le encargó Peña Nieto, o desde la Secretaría de Educación Pública, su actual encargo.

"Es un joven viejo —ha definido otro interlocutor frecuente de Aurelio—. Capaz y empeñoso, pero joven viejo."

Aurelio representaría como pocos la dualidad de la administración Peña Nieto. Un discurso lleno de ambiciones para México: las reformas, la transformación de un país atrasado y atávico. Pero al mismo tiempo un desdén por la ciudadanía, por sus organizaciones, por la opinión pública, por aquellos que no agradecen el esfuerzo gubernamental y no le dan suficiente crédito al gobierno.

Su virtud es su dolencia. El arduo trabajo que requirió aterrizar el Pacto por México, redactar y sacar adelante 13 reformas constitucionales, el empeño para seguir el guion sin distraerse ni equivocarse.

Ese tesón para amanecerse muchas madrugadas en la oficina de Los Pinos, guardián del trazo de la revolución legal plasmada en los 95 compromisos del Pacto con el que sacudió al país el peñismo en su arranque.

Y porque lo pudieron hacer, con Aurelio de amanuense asumiendo para sí el papel de guardián de la fe del Estado peñista, por eso mismo, por ese meterse en la piel del gobierno, Nuño no supo ver que pasadas las reformas México pedía abordar sin dilación otras agendas: la injusticia, la impunidad, la corrupción.

Quizás esa ceguera de taller llevó a Aurelio al desplante de finales de 2014. Mientras la población reclamaba por los 43 desaparecidos de Ayotzinapa o por el escándalo de la Casa Blanca —ese inmueble comprado por la esposa de Peña Nieto a uno de sus contratistas—, él prefirió defender las reformas: "La segunda agenda del sexenio es acelerar las reformas de la primera agenda", dijo al diario *El País* en diciembre de 2014 en una entrevista que se volvió famosa porque Aurelio fustigó a los críticos del gobierno, al advertir que no les harían caso: "No vamos a ceder, aunque la plaza pública pida sangre y espectáculo, ni a saciar el gusto de los articulistas."

Aurelio optó por cuidar un legado embrionario, sin darse cuenta de que apostar su suerte a los frutos de las reformas, desoyendo los otros reclamos de la sociedad, pondría en riesgo la aplicación de las mismas.

Aurelio no quiso ver que los errores del otoño de 2014 —el desastroso manejo gubernamental de las crisis de Iguala y la fallida explicación de Angélica Rivera en YouTube— le quitaron la iniciativa a Los Pinos y minaron la legitimidad de los dos años de las reformas.

El problema de Aurelio, comentó una de las personas consultadas, es que nunca pasó por la iniciativa privada, no ha tenido otras experiencias laborales que no sean en la política, y le gusta mucho el gobierno.

Otros amigos de Nuño reconocen que le hizo falta más calle, que ha estado demasiado adentro de la política, ya sea como estudiante de la misma o como funcionario.

"Le encanta el espejo, la elegante figura de poder, se adora, y no acepta fácilmente la crítica, tiene la piel demasiado sensible", dijo alguien que lo conoce.

Como en sus años de la Iberoamericana, a Aurelio le gusta la interlocución, pero en la misma no puede evitar hacer sentir lo que él asume como su responsabilidad: él representa al Estado, y tiene que hacer sentir ese peso. "Lo ve como una obligación", dice otra persona que a menudo sostiene diálogos con el secretario. "Él personifica al Estado. Él asume ese rol. Y se siente obligado a dejárselo claro a quienes desafían al gobierno", sean empresarios, opositores o sindicatos, abunda esa otra fuente.

Entre los colaboradores de Aurelio llegué a escuchar una frase que coincide con la visión de saberse empoderado y con responsabilidad.

Fue en el contexto de la crisis en Michoacán, donde se mantuvo atento a las tareas del enviado Alfredo Castillo, que semanalmente regresaba a la Ciudad de México a reportarle el parte de guerra donde las autodefensas primero fueron aupadas por el gobierno y luego desechadas.

Cuando pregunté sobre los motivos para detener a Hipólito Mora o el doctor José Manuel Mireles, iniciadores de la revuelta ciudadana en contra de los cárteles de la droga y de la extorsión, e inicialmente aliados del gobierno federal, la respuesta fue: "Tiene que quedar claro que el aguilita no se presta."

Aurelio cuida "el aguilita" como nadie. Ganamos el gobierno, el escudo nacional es nuestro y no lo compartiremos, era el mensaje.

"Incluso en los buenos momentos de negociación —dice una de las personas consultadas— Aurelio no podía evitar dejar en claro que ellos tenían el poder, que debía renunciarse a criticar al presidente."

Dejaba claro que no se debían meter con "el aguilita".

Exactamente. No meterse con el presidente, pero, también, no quitarle el crédito ni a él, ni al gobierno.

"Es un cruzado de su función como hombre de Estado. Se vistió del Estado mexicano y en defensa de éste se enfrenta a empresarios que se sienten con derechos a imponer la agenda", dijo otra fuente.

No solo a empresarios. Mediante espontáneos telefonemas o mensajes en WhatsApp, lo mismo defiende un nombramiento gubernamental, que reclama por una postura o un editorial.

Es su sello más característico: hacer sentir el peso del águila.

LOS FILOS DE LA INTELIGENCIA

La niña Andrea Lomelí, de ocho años de edad, le quiso decir algo al oído al secretario de Educación, quien desde que llegó a ese cargo, no pasa semana sin visitar una o varias escuelas. Aurelio Nuño se acercó a Andrea para escucharla. Ambos estaban en el Parque Bicentenario, nueva sede de la Feria Internacional del Libro Infantil y Juvenil. El micrófono reveló el diálogo y el ministro quedó exhibido por un tema de dicción.

"Seguro van a *ler*, ¿sí o no? ¿Ustedes van a *ler*?", había preguntado Nuño a los niños que visitaban la feria de libros esa mañana del 14 de noviembre de 2016. Al despedirse de los niños que le habían acompañado en el templete, Andrea, estudiante de tercer año de primaria, corrigió al secretario de Educación: "No se dice *ler*, se dice *leer*". Aurelio repuso, incluso con una risa, "eso, se dice *leer*, leer, muy bien Andrea".

La escena se convirtió en la gracejada mediática del día, tanto en las redes como en los medios de comunicación, que se regodearon difundiendo el incidente. El maestro corregido por la estudiante.

Lo paradójico es que ese patinón con la lectura (tema que ha marcado el sexenio desde que Peña Nieto fuera incapaz en 2011 de nombrar tres libros que influyeran en él, o de que se haya revelado que la tesis de licenciatura del primer mandatario está plagada de fragmentos *pirateados*) le haya ocurrido precisamente a él, a Nuño, quizás el funcionario que más se prepara, al menos académicamente, para sus tareas, cosa que lo ha llevado a ser estimado por sus maestros y por sus jefes.

En la década pasada Alan Knight se quejó con José Carreño Carlón. El académico británico, profesor de Nuño en Oxford, se dolía de que Aurelio hubiera decidido regresar a México a incursionar en la política.

"Alan me habló un poco descorazonado", recuerda Carreño. El profesor se lamentaba de que Aurelio truncara la carrera académica cuando estaba preparado para "un desarrollo de clase mundial".

El entonces académico de la Ibero le contestó a Knight que no se preocupara, que si a Aurelio no le gustaba la política, seguro iba a regresar a la academia. Diez años después, eso no ha ocurrido.

Porque Aurelio se preparó desde pequeño para entender el poder desde la cuna misma. Su madre es la doctora Leticia Mayer Celis, antropóloga e investigadora de la Universidad Nacional Autónoma de México (UNAM). Aurelio nació el 12 de diciembre de 1977. Sus padres se separaron cuando Nuño tenía un año de edad. Sin distanciarse de su progenitor —Aurelio Nuño Morales, arquitecto de profesión y que procreó después otros tres hijos, Isabel, Andrés y Ana, con quienes el secretario de Educación afirma mantener buenas relaciones—, Aurelio tuvo en la nueva pareja de su madre, Roberto Varela, a una figura clave en su desarrollo profesional. La propia Leticia Mayer lo contó así en octubre de 2004 en un texto donde se homenajeó al catedrático de la Universidad Autónoma Metropolitana (UAM), en ocasión de sus 70 años de edad:

La influencia intelectual de Roberto alcanzó también a mi hijo. Aurelio siempre ha querido mucho al Flaco. Lo conoció cuando apenas tenía dos años. Esto fue en una cena en mi casa con los compañeros del seminario. Mi hijo llevaba su pijama de Superman y bajó las escaleras corriendo para saludar; cuando Roberto lo vio, le preguntó: "¿Sabes volar, Superman?". Y Aure, sin dudarlo, se le aventó a los brazos en un intento por remontar las alturas. Sin embargo, y a pesar del gran cariño que siempre ha existido entre ellos, Aurelio no descubrió al docente sino hasta que entró a la universidad. En ese momento y durante las comidas dominicales encontró al gran maestro, al que no sólo enseña, sino que invita a pensar, a reflexionar y sacar conclusiones propias. A partir de entonces yo pasé a ocupar el último lugar de las comidas dominicales, posición que mantengo hasta el momento. De la cátedra se pasó a las preguntas y de éstas al debate, cada vez con argumentos más finos, hasta llegar, como el mismo Roberto diría, "a partir pelos en el aire". Realmente yo no tengo con qué agradecer esta generosidad del Flaco.[1]

Varela fallecería al poco tiempo. La huella que dejó en Nuño fue expuesta por el propio Aurelio en un texto publicado en 2005 en *Alteridades*, revista de la UAM Iztapalapa. El ensayo lleva por nombre "El poder y la ciencia política", y expone la ruta que le fue marcada por el Flaco. Vale la pena citar un amplio extracto de ese documento, porque es una singular pieza que combina autorretrato personal con perfil profesional:

> Durante más de 20 años me unieron estrechos lazos familiares con el Flaco. Fueron lazos de un gran cariño construido en la cotidianidad de la vida. En el espacio en el que se crean los valores del respeto, la solidaridad, la responsabilidad y la fraternidad. En donde se aprende a disfrutar la vida. En palabras del propio Flaco: él me domesticó.
>
> Sin embargo, nuestra relación no se restringió al espacio familiar y sus diversos episodios parroquiales. En 1998 decidí estudiar ciencias políticas. A partir de ese momento iniciamos un nuevo tipo de relación: maestro-alumno. Fueron siete años de innumerables conversaciones, en ocasiones acaloradas discusiones. Sin embargo, existió un momento que marcó un antes y un después en nuestras pláticas, así como en mi forma de pensar, observar, argumentar e intentar analizar los fenómenos políticos.
>
> No recuerdo ni la fecha ni el lugar preciso. De lo que sí estoy seguro es de que fue durante el primer año de mi carrera, un domingo y en algún restaurante del sur de la Ciudad de México. La escena la recuerdo con claridad. Mientras el Flaco tomaba una copa de tequila y fumaba un cigarro, yo les platicaba con gran entusiasmo, a él y a mi mamá, sobre mis clases y lecturas de institucionalismo (en aquel entonces y hasta cierto punto a la fecha, la corriente de moda en el mundo de la ciencia política).
>
> Mis argumentos se centraban en la importancia de los diseños institucionales y constitucionales para entender la estabilidad polí-

---

[1] https://revistabricolage.wordpress.com/2004/10/01/domingos-con-el-flaco-homenaje-al-dr-roberto-varela/

tica y el buen funcionamiento de la economía de mercado, como lo plantea el Premio Nobel de Economía, Douglass North. Como derivación de esta importancia institucional, introduje los argumentos del politólogo Juan Linz con el fin de comprobar que los sistemas parlamentarios tienen mayores virtudes que los presidenciales para garantizar la estabilidad política en regímenes democráticos. Incluso me atreví a decir —siguiendo los argumentos de Linz y Arturo Valenzuela— que si Chile hubiera sido un sistema parlamentario, probablemente el golpe de Estado de 1973 no hubiera ocurrido.

El Flaco me escuchaba con una paciencia que empezaba a transformarse en desesperación. No recuerdo si alcancé a terminar mis alegatos o si él me interrumpió en algún momento. Lo que viene a mi memoria, palabras más palabras menos, fue su respuesta: "Después de escucharte me queda muy claro que la ciencia política sigue sin evolucionar y sirve de muy poco para analizar y entender la política".

Evidentemente me quedé helado. Fue la primera de muchas "cubetadas de agua fría". El Flaco, como buen provocador, esperó mi reacción antes de continuar. De inmediato recurrí a los "argumentos de autoridad": "Cómo puede estar mal el institucionalismo si lo plantea un Premio Nobel de Economía, Juan Linz es profesor emérito de la Universidad de Yale", etcétera, etcétera. Cuando finalicé, él retomó su argumento: "El problema de los politólogos es que se dedican a estudiar estructuras de poder y no han sido capaces de desarrollar una teoría que explique qué es el poder. Sin una estructura clara y precisa sobre el poder, los análisis institucionales y de diseños constitucionales se reducen a argumentos ingeniosos y aparentemente lógicos que se pueden acomodar con facilidad al gusto del autor".

Después de esta amable pero ruda sentencia me dijo algo así como "deja de perder el tiempo y mejor lee a Adams". Finalizó con una breve descripción del modelo teórico del antropólogo estadounidense. Me quedé fascinado, la verdad, al igual que le pasó a mi mamá cuando lo conoció, más con el maestro que con su explicación, que en ese momento entre la copa de tequila y la botella de buen vino español, poco entendí.

(Tras leer a Adams y al propio Varela) entendí que las formas de participación política y el comportamiento de sus actores están más relacionados con el tipo de estructuras de poder, es decir, con el tipo y cantidad de controles que se tengan sobre el ambiente y no tanto con su cultura. En pocas palabras, el Flaco logró convertirme en un hereje de la ciencia política, que desde ese momento hasta la fecha ha intentado llevar la teoría de Adams y los planteamientos del Flaco a los temas que nos preocupan a los politólogos: estabilidad política en sociedades complejas, gobernabilidad en sistemas parlamentarios y presidenciales, relación entre poderes, dinámicas en el interior de los congresos o parlamentos, relaciones entre estructuras de poder nacionales, locales e internacionales, entre otros. (*Alteridades*, 2005 15 (29), pp. 139-140: http://www.redalyc.org/pdf/747/74702915.pdf).

Sobre eso de ser un hereje de la ciencia política, nueve años después hablaría con Mayolo López, del diario *Reforma*, entrevista en la que no solo recordó que Varela le "enseñó todo el mundo de la antropología política, que es un mundo fascinante, particularmente un autor estadounidense, Richard Newbold Adams, que desarrolló en los años setenta una teoría social sobre el poder, en el libro *Energía y estructura* (FCE, 1983), una teoría bastante sofisticada sobre el poder", sino que también se describió como un "politólogo interesado en entender cómo funcionan las relaciones de poder, muy abierto a la interdisciplina. Me encanta la historia. Los estudios que hice de postgrado en Oxford, los hice concentrado en temas de historia. Mi tesis fue sobre el proceso político de reconstrucción del sistema fiscal después de la Revolución en los años 20; entonces, sí: siempre he buscado tener una formación mucho más integral y generalista, con distintos enfoques".

Ese Aurelio es el que, para pesar de Alan Knight, abandonó Oxford en 2008 para enrolarse en la política, en la que comenzó a adentrarse años antes, de la mano de Enrique Jackson, coordinador de los priistas en el Senado entre 2000 y 2006.

Al ingresar de manera plena a la política, cuando se convirtió en parte del equipo de Luis Videgaray en la Secretaría de Finanzas del Estado de México, Aurelio llegó con su título de licenciatura en ciencias políticas y administración de la Ibero, a donde había ingresado en 1998. Con el lema "Pensar la acción y actuar el pensamiento" su planilla, llamada Binomio, se impuso en la elección por la presidencia de los alumnos de su carrera.

Según ha publicado Katia D'Artigues, es admirador de Emiliano Zapata (su bisabuelo Francisco estuvo en la Revolución con el Caudillo del Sur), su escritor favorito mexicano es Sergio Pitol, le va a los Pumas, escucha con regularidad a Mozart, pero también a Soda Stereo y a The Cure.

El ejercicio que más frecuentemente realiza es en la caminadora. Su *whisky* favorito, desde tiempos de la maestría, es el Lagavulin, y no desprecia un vino tinto. Quienes le han visto en situaciones sociales, le reconocen capacidad para divertirse fuera de la política, contar chistes y fumarse un par de puros.

Su dedicación al estudio ha sido una constante. Con el propio Varela tomó cursos particulares, asistía una vez a la semana junto con su amigo Roberto Velázquez, pero también iba más allá de los ámbitos de la Iberoamericana o la UAM de Varela. Se acercó al Centro de Investigación y Docencia Económicas (CIDE) y también frecuentó el entorno del fallecido Alonso Lujambio.

De ahí la paradoja de lo ocurrido esa mañana de noviembre de 2016 con la niña Andrea. A este maestro en estudios latinoamericanos por la Universidad de Oxford (St Antony's, College), de quien sus propios críticos destacan que siempre hace la tarea y devora cuanto documento le presentan, que domina los temas al punto de abrumar a sus interlocutores, que intercambia con no pocos amigos novedades editoriales del ámbito social, que está al día de las publicaciones del Fondo de Cultura Económica, en cuyas sesiones de consejo regularmente discute autores y temas de política pública con Roger Bartra, José Woldenberg, Rolando Cordera, Claudio Lomnitz, entre otros, de ese funcionario se puede decir que quizá no habla bien, pero de que ha leído, sí que lo ha hecho.

ASCENSO AL PODER

Esa tarde del verano de 2012 en el restaurante Lampuga de la colonia Condesa, lejos de mostrarse exultante, Aurelio Nuño lucía contrariado. Cualquiera habría dicho que su semblante no correspondía al de alguien que había contribuido, desde la coordinación de mensaje y mercadotecnia política del Partido Revolucionario Institucional (PRI), a la victoria de Enrique Peña Nieto.

Aunque Nuño tendría que pagar la comida, pues semanas atrás había apostado a sus contertulios de esa ocasión que la victoria priista sería por dos dígitos, el triunfo no tenía defecto, ni motivo para evitar el festejo: a pesar de que Peña Nieto no ganó por más de diez puntos porcentuales, como apostaba Aurelio, los más de tres millones de votos (o más de seis puntos porcentuales) que el PRI sacó de ventaja a Andrés Manuel López Obrador fueron suficientes para que el retorno del tricolor a Los Pinos no se viera empañado por grandes protestas o ruidosas denuncias de fraude del tabasqueño, como había ocurrido en los comicios presidenciales de seis años antes.

En esa comida Aurelio no dejó en ningún momento su parsimoniosa formalidad, pero sí fue evidente el cambio de su discurso. Desde las primeras horas del triunfo de Peña Nieto, él dejó claro a todo el mundo —periodistas los primeros— que la página electoral había quedado atrás y pidió que se nombrara al ganador como presidente electo, iniciando la imposición de los rituales a los que son tan afectos los priistas, y en particular los del Estado de México.

En Aurelio recayó, durante la transición que fue instalada por Peña Nieto al arrancar septiembre de 2012, la tarea de coordinar los trabajos en el tema educativo. Si se ven las imágenes de ese día del anuncio del equipo de transición, se puede apreciar que Aurelio no aparece cerca del presidente electo. En los siguientes meses esa distancia sería borrada, hasta constituirse en lo que algunos columnistas llegaron a nombrar como la tríada del poder: compuesta por Luis Videgaray, quien resultaría nombrado secretario de Hacienda, Miguel Ángel Osorio Chong, que se convirtió en el titular de Gobernación y Aurelio Nuño, que fue ungido como jefe de la Oficina de la Presidencia, cargo en el que se convirtió en uno de los pocos con acceso al oído presidencial y en el que amasó un poder que lo llevó a ser considerado por los columnistas políticos, a la vuelta de unos cuantos meses, en un posible candidato presidencial.

La presidencia de Enrique Peña Nieto arrancó sacudiendo a México. A las pocas horas de asumir el poder, el nuevo mandatario presentó un acuerdo, tan inédito como ambicioso. En completo secreto, el naciente gobierno había logrado un centenar de compromisos, un importante manojo de reformas, que contaban con el visto bueno de los principales partidos de oposición: el Partido Acción Nacional (PAN) y el Partido de la Revolución Democrática (PRD) firmaron, junto con el PRI, ese listado de compromisos que se volverían famosos porque su nombre sería la piedra de toque de un año y medio de lustroso gobierno para los priistas: el Pacto por México.

Negociado en los meses finales de la presidencia de Felipe Calderón, a instancias de una propuesta perredista de los líderes de esa organización conocidos como Los Chuchos (Jesús Ortega y Jesús Zambrano), con la oficiosa intermediación del polémico exgobernador de Oaxaca José Murat, el PAN de Gustavo Madero secundó la idea perredista, y Luis Videgaray y Miguel Osorio Chong operaron el acuerdo en nombre de Peña Nieto.

Esa negociación probó la valía de Aurelio Nuño. Los negociantes dispusieron de una mesa redactora de todos los acuerdos, un equipo que tendría que llegar al texto que fuera materialización de los alcances y límites de cada uno de los 95 compromisos del Pacto por México.

Esa mesa redactora estaba conformada por un representante de cada negociador: Juan Molinar Horcasitas por el PAN, Carlos Navarrete por el PRD y Aurelio Nuño por el PRI.

Aurelio resultó crucial en la redacción del acuerdo por diferentes razones. Dispuso de distintos equipos para que fueran bosquejando tanto las implicaciones legales y operativas de cada una de las propuestas acordadas, como la redacción de las iniciativas que habría que presentar apenas asumiera el poder el nuevo presidente.

En todo el tiempo, Nuño tenía en su computadora personal el control de los documentos más avanzados y, por tanto, más confidenciales. De forma tal que cuando se reunía la llamada "Mesa Pony" (por aquello de que la mesa principal estaba en otro lado), Molinar y Navarrete hablaban, pero sólo Aurelio tomaba notas en su computadora. A la postre, ello le dio control a Nuño sobre la redacción final y garantizó que no hubiera filtraciones que descarrilaran tan delicado acuerdo.

Es el Pacto por México el que confirma la capacidad ejecutiva de Aurelio, que ya antes había demostrado su utilidad, no sólo en la campaña de Peña Nieto, sino antes, en la de 2011 del Estado de México, donde estuvo con Luis Videgaray.

Ya luego se haría famoso por su tendencia a trabajar largas jornadas, que empiezan, aun hoy en la SEP, antes de las 7 a. m. y terminan pasada la medianoche. Esa misma capacidad le hizo acumular poder, y con este comenzaron a notarse algunas otras características, como desestimar la crítica e incluso recurrir a la presión sobre empresarios y opositores al peñismo.

En la ya citada entrevista con Mayolo López de *Reforma*, el reportero destacaba que "por la oficina de Nuño pasan, cotidianamente, los asuntos más importantes y delicados: él coordina las secretarías de Estado, supervisa y palomea los proyectos de ejecución de políticas públicas. Pero, además, es la cara más visible hacia fuera en la relación gubernamental para con el Legislativo y la iniciativa privada".

Por su parte, en esa misma charla, el propio Aurelio describía su papel en el armado de las reformas y el alcance de las mismas:

—Con el Pacto por México, ¿dejaron la mesa puesta para que el gobierno se hiciera de gobernabilidad?

—Creo que el Pacto fue un gran ejemplo de cómo se puede construir políticamente una gobernabilidad democrática.

—¿Usted está atrás de ese ánimo reformista?

—Yo contribuyo desde mi responsabilidad, no solamente al ánimo, sino al compromiso y al ímpetu que tiene el presidente por el reformismo y por la transformación del país.

—¿Cuál fue el papel que Aurelio Nuño desempeñó para concebir, instrumentar o darle vida al Pacto?

—Tuve el privilegio de que el presidente me permitiera participar, durante el periodo de transición, en la última etapa de lo que fue la negociación, concretamente en la parte de arrastrar el lápiz en la construcción del Pacto con Juan Molinar (PAN) y Carlos Navarrete (PRD). Un servidor desde ahí tuvo la oportunidad de estar en la concepción inicial del Pacto y, después, en algunas partes del diseño de las reformas y, por supuesto, en la negociación política de ellas.

"[…] Las reformas abarcan prácticamente todo el espectro de lo político, lo social y lo económico. Pero la dimensión de esta reforma es inmensa.

"Hemos dado un paso que era fundamental, que no se había dado en la transición a la democracia, y que nos permite pasar, finalmente, del proceso de transición al proceso de consolidación democrática", asegura.

Por el momento que vivía el peñismo, hubo quien leyó en esa entrevista el surgimiento de un nuevo gran operador político.

Por ejemplo, Ciro Gómez Leyva publicó (09/06/14) que

en una espléndida entrevista con Mayolo López, Nuño se presentó ayer sin desdoro como un operador activo, especialmente en el proceso reformador de la administración peñista.

Habló de la obligada discreción que imponen el puesto y cargo, pero proyectando una imagen de personaje, de protagonista.

Como adorador de la historia que afirmó ser, debe saber que al menos Córdoba y Liébano concluyeron sus carreras políticas el día que apagaron las luces de sus despachos en Los Pinos. Pero él tiene 36 años. Es decir, tiene un potencial de cuatro décadas por delante [sus pares en otros sexenios (nota del autor)].

En ese mismo sentido, un par de meses después, el 22 de agosto de 2014, Pablo Hiriart, en su columna *Uso de razón,* publicó:

Dentro de Los Pinos, Aurelio Nuño creció como la espuma en la articulación y sostenimiento del Pacto por México. Desde los priistas más tradicionales hasta enconados miembros de la oposición, todos hablan bien de Nuño. Aún no he conversado con nadie que hable mal de él. Por algo será. Sus virtudes lo mismo justifican darle nuevas encomiendas o dejarlo donde está.

Pero era el verano de 2014, semanas antes de la tragedia de los 43 estudiantes desaparecidos en Iguala, semanas antes de la revelación de la compra de la llamada "Casa Blanca" por parte de la esposa del presidente a un contratista de los gobiernos de Peña Nieto.

En torno a esos eventos, o mejor dicho, sobre la manera en que se respondió desde Los Pinos ante esos escándalos, más de un año después, Raymundo Riva Palacio publicaría este balance sobre el estilo de Aurelio en la Oficina de la Presidencia:

No es secreto que, a lo largo del tiempo, Nuño ha lastimado a muchos de sus interlocutores. En el inicio de la administración amenazó a empresarios con meterlos a la cárcel. Fue quien mayormente encapsuló al presidente Enrique Peña Nieto en Los Pinos y autor de algunas de las decisiones que aún le cuestan, como decidir que fuera la primera dama, Angélica Rivera, la que respondiera en televisión las acusaciones de corrupción por la Casa Blanca, o sostener que el crimen de los normalistas de Ayotzinapa era un tema municipal en el que no debía involucrarse. También es quien insistió en que el mensaje presidencial utilizara la palabra "reformas", pese a que las encuestas muestran que esa palabra está contaminada y sólo genera negativos. Nuño se convirtió en el *alter ego* del presidente, en una simbiosis extraña que le llevó a decir, cuando se analizaban los ajustes del gabinete, frases como "no lo hemos decidido" o "no lo vamos a hacer", como si la presidencia fuera un cargo compartido. (*El Financiero* 13/10/2015).

En diciembre de ese año en Los Pinos parecían más que satisfechos con la labor de Nuño y con la línea adoptada por el jefe de la Oficina de la Presidencia: no salirse de la agenda de las reformas. Dos hechos dan cuenta de ello.

El 6 de diciembre de 2014 el periódico *El País* publicó las declaraciones que lo han hecho famoso como alguien firme o intransigente, según se quiera ver. En la entrevista, titulada "México acelera las reformas para desactivar el otoño del descontento", los autores (Luis Prados y Jan Martínez) consignan que

Aurelio Nuño es consciente de que el país vive una profunda crisis de confianza y reconoce que la "estrategia de comunicación no está funcionando". Anuncia, sin concretar, cambios inminentes en este campo. "No es fácil cambiar las llantas con el coche en marcha", afirma. Pero deja claro que la urgencia en los cambios que pide la opinión pública no va a marcar el rumbo.

El jefe de gabinete del presidente es tajante: "No vamos a sustituir las reformas por actos teatrales con gran impacto, no nos interesa crear ciclos mediáticos de éxito de 72 horas. Vamos a tener paciencia en este ciclo nuevo de reformas. No vamos a ceder, aunque la plaza pública pida sangre y espectáculo, ni a saciar el gusto de los articulistas. Serán las instituciones las que nos saquen de la crisis, no las bravuconadas".

Enseguida agregó: "Nuestra intención no es castigar a nadie ni ir en contra de nadie. No haremos pagar a nadie la salida de la crisis ni vamos a hacer populismo económico. No habrá represión. La segunda agenda del sexenio es acelerar las reformas de la primera agenda".

Sus palabras no cayeron bien, fueron vistas como una negativa a la apertura de diálogo, a rechazar la revisión de la marcha de un gobierno que era criticado por el torpe y tardío manejo de la exigencia social de justicia por los 43 estudiantes de la normal rural de Ayotzinapa, desaparecidos en Iguala el 24 de septiembre anterior, y por la elusiva respuesta gubernamental al escándalo por conflicto de intereses y presunta corrupción en el tema de la Casa Blanca de la familia del presidente.

Aurelio no varió el tono. La crítica al gobierno era desestimada como una respuesta previsible ante la agenda de reformas emprendidas por Peña Nieto.

En un gesto que le ganó visibilidad, pues ninguno de sus antecesores había sido distinguido con una invitación similar, Aurelio Nuño fue el encargado de dar el discurso en ocasión del aniversario luctuoso de José María Morelos y Pavón, el 22 de diciembre.

En su intervención, Nuño aplaudió al presidente, y lo comparó con Morelos. La lucha de Morelos, dijo:

nos recuerda que nuestra Nación se ha forjado en la adversidad. Hoy, como en aquellos tiempos y como siempre ocurre cuando se impulsan cambios profundos, las resistencias vienen de quienes no quieren perder sus privilegios, y de quienes creen que no todos merecemos las mismas oportunidades [...] la lucha de Morelos también nos recuerda que, una vez que inicia el cambio por la igualdad y la libertad, no importa la fuerza de las resistencias: la transformación es imparable.

Agregó:

nos lo ha dejado claro el presidente de la república, Morelos no sólo ha sido su inspiración, sino la guía de su acción [...] Nos honra ser parte de una nueva generación reformadora de este país. Por eso, con gran convicción y con gran emoción en esta batalla interminable, estamos con usted, [que] tuvo el valor de no prometer soluciones fáciles, sino plantearle a la Nación los grandes retos que debemos vencer entre todos.

Aurelio, el joven priista, cosecharía críticas por ese discurso, tan igual al de los viejos priistas de antes frente a cualquier presidente priista de antes. Pero también hubo quien vio en esa ocasión el anuncio de que en Los Pinos le darían permiso de crecer como un probable precandidato.

Rumbo a la SEP

Antes de salir de la Oficina de la Presidencia, las columnas políticas consignaron el intento de Peña Nieto de enviar a Aurelio Nuño a dirigir al PRI, en lugar de Manlio Fabio Beltrones. "Eso nunca estuvo en su órbita", dicen un par de excolaboradores de Aurelio.

Por entonces, la oficina de Nuño se había convertido en una pasarela de empresarios, gobernadores y funcionarios de distinto nivel. "Ahí los veías, a esos que nunca hacen fila o esperan en ningún lado", apunta una fuente.

El horario en las oficinas de Nuño es estirado al máximo: suele tener citas de comida a media tarde o cenas de trabajo a la medianoche. En la presidencia tenía una reunión semanal llamada *Com Com*, por comité de comunicación.

Ahí analizaban la agenda pública de los días por venir publicistas como Ana María Olabuenaga, el ejecutivo de Televisa Leopoldo Gómez, el encuestador Ulises Beltrán, la directora de estrategia digital Alejandra Lagunes, el vocero presidencial Eduardo Sánchez, el entonces encargado de la Marca México Paulo Carreño, el consultor Gabriel Guerra Castellanos, Andrés Massieu —que ha tenido tres cargos en la Oficina de la Presidencia, entre ellos la coordinación general de esa dependencia y coordinador de mensaje—, José Carreño Carlón, director del FCE, y Rodrigo Gallart, coordinador de Opinión Pública.

En esas fechas Aurelio podría citar a acuerdo a sus colaboradores pasada la medianoche, en espejo con la agenda trasnochadora de su jefe. Así que no era raro que tuviera comunicación con el presidente al tenor de las dos o tres de la mañana.

A la llegada del año 2015, y mientras la disonancia entre el gobierno y la sociedad crecía, Aurelio Nuño preparó el golpe maestro que podría aplanar el camino de una de las reformas a la que más cariño tenía: la educativa.

Si aprobar esa reforma fue posible luego de detener a Elba Esther Gordillo y asegurar la lealtad de Juan Díaz de la Torre, el líder del Sindicato Nacional de Trabajadores de la Educación (SNTE), implementarla hasta su última capacidad pasaba por anular la resistencia de la disidencia magisterial, agrupada en la CNTE, cuya sección 22, con sede en Oaxaca, era la más visible en sus protestas.

El golpe fue diseñado por Nuño, que en una muestra más de su capacidad de articulación de encargos específicos, organizó el operativo mediante el cual se quitó a la sección 22 el control del Instituto Estatal de Educación Pública de Oaxaca (IEEPO), órgano que había sido entregado al sindicato 24 años atrás.

En plena celebración de la Guelaguetza, sin darles tiempo de responder ni violenta ni cívicamente, con su palanca de presión mermada, pues en vacaciones no podrían chantajear con suspender las clases, la CNTE vio cómo, el 20 de julio de 2015, le era arrebatado el control de las plazas, los nombramientos, la caja y, en una palabra, el destino de la educación de los niños oaxaqueños y del futuro laboral de los educadores.

> Nadie se había atrevido a tocar a la Coordinadora, y en esta ocasión se le puso un freno en su bastión más duro, Oaxaca, y en el corazón que irrigaba con dinero todo el cuerpo de la CNTE: el IEEPO.
>
> La operación preparada paso a paso por Aurelio Nuño, jefe de la Oficina de la Presidencia, y por el secretario de Gobernación, Miguel Ángel Osorio Chong, es un mensaje a toda la CNTE de que las reglas del juego cambiaron y que la reforma educativa va (Pablo Hiriart, 23/07/15).

Con ese antecedente, Nuño sería nombrado cinco semanas después como nuevo secretario de Educación, puesto desde el que apostó su capital a que la evaluación educativa tendría que ocurrir en sus términos: con la aceptación del magisterio, del SNTE y de la CNTE, de la evaluación educativa como condición *sine qua non* de cualquier diálogo respecto de la reforma educativa.

Su nombramiento fue bien visto por algunos especialistas en educación. Blanca Heredia publicó en *El Financiero* (02/09/15) lo siguiente:

Dirigir una secretaría como la de Educación en condiciones "normales" ha conllevado siempre retos formidables. Lograr que esta suerte de megapaquidermo y de múltiples cabezas opere cotidianamente y conseguir, además, que la reforma educativa no se descarrile y produzca algunos logros concretos, requerirá de talentos, energía y trabajo fuera de serie. Hacerlo, encima, en medio de resistencias a granel, de fuertes expectativas y demandas contrapuestas, así como de muy serias restricciones presupuestales, implicará desafíos verdaderamente enormes.

Para sacar adelante su difícil encargo, Aurelio Nuño cuenta con activos y atributos importantes, entre otros: gran capacidad negociadora, inteligencia rápida y aguda, conocimiento y experiencia directa de los entresijos de la intersección entre educación y política y, desde luego, contar con el apoyo y confianza del presidente Peña.

Para lograrlo, dada la magnitud de los retos que enfrenta, requerirá, sin embargo, muchos otros elementos. Entre éstos: firmeza de propósito y foco, mucho foco. Básicamente, pues sin ellos es muy alto el riesgo de que el conflicto y sobre todo la inercia terminen imponiéndose.

Existen diversos asuntos imaginables como focos posibles para darle dirección, sentido y fuerza a la política educativa en la segunda mitad de este sexenio. [...]

Primero, construir apoyos activos a la reforma dentro de la base magisterial, pues con un magisterio enojado, asustado y desmotivado, la reforma no irá a ninguna parte. Para conseguir el apoyo y la confianza de al menos una masa crítica de maestros, resultará indispensable que el gobierno federal establezca canales de diálogo directo con los docentes y que impulse de forma decidida su capacitación y crecimiento profesional.

En los siguientes meses la CNTE probaría la férrea voluntad de Nuño para hacerla entrar en los términos de la reforma por las buenas o por las malas. Entre abril y junio de 2016, cuatro de sus principales líderes, incluyendo el tesorero Aciel Sibaja y el secretario general Rubén Núñez, serían encarcelados como medida de presión para que la evaluación no fuera cuestionada. Los delitos de los que fueron acusados los líderes magisteriales hicieron que esas detenciones fueran vistas claramente como un asunto político.

Aurelio y el poder del aguilita no dejaban lugar a dudas de la decisión de imponer, costara lo que costara, la reforma. Por entonces, al menos un secretario de Estado habló con el subsecretario de Gobernación, Luis Miranda, para hacerle saber su preocupación por los peligros de un discurso oficial, el de Aurelio, que en los hechos estigmatizaba a los profesores, al hacerlos responsables del fracaso educativo y darles visibilidad mediática como los enemigos por someter a la hora de aplicar la reforma educativa en todos sus términos.

—Antes que amenazar con castigarlos, deberían premiar a muchos de esos maestros, que están en zonas marginadas dando clases ni siquiera con las mínimas condiciones deseables —le planteó ese titular de una secretaría de Estado.

—Pienso como tú. Ayúdame y dile eso al presidente —respondió Miranda, según contó a este reportero el secretario que habló a condición del anonimato.

Pero Nuño no solo no cambió su discurso, sino que en fechas previas a etapas de la evaluación, incluso se hacía retratar con mandos de la Policía Federal. Ése fue el Aurelio de: "Si tengo que correr a 10 000 maestros porque faltan a clases o porque no se evalúan, pues se corre a esos maestros".

Hubo quienes, incluso apoyando la reforma educativa, le advirtieron que estaba llevando las cosas a un punto sin retorno. Su resistencia a dialogar con la disidencia magisterial le granjeó apoyos, sin duda, pero también críticas. Una de ellas fue singular. Olga Payán Velver, profesora de la escuela Bartolomé Cosío, le envió una carta pública a través del diario *La Jornada*, en la que exponía al secretario de Educación lo siguiente:

Licenciado Aurelio Nuño Mayer: Es lamentable su actuación frente al magisterio de nuestro país. La reforma debe ser académica y con el consenso de los profesores, pues nosotros estamos frente a los grupos de alumnos.

Le hago un llamado a reconsiderar el diálogo, no a la imposición, en nombre del respeto y buen recuerdo de donde usted fue mi alumno: una escuela donde la felicidad de los niños y, por tanto, de nosotros sus maestros es prioridad.

Una primaria donde la libertad, la responsabilidad, el respeto, aprender a ser y a hacer son la base de la enseñanza, donde no hay exámenes ni calificaciones. Omitir los derechos laborales de los maestros impide la felicidad para mejorar la calidad en la educación.

La decisión de Aurelio de someter a la CNTE, y sus posibles escenarios, fue analizada así por Jorge Zepeda, en un artículo publicado en *El País* titulado "Nuño contra la maldición del delfín" (25/11/15):

En la SEP Aurelio Nuño quiere quemar etapas, sin importar los riesgos. Está decidido a poner de rodillas a la poderosa CNTE, la fracción disidente del sindicato de maestros, y convertir ese trofeo político en argumento para aspirar a la candidatura. Y ciertamente no es poca cosa. Durante décadas la CNTE ha sido fuente de desestabilización permanente en Oaxaca, Guerrero y Michoacán; una fuerza contra la que se han estrellado gobernadores y presidentes. Nuño les ha detenido salarios y obligado a someterse a los exámenes de evaluación, pero la batalla se dirimirá en las calles. El secretario cuenta con todo el peso del aparato, el balance final aún es incierto. Puede ser un enorme triunfo político o un factor que encienda la pradera.

Aún es pronto para saber si el joven podrá romper el maleficio que parece seguir al delfín presidencial. Veremos.

Y esa ruta fue la que se descarriló el domingo de la fallida y trágica incursión policiaca en Nochixtlán.

Tras esos hechos, Eduardo R. Huchim, en el periódico *Reforma* (29/06/16), resumió con claridad la situación:

El autoritarismo, la ineptitud y la arrogancia de Aurelio Nuño Mayer (SEP) constituyen una de las causas de la tragedia de Nochixtlán, Oaxaca, enmarcada en el movimiento magisterial que rechaza la llamada reforma educativa. Apenas ahora, nueve muertes después, este vasto movimiento está recibiendo atención por parte de Miguel Ángel Osorio Chong (Segob), pero pensar en el esquema del policía bueno y el policía malo sería erróneo, además de simplista. En esta historia no hay policía bueno y más adelante veremos por qué.

Los maestros de la CNTE han agraviado a la sociedad e irritado a miles de ciudadanos de varios estados y de la capital. Sus acciones violentas contra comercios, autobuses, carreteras, oficinas públicas y otros inmuebles han sido documentadas por la televisión, una parte de ella interesada en mostrar a los profesores como vándalos incendiarios, imagen a la que, sin duda, contribuyen los propios docentes.

Pero a pesar de su ilegalidad, tales punibles acciones no pueden justificar nueve homicidios contra personas que apoyaban a los maestros pero no eran maestros. ¿Nos dirán alguna vez nuestras ineptas procuradurías lo que sucedió realmente y no versiones inventadas, como dolorosamente está ocurriendo en el caso Ayotzinapa?

Enrique Peña Nieto y su soberbio secretario de Educación deben convencerse de que, por la fuerza, su reforma educativa —que en sentido estricto no es educativa— no llegará a buen puerto. Por muy sólida que sea una reforma constitucional y legal, si su aplicación fracasa, no pasa de ser papel mojado. Y si se le moja en sangre, mucho peor. Pero además, la reforma no es sólida y ha sido desautorizada por cientos de especialistas prestigiados, como se acredita en el documento "Por una reforma educativa necesaria y respetuosa del magisterio", promovido por Manuel Gil Antón (El Colegio de México).

Nochixtlán, el gran tropiezo de la intransigencia de Nuño. Aunque esa intransigencia es una verdad a medias, porque Aurelio ya había cedido en los términos de la reforma educativa, incluso antes de las nueve muertes en Oaxaca. Esto publicó Carlos Loret en febrero 8 de 2016 en el diario *El Universal*:

En el mundo de la política se decía: "Aurelio está imparable".

Parece que ya paró. Tres muestras:

La depuración de la nómina de maestros luce escuálida: las ONG estiman que hay 20 000 aviadores; Nuño recortó a 2 000 y dijo que esos fueron los que encontró.

La evaluación a maestros se pospuso hasta después de las elecciones.

Y desinfló la prueba Planea para alumnos, que exhibiría el mal estado de la educación.

En un par de meses, de gran impulsor de la reforma pasó a alinearse con los intereses que la quieren frenar.

La SEP ha querido argumentar que es por razones legales, técnicas y presupuestales. Pero hay más: la confesión me la hizo en Radio Fórmula el subsecretario de la SEP, Otto Granados: "Este año se llevan a cabo 13 procesos electorales que introducen un cierto nivel de estrés en las comunidades y estados, que no es conveniente contaminar con un proceso tan delicado como la evaluación".

Tras los hechos de Nochixtlán, Aurelio desapareció varias semanas del escenario. Bajó el perfil, y en términos mediáticos se evaporó, y con él las aspiraciones presidenciales que muchos le auguraban.

Quienes lo han visto a últimas fechas cuentan que Aurelio ya dejó atrás la pesadumbre que lo enterró con las muertes de Nochixtlán, tras las cuales se liberó a los líderes sindicales apresados, se dio dinero al magisterio de Chiapas para aplacarlo y se entregaron miles de plazas a la sección 22. El modelo que no quería Aurelio triunfó, así haya sido en parte, en algunos estados, pero triunfó. Contra lo que decía la ley, la reforma educativa sí hace excepciones.

Pasada la tragedia de Nochixtlán, alguien que lo conoce desde los tiempos universitarios lo vio aliviado, incluso animoso. "Es de las personas que de verdad les da gusto no ser una carga para su jefe, así lo vi, contento por no ser tema mediático."

Otra fuente contó que sigue tan entusiasmado a la hora de hablar de la reforma educativa que se le olvida comer. Es un cruzado de lo que le encargó el presidente. Y una fuente más, que le reconoce capacidad de ejecución y empeño sin descanso, coincide en que el Aurelio de hoy quiere dejar un legado, pero ya no se juega el todo por el todo, ya se administra, lo cual constituiría un error, pues falta no solo más de un año para las elecciones que quitarán el poder al equipo de Peña Nieto, sino varias etapas de la reforma educativa que no le permiten darse el lujo de poner el acelerador a media marcha.

Y por otra parte, Nuño es de los pocos funcionarios que son convocados a Los Pinos para revisar temas que no son de su cartera. Ocurrió, por ejemplo, el 30 de agosto de 2016, cuando se supo que Donald Trump vendría a México. Peña Nieto reunió a un puñado de colaboradores para saber su opinión ante la indignación nacional que provocó la noticia de la inminente visita.

"Sé que no te va a gustar, Luis, pero no le veo el lado positivo a esto", dijo Aurelio en su turno. "Es muy complejo", respondió el entonces secretario de Hacienda. El siguiente en hablar sería José Antonio Meade, entonces en la titularidad de la Secretaría de Desarrollo Social. "A mí me parece una gran idea", habría dicho Meade, según una fuente enterada de esa reunión.

No sería la primera vez que Videgaray y Nuño discreparían. Hay quien dice que incluso, tras la llegada del segundo a la SEP, la relación entre ellos se enfrió, pues el entonces titular de Hacienda le hizo sentir su poder al regatearle recursos.

Sin embargo, cuando en enero de 2017 se anunció que Videgaray regresaba al gobierno, en el brindis de Año Nuevo en la SEP, Nuño no pudo ocultar su felicidad cuando los reporteros le preguntaron por el retorno de su exjefe, al que mandó saludos y parabienes.

Pero si algo quedó claro al arrancar 2017 es que Aurelio ya vuela solo. Y que es pronto para descartar que el quinto año del sexenio no sea el de la oportunidad para renacer como precandidato.

A finales de 2017 llegará a su cuarenta aniversario de vida con una reforma educativa más cercana a la que ideó, y menos maltrecha de la que su propio ímpetu, e inmadurez, pusieron en riesgo en Nochixtlán.

Con aspiraciones presidenciales o no, Aurelio está seguro de que le toca cuidar y llevar a su mejor uso el águila presidencial. En este caso, la que los votantes le encargaron a Enrique Peña Nieto en 2012. Pero que nadie descarte que en una de esas a Nuño le vuelve a tocar en suerte ser parte de un equipo que se gane de nuevo el derecho de portar el aguilita. ¿Y quién les dice que no es sino él a quien en una venidera elección se la encarga el pueblo de México?

JOSÉ ANTONIO MEADE KURIBREÑA
El pentasecretario

MAITE AZUELA

> *Somos lo que hacemos.*
> —Aristóteles

C on la visita del entonces candidato a la presidencia de Estados Unidos Donald Trump, el gasolinazo y la emergencia de un descontento social desbordado, la prospectiva de participación en la contienda presidencial de 2018 ha sido brutalmente cambiante en las últimas fechas, en especial para José Antonio Meade Kuribreña.

Su perfil de esmerado técnico y eficiente administrador le ha permitido, sin ser militante, colaborar con gobiernos de diferente bandera partidista que, evidentemente, tienen una visión económica compartida. Muchos podrían argumentar contra la posibilidad de que sea presidenciable, por el papel que ha asumido como responsable de los dineros públicos. Sin embargo, su amplia experiencia como parte del gabinete tanto en el gobierno de Felipe Calderón, como en el de Enrique Peña Nieto, le abre camino para ser considerado convenientemente presidenciable para ambas fuerzas políticas. Aunque esto pudiera comprometer el protagonismo y la identidad del Partido Acción Nacional (PAN) y del Partido Revolucionario Institucional (PRI), quizá les permita salvaguardar sus más preciados intereses económicos y compromisos políticos.

No parece un escenario muy viable, pero hay que estar siempre preparados para las sorpresas. ¿Quién es Meade Kuribreña? ¿Qué ha hecho durante todos estos años de larga carrera como funcionario? ¿Cómo toma decisiones? ¿Por qué es un servidor público adaptable tanto al PRI como al PAN? ¿Qué lo motiva? ¿Con quién camina hombro a hombro? Estas preguntas y muchas otras se responden conociendo sus acciones cotidianas. Lo que hace, lo define.

PROYECTA SU NATURALEZA CRIOLLA

José Antonio Meade Kuribreña nació el 27 de febrero de 1969 en el entonces Distrito Federal. Sus raíces han sido determinantes para la formación de las habilidades emocionales que le permiten ahora navegar en mares de grupos políticos diversos. Como Santiago Creel y Vicente Fox, Meade Kuribreña tiene ascendencia irlandesa. Comparten los tres el mote de *Trev*, que significa "criollo irlandés".

Uno de los pioneros que salieron de Irlanda para forjar futuro en el continente americano fue su tatarabuelo don Joaquín Meade, quien nació en Dublín, en 1805. Su familia se trasladó a México en 1840. La mayoría de los primeros inmigrantes irlandeses eligió asentarse en zonas mineras de la república mexicana. Consiguieron edificar un vasto patrimonio. Se dice que la familia Meade de León fue terrateniente de más de 50 000 hectáreas y dueña del casco o castillo de Nueva Apolonia, Tamaulipas. Las tierras les fueron sustraídas paulatinamente y la mayor parte de ellas se entregó a campesinos entre 1936 y 1939, durante el mandato del presidente Lázaro Cárdenas.

Su abuelo paterno fue Luis Maximiliano Jr. Meade Gómez, quien fuera hijo de Luis Maximiliano Meade Lewis. El nombre de su padre se castellanizó de Denisse a Dionisio, y le remolcan apellidos que prolongan su lectura: Dionisio Alfredo Meade García León Avellaneda.

Su madre doña María estrenó apellido, ya que los abuelos Antonio Kuri Kuri, de origen libanés, y Juana Breña Gordoa, de origen español, decidieron hacer una composición de sus primeros apellidos. De modo que María Kuri-Breña Orvañanos fue una de las primeras ciudadanas mexicanas registrada con este nuevo apellido.

Amalgama lo indisoluble————————

La flexibilidad con la que José Antonio Meade puede relacionarse sin prejuicios ni resistencia, tanto con panistas como con priistas, es sólo una consecuencia de sus orígenes. Su familia materna y paterna se desenvolvieron con total naturalidad en la vida política del país, sin permitir que las diferencias ideológicas o las aspiraciones proselitistas abrieran grietas en los engranes de su linaje. Lo cual ha estampado un sello de tolerancia y diplomacia cotidiana a su personalidad.

En su árbol genealógico la savia de la política corre en sentidos distintos, sin que se incline más hacia algún lado. El tío de su madre, Daniel Kuribreña, fue uno de los fundadores del PAN que, en 1939, emprendieron la labor de conformar un partido sostenido en la doctrina de la Iglesia católica con intención de levantar un frente de oposiciones capaz de acoger a grupos y fuerzas dispares. En el sueño de consolidar una resistencia sólida para competir políticamente contra el gobierno del PRI, Daniel Kuribreña, junto con Manuel Gómez Morín, Luis Calderón de la Vega, Carlos Septién García y Miguel Estrada, dirigieron la formación de cuadros que darían cuerpo al partido de derecha.

La rama paterna emergió a partir de raíces prendidas en terruños del PRI, aunque al final de la carrera política su padre también formó parte del equipo panista en el Gobierno Federal. Dionisio Alfredo Meade y García de León trabajó como servidor público en el sector hacendario, y también ejerció como diputado representando al PRI en la Cámara de Diputados de 1997 a 2000. Cuando Vicente Fox fue presidente de la república, los antecedentes priistas de don Dionisio no fueron obstáculo para que fuera subsecretario en la Secretaría de Gobernación que dirigía Carlos Abascal Carranza, un claro representante de la derecha más conservadora del país.

Meade Kuribreña tiene tres hermanos, con quienes mantiene una relación estrecha, no sólo por los lazos familiares, sino también porque, de una u otra forma, están vinculados con el servicio público. Los recuerdos que tiene de los trayectos a la escuela o de las sobremesas familiares están saturados de pláticas sobre la situación política y económica del país, que podían convertirse en intensos debates. Desayunó y comió coyuntura, recreándose así con la expectativa de incidir en una realidad que parecía poco moldeable.

Asume el legado de su padre

El Instituto de Protección al Ahorro Bancario (IPAB) fue creado por Dionisio Meade y García de León, como apunta Álvaro Delgado en la revista *Proceso* 454723. Uno de los momentos históricos más dolorosos para la sociedad mexicana se remonta al 12 de diciembre de 1998, cuando se llevó a cabo el rescate bancario orquestado por el PRI y el PAN, que hizo pagar a todos los mexicanos los créditos que debían, pero dando un trato diferenciado a personajes como Roberto Hernández, Carlos Slim y Vicente Fox. En ese periodo don Dionisio Meade y García de León era presidente de la Comisión de Hacienda de la Cámara de Diputados. En 2005 el papá del actual secretario de Hacienda fue subsecretario de enlace legislativo en la Secretaría de Gobernación con Carlos Abascal. Aunque sus orígenes fueron priistas, don Dionisio Meade mantiene una estrecha relación con grupos conservadores y religiosos en los que participan diferentes militantes del Partido Acción Nacional. Actualmente Dionisio Meade y García de León es director general de Contraloría y Administración del Banco de México, como subordinado de Agustín Carstens, quien fuera uno de los primeros jefes de su hijo José Antonio. Seguramente en un par de años se jubilará del banco, pero no han sido pocos los rumores que anuncian su posible nombramiento como embajador de México en el Vaticano.

Lorenzo, su hermano, está más ligado al priismo. Es contador público y fungió coincidentemente como secretario ejecutivo del Instituto para la Protección al Ahorro Bancario (IPAB) desde 2013. A pesar de haber dedicado varios de sus años profesionales al Instituto, donde previamente se desempeñó como secretario adjunto de Protección del Ahorro Bancario y como director general de Seguro de Depósito, decidió dejar el cargo para evitar un posible conflicto de intereses una vez que nombraron a José Antonio secretario de Hacienda. Ambos prefirieron no hacer mayor alarde de esta renuncia y manejarla sin cobertura mediática.

Echa raíces en su barrio

Su infancia transcurrió en el barrio de Chimalistac, una colonia con más de 1 000 años de historia. Los mexicas lo consideraban un refugio sagrado y ha conservado el valor que le imprimió el desarrollo arquitectónico de la época porfiriana. Chimalistac es una zona donde es posible retraerse del caos urbano de la ciudad. La novela *Santa*, de Federico Gamboa, hace de este espacio uno de los escenarios relevantes de su narración; tan es así, que Santa pide a Hipólito que cuando muera la entierre ahí, "en el pueblo que representa el paraíso perdido". Chimalistac no perdió nunca su encanto. Hoy es una colonia de clase media-alta, donde se asentaron familias de altos ingresos económicos y buen bagaje cultural.

LA MISA DE LOS DOMINGOS

Asiste asiduamente a la misa dominical, a menos que su agenda se lo impida. Los feligreses de la iglesia de Tlacopac, en el barrio de San Ángel, cuentan que es común verlo llegar acompañado de su mujer y sus tres hijos, además de sus padres. La educación religiosa que recibió en casa se reforzó los primeros años en una escuela de practicantes católicos. No recurre a la evangelización en los espacios de trabajo, pero tampoco esconde su fervor religioso y su inexorable disciplina para la liturgia. Cuando le preguntan cómo está, invariablemente contesta: "Bien, gracias a Dios".

Los santuarios que acostumbra visitar están entrelazados con sus orígenes. Puede ser resultado de una casualidad, pero en la iglesia de Tlacopac hay un monumento a los soldados irlandeses que formaron parte del Batallón de San Patricio. El 9 de septiembre de 1847 fueron ahorcados 16 soldados irlandeses en San Ángel a manos de las tropas invasoras estadounidenses. Aunque habían formado parte del ejército de Estados Unidos, por ser católicos y recibir maltratos desertaron y formaron su propio batallón dentro de las fuerzas mexicanas. En homenaje a su valentía, se levantó una sencilla cruz celta con una placa conmemorativa en la peana, donde se menciona que varios de los soldados irlandeses ejecutados recibieron sepultura en el atrio. Además, cruzando la avenida Insurgentes, casi frente al barrio de Chimalistac, está el barrio de San Jacinto, donde tampoco es coincidencia que se haya colocado una placa en honor a los mártires del Batallón de San Patricio.

EL POLÍTICO Y EL ARTE

José Antonio Meade creció observando cómo los bloques de ónix y bronce se transformaban en majestuosas esculturas. Sus antecedentes artísticos se remontan a su abuelo materno José Kuribreña, quien nació en Zacatecas en 1913. En su juventud don José decidió instalarse en la Ciudad de México para estudiar en la Escuela Nacional de Artes Plásticas de la UNAM. Destacó como escultor y su arte ha sido expuesto en importantes museos de la república. Su madre, María, desarrolló igualmente una pasión por el arte que ha desfogado en la pintura de óleos.

Tal vez el despliegue de esculturas en los jardines y las pinturas de gran formato que decoraban los muros de su casa tuvo algo que ver con el hecho de que Meade Kuribreña eligiera compartir la vida con una mujer que, como su madre, disfrutara pintar. Cualquiera que imagine una competencia entre suegra y nuera derivada de la estereotipada forma de concebir esa relación, se sorprendería al ver los cuadros que pintan en conjunto.

RÉCORD DE PENTASECRETARIO

En Google hay 529 000 resultados con ligas sobre José Antonio Meade Kuribreña, en ellos se habla desde su arrolladora carrera política hasta de la condición de vitíligo que ha padecido; también muestran su salario de 145 277 pesos mensuales y transparentan sus prestaciones, pero sobre todo se reproducen textos sobre su récord por haber sido nombrado miembro del gabinete en cinco ocasiones. Logro que sólo han alcanzado él y el expresidente de México, el general Plutarco Elías Calles. Con tan sólo 47 años de edad, el secretario estrella ha dirigido tanto el sector energético como la cancillería, además de conducir el rumbo de las políticas sociales y hacendarias de México. ¿Cómo ha llegado hasta ahí?

Después de cursar secundaria y preparatoria en el Colegio Olinca, Meade Kuribreña estudió la licenciatura en derecho en la Universidad Nacional Autónoma de México y también la licenciatura en economía en el Instituto Tecnológico Autónomo de México; y una vez concluidas, viajó a Estados Unidos, donde se graduó como doctor en economía por la Universidad de Yale, título que obtuvo en 1997.

La carrera política del joven Meade inició en 1991, cuando a los 22 años fue nombrado analista de planeación en la Comisión Nacional de Seguros y Finanzas (CNSF). Desde entonces se ha dedicado al sector público. En 1997 fue nombrado director general de la Comisión del Sistema de Ahorro para el Retiro (CONSAR), y dejó el cargo para convertirse después en secretario adjunto del Instituto para la Protección al Ahorro Bancario (IPAB), organismo creado por su padre. Del 2000 al 2002 se desempeñó como director general de Banca y Ahorro de la Secretaría de Hacienda y Crédito Público.

Ante los apremios financieros de Banrural, José Antonio Meade fue nombrado director general en 2002, con la consigna de emprender los esfuerzos de saneamiento financiero y encargarse de la transición que convertiría al Banco Rural en Financiera Rural. En este espacio puso especial atención a los pequeños productores y logró colocar 2 540 millones de pesos en crédito comercial. Su esfuerzo estuvo enfocado a que, durante los primeros años de la creación de Financiera Rural, el financiamiento público al campo se mantuviera constante. Concluyó sus tareas en 2006, año en que fue designado coordinador de asesores de Agustín Carstens, entonces secretario de Hacienda y Crédito Público. Dos años operando como la mano derecha del ahora presidente del Banco de México le merecieron el nombramiento de subsecretario de Ingresos en sustitución de Jesús Sánchez Ugarte.

Meade Kuribreña se convirtió por primera vez en secretario de Estado en enero de 2011, cuando el entonces presidente Felipe Calderón Hinojosa lo nombró titular de la Secretaría de Energía. Entre los proyectos que le tocó encabezar destaca el programa "Luz Sustentable", lanzado en octubre de 2011, y con el que se pretendía que fueran colocados 45.8 millones de focos ahorradores de energía para desplazar a las bombillas incandescentes. El propósito del programa, según se informa en la página del Fideicomiso para el Ahorro de Energía Eléctrica (FIDE), era promover el ahorro de energía al facilitar el acceso a lámparas ahorradoras y sacar del mercado la venta de focos incandescentes. Con esto se pretendía promover un cambio cultural sobre el ahorro de energía a la vez que se modificaban los patrones de consumo. El FIDE asegura que el programa concluyó con éxito, aunque no se señala la fecha de culminación ni se ofrece algún balance.

Materializa reformas "estructurales"

Mientras fue subsecretario a las órdenes de Carstens, se le consideró una de las piezas clave para que se concretara la reforma fiscal, ya que muchas de las tareas de negociación entre la Secretaría de Hacienda y Crédito Público estuvieron en su portafolio.

En 2011 una de las encomiendas de José Antonio Meade que enfrentó mayor resistencia fue la de dar inicio a los trabajos de la reforma petrolera, que consistía en la adjudicación de contratos integrales para la exploración y producción de combustibles. Dicha iniciativa pretendía eliminar el monopolio de Pemex y modernizarlo, según expresó Calderón Hinojosa en las entrevistas que *Expansión* y *El Universal* publicaron en aquellas fechas sobre el tema. Desde entonces se perfilaba una reforma energética completa que incluía a Pemex y a la Comisión Federal de Electricidad bajo la consigna de la competitividad internacional.

Especialistas en economía y finanzas aseguran que la presencia de Meade Kuribreña como secretario de Hacienda y Crédito Público fue clave para posicionar a México en el Grupo de los 20 (G-20), durante la administración de Calderón. De hecho, México consiguió la presidencia de dicho grupo, gracias a las negociaciones que realizó Meade Kuribreña como coordinador de la agenda económica. El G-20 generó acuerdos para la inclusión financiera y la reducción del proteccionismo económico, con lo que se fortaleció al Fondo Monetario Internacional.

En México se logró el máximo nivel de recaudación tributaria en 2011, en gran medida gracias a las gestiones de José Antonio Meade, quien buscó que se simplificara la recaudación con la finalidad de lograr mayor competitividad. Para 2012 aumentó aún más el ingreso público. En ese entonces fue una pieza fundamental para que se lograra lo programado en las reformas hacendarias de 2007 y 2009, al buscar sobre todo que la simplificación de los procesos permitiera obtener mayor ingreso por concepto de impuestos. El economista demostró habilidad para llevar a buen fin los proyectos que le encomendaban y, además, su exposición ante los medios de comunicación lo hizo una figura conocida para la opinión pública. Estas aptitudes le permitirían seguir escalando peldaños en la administración pública, no sólo durante el sexenio de Calderón Hinojosa.

En diciembre de 2012 fue el único de los miembros del gabinete panista que fue integrado al grupo de secretarios del nuevo gobierno con el que el PRI recuperó la Presidencia de la República. Enrique Peña Nieto nombró a Meade Kuribreña secretario de Relaciones Exteriores. A cargo de la cancillería, se enfocó en mantener estrecha comunicación con los alcaldes estadounidenses de la frontera con México.

Sobre su paso por la cancillería no existe mucha información. Durante este periodo fue considerado una de las 500 personas más influyentes del mundo por la revista *Foreign Policy* en una lista donde aparecen nombres como Tony Blair, Bill y Hillary Clinton, Vicente Carrillo Fuentes y Bill Gates.

Fue cuestionado cuando apoyó el nombramiento de su amigo Andrés Roemer como cónsul de México en la ciudad de San Francisco, ya que los estruendosos eventos en que Roemer participaba u organizaba, y la omnipresencia con que se mantenía como colaborador de TV Azteca, no provocaron ninguna sanción por parte de la cancillería.

El 27 de agosto de 2015 fue relevado en el cargo por Claudia Ruiz Massieu Salinas, y designado secretario de Desarrollo Social. Su primer discurso a cargo de la Sedesol enfatizó la atención a jóvenes y niños, y ayudó a llevar a buen término la Cruzada Nacional Contra el Hambre, la Estrategia de Inclusión, así como a dar continuidad al Programa Prospera.

LOS RIESGOS DE MEDIR (MAL) LA POBREZA

Su labor como operador de políticas públicas fue breve y polémico. Según el informe de evaluación de la Cruzada Contra el Hambre, realizado por el Consejo Nacional de Evaluación de la Política Social (Coneval), se logró un mayor conocimiento de la medición de la pobreza y sus indicadores, entre los funcionarios públicos. También se consiguió homogeneizar el concepto de *pobreza extrema*, con lo que se supone se tendrían mejores resultados en la aplicación de los programas sociales.

Sin embargo, cabe destacar que al ser cuestionado sobre las diferencias metodológicas de medición de la pobreza, el 26 de agosto de 2016, antes de que el presidente rindiera su cuarto Informe de Gobierno, el entonces secretario de Desarrollo prefirió mantenerse al margen y no emitir cifras sobre los impactos de los diferentes programas. Se limitó a informar sobre la preocupación presidencial por brindar mejores oportunidades a los jóvenes y a decir que los hechos estaban "más allá de cualquier medición".

El motor transversal de la Estrategia de Inclusión fue sin duda Meade Kuribreña; en gran medida consiguió incidir en políticas públicas ajenas a su función, por su capacidad de negociación con Aurelio Nuño Mayer como secretario de Educación, quien a su vez se coordinó con Mauricio López Velázquez. Las decisiones para emprender parte de esta estrategia involucraron coincidentemente a López Velázquez, quien estuvo dispuesto a dejar la Coordinación de Asesores de la Secretaría de Gobernación para dirigir el Instituto Nacional de Educación para Adultos (INEA). Tambien su interlocución directa con José Antonio González Anaya, entonces director del Instituto Mexicano del Seguro Social (IMSS), resultó eficiente para llevar a cabo la "reducción" de pobres en México. Todos trabajaron articuladamente bajo el supuesto de que con "atender" tres de las seis categorías que marcan la línea de pobreza extrema, la medición sería pragmática y ligeramente favorable al gobierno.

Meade Kuribreña ha recibido pocas críticas en prensa por sus decisiones como parte del gabinete. Pero, sin duda, una de las que le han resultado más costosas fue su disposición para modificar la medición de la pobreza de manera que el resultado favoreciera la evaluación de las políticas públicas de abatimiento. Una columna de Salvador Camarena en *El Financiero*, tras examinar el documento *Estrategia Nacional de Inclusión*, apunta que el plan de Sedesol se enfoca en los 2.4 millones de mexicanos que se encuentran por debajo de la línea de bienestar mínimo. A partir de la revisión que hace de las "Acciones de 2016", el periodista aduce la intención del titular de Sedesol de emprender acciones que arrojen resultados más alegres. La columna que titula "Receta de Meade para ¿abatir? la pobreza", concluye que la estrategia de aplicación de una encuesta nacional tiene la intención de inducir las respuestas con un programa previo de "capacitación para el ejercicio efectivo de derechos". Según relata Camarena en su columna, previamente a la aplicación de la encuesta, la "estrategia incluyente" significó la entrega de certificados de preescolar para los niños que salían de las guarderías de Sedesol, la entrega de certificados de primaria para adultos mayores que demostraran habilidades de lecto-escritura a cargo del INEA, así como la concientización de estudiantes que debían reconocerse como derechohabientes del IMSS. De acuerdo con este mismo análisis, "la estrategia implicaría que, de enero a abril, el gobierno llegue hasta los 208 000 hogares que conforman el universo de la Encuesta Panel del Coneval para que, cuando se levanten los cuestionarios en la muestra, compuesta por 8 000 de esos hogares, la gente haya recibido ya los *mensajes de empoderamiento*".

Por otro lado, durante la administración de Rosario Robles como secretaria de Desarrollo Social, se concretaron acuerdos con el Instituto Nacional de Geografía y Estadística (INEGI) para modificar algunas variables metodológicas de la medición de la pobreza. Quizá fue la falta de pericia mediática del equipo de Meade Kuribreña lo que añadió leña al fuego de la controversia entre el INEGI y el Coneval. Recordemos que a mediados de 2016, el Coneval acusó al INEGI de modificar los indicadores de la pobreza provocando un disparo de 11.9% en el ingreso corriente de los hogares a escala nacional, así como un incremento de 33.6% del ingreso en los hogares más pobres del país. Meade Kuribreña defendió las modificaciones del INEGI asegurando que cumplían con los estándares internacionales. Las reacciones ante la postura del entonces secretario de Sedesol fueron diversas. Hubo quien cuestionó el soporte de Meade Kuribreña al revire del INEGI, mientras otros lo calificaron como un acierto, aunque ello significara desacreditar la metodología con que trabajó la institución durante más de diez años.

El analista Ricardo Becerra, en una columna invitada del diario *Milenio*, a la que titula "Pobres y sospechosos", presentó ejemplos representativos de cómo cambiaron estrambóticamente los resultados de pobreza en ciertas entidades: "En un año Chihuahua mejoró 52% sus ingresos y Sinaloa casi 40%. Con todo y Duarte, Veracruz subió sus ingresos 11.6% y Michoacán 35%. Es absurdo, o tiramos por la borda el trabajo de una década o explicamos con toda precisión la novísima capacitación ejecutada a matacaballo el año pasado".

En contraste, el doctor Luis Rubio, presidente del Consejo Mexicano de Asuntos Internacionales (COMEXI), asegura que la defensa que hizo Meade a los cambios de metodología de medición del INEGI fue uno de los principales aciertos que tuvo como secretario de Desarrollo Social, ya que demostró su capacidad para comparar con mayor precisión la situación social de México con otros países. Además de que la modificación de la medida efectivamente refleja con mayor claridad la captación de ingresos de los mexicanos.

El bateador emergente ————————————

El 7 de septiembre de 2016, luego de la salida de Luis Videgaray como secretario de Hacienda, José Antonio Meade lo relevó en el cargo y tuvo que hacerse responsable, a contratiempo, de garantizar la salida del Paquete Económico de 2017.

Cuando asumió el cargo existían retos económicos importantes para México, como los altos niveles de deuda pública, el incremento en el precio del dólar, o la reducción en las proyecciones de crecimiento tanto para 2016 como para 2017, alcanzando apenas 3% (y una vez que arribó Donald Trump a la presidencia de Estados Unidos, tales proyecciones fluctuaron en torno a 2%). Una tasa que representa menos de la mitad de lo que Peña Nieto había prometido cuando estaba en campaña. Lo anterior, aunado a la posibilidad de que Trump cumpliera las promesas de retirar empresas estadounidenses de México, con el consiguiente temor de la población, consiguió que la especulación económica alcanzara altos niveles.

El costo de defender ————————————
al presidente

En los últimos días que estuvo a cargo de la secretaría de Desarrollo Social, y con el argumento de que el gobierno había realizado un trabajo de política exterior para minimizar los riesgos que enfrenta el país y que pueden venir del extranjero, José Antonio Meade salió públicamente a defender la decisión del presidente Peña Nieto de invitar a Donald Trump a Los Pinos. Con ello daba un firme espaldarazo a la idea consumada por su amigo Luis Videgaray. Pero la visita del entonces candidato republicano provocó el enojo de 88% de los mexicanos. La firma Mitofsky dio a conocer el estudio "Impacto de la visita de Donald Trump a México" (400 encuestados vía telefónica el 2 de septiembre de 2016). Según la encuesta, la reacción de Meade Kuribreña empatizó sólo con 2.7% de los encuestados, que expresaron sentimientos positivos respecto al encuentro entre Peña y el empresario neoyorkino. "Aunque la visita de Donald Trump a México es vista como negativa, ahora los mexicanos en Estados Unidos se encuentran más tranquilos, ya que se redujo el perfil de riesgo en los ejes de migración, relación económica y seguridad", declaró Meade Kuribreña.

La reacción de Trump después de su visita contradijo las buenas expectativas del pentasecretario, ya que lo primero que hizo el republicano al volver a Estados Unidos fue reiterar su interés por construir el muro. *The Economist* publicó el 3 de septiembre de 2016: "Al permitir a su visitante verse presidencial, ha ayudado a Trump a presentar algunos quiebres en una retórica que parecía inevitablemente electoral. Incluso si Clinton ganara la presidencia, ella no podrá dar las gracias a Peña Nieto por eso. Si resulta que Peña Nieto ayudó a Trump a ser electo, muchos mexicanos nunca se lo perdonarán a él ni a su partido, y tampoco la mayoría del resto del mundo". De acuerdo con *Real Clear Politics* "el viernes 2 de septiembre Clinton sufrió un descenso en las preferencias, con 46.1%; a la vez que Trump comenzó a registrar un repunte, con 42 por ciento".

PAQUETE ECONÓMICO EN 24 HORAS

La visita del entonces candidato Donald Trump a México provocó una crisis en el gabinete del presidente Enrique Peña Nieto. Por ser el impulsor de esa invitación indecorosa, Luis Videgaray tuvo que dejar la Secretaría de Hacienda en el momento crucial de la presentación del Paquete Económico al poder legislativo. La coyuntura colocó a Meade Kuribreña como sucesor de Videgaray, de modo que tuvo que dejar abruptamente la Secretaría de Desarrollo Social, desde donde su futuro como presidenciable podía haber sido más viable. A pesar de que llegó con 24 horas de anticipación a Hacienda, defendió a ultranza, como suele hacer, el paquete del presidente de la república. No era una tarea sencilla. En ese paquete se incluían temas espinosos como la reducción de gasto social y de inversión, además de los ajustes a los recursos de Pemex. No obstante, las dificultades que enfrentó con el paquete quedaron reducidas a la disputa del presupuesto de la Ciudad de México, que resolvió sin mayores exabruptos.

EL CONCILIADOR

La forma en que ha sacado adelante los paquetes económicos es muestra de la habilidad con que cuenta para negociar con legisladores de todos los colores. Se prepara a fondo para conocer con precisión a quienes suelen presentar resistencia al paquete. Para cada tema y para cada legislador tiene información y formas distintas de construir el diálogo. Para convencerlos de sus posiciones, visita personalmente a sus interlocutores, y antes de hacerlo analiza, desde la perspectiva de la otra parte, las propuestas que habrá de plantear. Los paquetes económicos generan roces inevitables y su carácter contencioso dificulta la negociación. Sin embargo, Meade Kuribreña ha llevado a cabo esta tarea sin demasiados raspones.

EL TÉCNICO POLÍTICO

Comentó Luis Madrazo Lajous, jefe de Unidad de Planeación Económica en la Secretaría de Hacienda, que quizá no había llegado nunca nadie tan preparado como Meade Kuribreña para desempeñarse como subsecretario del ramo durante el gobierno de Calderón. Luis Madrazo enlistó los cargos que Meade Kuribreña había ocupado previamente y recordó: "Todas las noches que salíamos me platicaba y me decía: 'Hoy aprendí algo nuevo sobre el área'". A Luis Madrazo le sorprendió que un funcionario que podría desenvolverse legítimamente con actitud de quien todo lo sabe, dedicara unos minutos de reflexión diaria para narrar alguna experiencia o citar algún dato que se sumaba a la información que Meade Kuribreña iba acumulando.

LA PODEROSA BATICUEVA

Su oficina está instalada en una enorme habitación del Palacio Nacional, en el centro histórico de la Ciudad de México. La majestuosidad dentro del recinto no falta en ningún punto al que se mire. Por algo fue construido en 1522 como segunda sede residencial de Hernán Cortés, sobreponiéndose su estructura a la del Palacio de Moctezuma Xocoyotzin.

Las diferentes áreas del palacio son compartidas por oficinas de la Presidencia de la República con algunos militares y personal de alto mando de Hacienda. Atravesando pasillos de altísimos techos y patios de armoniosa sombra, se llega a la oficina principal del secretario. Su oficina es solemne. La decoración está ya instalada y no la modifica: antigüedades, un enorme reloj de pared, además de la inevitable foto de Peña Nieto en su muro. Madera y piel, materiales cuya mezcla de olores despierta la concentración. Algunos detalles lujosos pero equilibrados. Figuran también varios cuadros con imágenes de algunos de sus antecesores. Los libros son protagonistas de la estancia. Se percibe una institucionalidad con la que ningún objeto personal se atreve a rivalizar.

No falta el teléfono rojo, un símbolo de poder que las nuevas tecnologías no han logrado desechar. Un deliberado comentario que alcanza a escuchar uno de los integrantes de su equipo delata la percepción del espacio que ocupa Meade Kuribreña: "Me gusta despachar en Palacio, aunque sea ominoso, porque se siente el poder".

Además, le entusiasma tanto el elevador particular que cuando recibe visitas y tiene oportunidad les ofrece un paseo para mostrar, mientras llegan al estacionamiento, el diseño casi calco de los ascensores de la Oficina Postal. Se divierte con la idea de subir y bajar, como si realizara en segundos un viaje en el tiempo. "Siento que soy Batman en mi baticueva", comenta entre risas a uno de sus colaboradores después de mostrarle el elevador directo de su oficina.

EL POLEMISTA AMABLE

Meade reproduce de algún modo aquellas dinámicas de familia en que las deliberaciones se ganaban con argumentos. Cuentan algunos de sus colaboradores que alimenta su reflexión montando debates entre ellos, sobre todo cuando las posturas son opuestas. Vanessa Rubio, quien ha sido parte de su equipo desde la Secretaría de Relaciones Exteriores, afirma que en un vuelo de trabajo, cuando estaban todavía en la cancillería, surgió el tema de menores migrantes. Era un asunto polémico en el que el vocero Eduardo del Río y ella tenían importantes diferencias. Meade Kuribreña los señalaba con el dedo para que cada uno expusiera sus posturas y argumentara contra el otro. Después de media hora tomó la decisión de escucharlos sin intervenir en una sola ocasión.

LOS IRRESISTIBLES ANTOJOS

En un recorrido por varios municipios de Chiapas, el hambre sorprende a Meade Kuribreña y a sus colaboradores. Afortunadamente, pasan frente a una fonda pequeña que ofrece sencillos antojitos mexicanos. Tienen programada una comida formal con el gobernador y corren el riesgo de retrasarse para la siguiente presentación, pero el secretario decide hacer una escala gastronómica y devora con prisa un par de tamales recién sacados de la olla de vapor.

Sus cumpleaños se celebran con fiestas masivas a las que asisten personalidades de todos los sectores y de variados colores ideológicos. En esas celebraciones con formato de kermés incluyente, normalmente ofrece antojos para degustar de pie, que van desde los clásicos esquites enchilados hasta los *hot dogs* recién preparados.

MESURA, INGLÉS Y LIBROS

No demuestra el enojo con aspavientos. No reacciona con tripas ni lanza descréditos. Puede estar molesto, pero es difícil notarlo. Lo que lo enoja y frustra es que se muestren impedimentos *a priori* para alcanzar un objetivo. Tiene una obsesión por resolver conforme se lo instruye el presidente. Dicen que era sumamente irascible y que al inicio de su carrera se enfrentó a un superior que era su espejo; eso le permitió percatarse del riesgo de autodestrucción que provoca la ira. Por eso, desde mucho tiempo atrás, ha practicado la consigna de guardar la calma, no es volátil y consigue mostrarse estable emocionalmente casi en cualquier crisis.

Sus colaboradores y compañeros cercanos lo describen como una persona sencilla y amable. Tanto el doctor Luis Rubio como el periodista Álvaro Delgado suponen que su afabilidad la aprendió de Agustín Carstens, mientras trabajó como su coordinador de asesores en la misma Secretaría de Hacienda durante el gobierno de Calderón. Al parecer, posee muchos colores en su personalidad, se mueve entre los matices de introversión, determinación y seriedad, que combina con el respeto y la consideración. Coinciden todos en que hace un esfuerzo auténtico por mostrar interés sobre la vida cotidiana de su equipo de trabajo. Genera relaciones de cercanía, acerca a su equipo a su familia, y su familia a su equipo.

Los que lo califican de articulado, añaden a su evidente conocimiento en materia financiera y económica la capacidad para generar ideas asertivas que lo hacen destacar. El mismo pensamiento integral le resulta útil para desarrollar relaciones públicas. Maneja cifras absurdamente grandes y sus cambios en diferentes monedas. Lo mismo sucede con los nombres y los referentes personales de la gente que tiene alrededor.

Sus conversaciones evidencian acumulación de conocimientos por su afición a la lectura, lectura claramente consistente y versátil. La historia es una de sus pasiones, de modo que cualquier referencia que se hace en alguna plática sobre algún acontecimiento histórico que ilustre el momento es una oportunidad que ocupa para intervenir con cabal conocimiento, sin titubear. A diferencia de su jefe en Los Pinos, el manejo que tiene del inglés es sobresaliente.

PRIMERO LA FAMILIA

Comparte su vida con Juana Cuevas, quien es también licenciada en economía egresada del ITAM. Ella decidió no hacer carrera política y, siendo madre, ha preferido dedicarse al hogar y a la pintura. No son pocas las personas que, conociéndolos, resaltan la genuina cercanía que reflejan cuando están juntos y lo acoplados que se sienten en cualquier ambiente.

Desde la biblioteca particular de los Meade Cuevas se decide la agenda semanal de la Secretaría de Hacienda. Los domingos por la tarde se dan cita los colaboradores más cercanos del secretario para poner en papel la ruta cronológica de compromisos que atenderán de lunes a viernes. Eso le permite estar cerca de su esposa Juana y de sus tres hijos. Dionisio, el mayor, tiene ya 19 años y acaba de terminar la preparatoria, José Ángel cumplió 14 y Magdalena tiene 13. Sus colaboradores coinciden en que Meade Kuribreña le da un espacio muy importante a su familia. Lo han notado, por ejemplo, cuando recibe una llamada de alguno de sus hijos en medio de una junta y responde lo antes posible para escuchar atento.

La esposa de Meade dedica buena parte de su tiempo a trabajar en el voluntariado del IMSS. Con Gabriela Gerard, cuñada del expresidente Carlos Salinas de Gortari y pareja de José Antonio González Anaya, director de Pemex, Juana Cuevas ha hecho una muy buena mancuerna para fortalecer el voluntariado del Seguro Social. Juntas impulsan entusiastamente proyectos de desarrollo para personas en situaciones vulnerables o con discapacidad. Quizá porque tienen la experiencia enriquecedora de acompañar de cerca a su hijo mayor, quien ha salido adelante a pesar de las dificultades que enfrenta por su condición física.

Colegas para toda la vida

Dimensión 89 fue la planilla con la que Luis Videgaray ganó la presidencia del Consejo de Estudiantes del ITAM en 1989, y su coordinador de campaña fue José Antonio Meade. Dos jóvenes con aspiraciones políticas que prefirieron unir sus esfuerzos antes que enfrentarse. Meade y Videgaray eran considerados líderes por sus compañeros y compartían intereses académicos: ambos hicieron dos licenciaturas, una en economía en el ITAM y otra en derecho en la UNAM.

Al graduarse, en 1994, siguieron caminos más o menos similares en busca de su desarrollo en áreas económicas. Ambos coincidieron como asistentes de dos secretarios de Economía: Pedro Aspe Armella y Agustín Carstens. Si bien Videgaray se integró al Frente Juvenil Revolucionario del Partido Revolucionario Institucional, hasta el día de hoy Meade ha preservado su virginidad partidista y no se ha registrado como militante de ningún instituto político.

Un revelador video, en el que Alejandro Poiré apadrina a una generación de graduados del ITAM en 2012, da nota de cómo el grupo al que pertenecían Meade Kuribreña y Luis Videgaray compitió años atrás para presidir el consejo de alumnos, en una planilla en la que Poiré también formaba parte. Respecto de esta inocente declaración de Poiré, el periodista Raúl Rodríguez Cortés escribió en *El Universal* una columna el 22 de septiembre de 2016, titulada "Bajo el manto de Salinas", donde subraya dos importantes coincidencias. En primera instancia, el ánimo de ambos colegas por competir, ya no por el consejo de alumnos, sino por la Presidencia de la República. En segunda instancia, el vínculo que ambos tienen con el doctor Pedro Aspe Armella, quien como secretario de Hacienda en el gobierno de Carlos Salinas de Gortari operó las reformas estructurales privatizadoras. Actualmente Pedro Aspe lleva el liderazgo de empresas como Evercore Partners, antes Protego, que asesoran a gobiernos en tema de deudas y los proveen de servicios de financiamiento.

Durante toda su carrera, tanto Meade Kuribreña como Luis Videgaray se han mantenido cercanos uno del otro. Y no sorprende que ambos acudieran juntos al Estadio Azteca para ver un partido de la NFL, luego de que Videgaray entregara a Meade la estafeta de la titularidad de la Secretaría de Hacienda y Crédito Público en septiembre de 2016. Volvieron a coincidir públicamente y a acordar estrategias en enero de 2017, cuando comparecieron ante el Congreso para explicar las razones y causas del aumento del precio de la gasolina. No obstante, en los últimos meses la relación entre el secretario de Hacienda saliente y el entrante habría sufrido algunas tensiones como resultado del esfuerzo del primero por seguir participando en decisiones internas de la secretaría.

Y es que la presencia de Luis Videgaray, a quien se considera el hombre poderoso del gobierno de Peña Nieto, representa una intermediación que otros secretarios de Hacienda no tuvieron que enfrentar. El contexto de poder de un suprasecretario como Videgaray no se había dado en otros sexenios en este nivel. Ni la injerencia de José Córdova sobre Salinas o de Liébano Sáenz sobre Ernesto Zedillo son comparables con el poder de Videgaray. Trabajar en esas condiciones no es sencillo. Le tocó defender un Paquete Económico que no diseñó y en el que seguramente no creía, y lo sacó adelante. Dio la cara para explicar la realidad de las razones por las cuales se tomó la decisión del gasolinazo con gran prisa, en buena medida por las malas decisiones que tomó su antecesor, a quien difícilmente se atreverá a adjudicar las fallas previas. Aunque, por otro lado, habría que decir que, como parte de los dos últimos gabinetes, las malas decisiones que dieron como resultado el gasolinazo son también responsabilidad suya.

Meade Kuribreña incluso ha amortiguado el conflicto entre Luis Videgaray y Agustín Carstens. Se rumoró que la renuncia de Agustín Cartens se debía en cierta medida a fricciones con Meade Kuribreña. Pero quizá su anunciada salida tenga más que ver con posibles fricciones entre Luis Videgaray y el gobernador del Banco de México, y se derivan de la insistencia de Luis Videgaray para que se liberen las ganancias por compra de dólares. Algo a lo que Agustín Carstens se ha opuesto permanentemente.

Otro de los colaboradores cercanos a Meade Kuribreña ha sido el ya mencionado director general de Petróleos Mexicanos (Pemex), José

Antonio González Anaya, quien nació en Veracruz en 1967. González Anaya se graduó como economista e ingeniero mecánico por el Instituto Tecnológico de Massachusetts, y luego obtuvo su maestría y doctorado en Economía por la Universidad de Harvard. González Anaya, quien cumplió ya los 50 años, trabajó con José Antonio Meade y Luis Videgaray muy de cerca, debido a que ocupó diferentes cargos en la SHCP, como subsecretario de Ingresos y coordinador de asesores cuando Meade formaba parte también del equipo de Carstens.

La relación de Luis Videgaray, José Antonio González y Meade está vinculada también con Mikel Andoni Arriola Peñalosa, actual director del Instituto Mexicano del Seguro Social. Su relación con Meade se dio a partir de que trabajaron juntos en Financiera Rural. Arriola fue gerente de cumplimiento de esa institución para luego convertirse en subdirector de Banrural, una vez que Meade cumplió su encomienda. Más tarde colaboraron de nuevo juntos cuando Arriola Peñalosa se convirtió en director general de Planeación e Ingresos de la Unidad de Legislación Tributaria en la SHCP, y también estuvo en el departamento de Pensiones en Pemex. Arriola Peñalosa es licenciado en derecho por la Universidad Anáhuac y tiene dos maestrías, una en políticas públicas por la London School of Economics and Political Science de Inglaterra y otra por la Universidad de Chicago.

Tiene una relación menos personal, pero muy cercana profesionalmente, con Vanessa Rubio Márquez, quien lo ha acompañado en tres de sus diferentes encargos como secretario de Estado. Hoy en día Rubio es la primera mujer que ocupa el cargo de subsecretaria de Hacienda y Crédito Público. Estudió la licenciatura en relaciones internacionales por la Universidad Nacional Autónoma de México y se graduó como maestra en ciencias por la Escuela de Economía de Londres. Tiene además trayectoria académica como catedrática del Instituto Tecnológico y de Estudios Superiores de Monterrey (ITESM).

Cuando Meade fue secretario de Relaciones Exteriores (2013-2015), Vanessa Rubio ocupó la Subsecretaría para América Latina y el Caribe. Siguió formando parte de su equipo una vez que fue designado titular de Sedesol, para hacerse cargo de la Subsecretaría de Planeación, Evaluación y Desarrollo Social en esa instancia. Muchos sugieren que ella es la mano derecha de José Antonio Meade.

Uno de sus entrañables amigos desde la adolescencia es Ignacio Vázquez Chavolla, licenciado en derecho por la Universidad Nacional Autónoma de México y maestro en derecho internacional por la Universidad de Cornell; es el actual oficial mayor de la Secretaría de Hacienda y Crédito Público. Nacho, como lo llama el resto de los colaboradores, ha sido servidor público desde hace más de dos décadas. En la Secretaría de Hacienda ha sido asesor del secretario, director general de la Subsecretaría de Ingresos y de la Subsecretaría de Hacienda y Crédito Público, secretario particular del titular y jefe de la oficina de Coordinación del secretario.

CAMINAR EN ESPIRALES

Los patios de Palacio son testigos de las espirales que deja Meade Kuribreña cuando decide abandonar su oficina y caminar un buen rato. En menos de diez metros cuadrados sus pasos toman un ritmo ligero con el que emprende la marcha. Puede ser acompañado por su padre don Dionisio, quien lo visita frecuentemente; hombro a hombro con algún subsecretario; al lado de algún colaborador de mando medio o en completa soledad. Respira al compás de sus pasos, conversa apacible y sin prisa, y no se detiene hasta que las vueltas al patio le resultan suficientes. Como si con ello se oxigenara de calma.

También le gusta ir al volante, prefiere conducir que llevar chofer, sobre todo cuando trata temas delicados para los que se sube al auto, acompañado sólo por su interlocutor. Prefiere llevar poca seguridad cuando es posible, aunque es inevitable que el número de escoltas aumente cuando sale de gira. A diferencia de su equipo, que elige autos llamativos, Meade Kuribreña selecciona el coche más austero: un híbrido que muchas veces decide manejar.

ENTRE LA CORBATA Y LOS CAQUIS

Entre los colaboradores que lo han acompañado durante los tres últimos cargos públicos hay coincidencias sobre la naturalidad o dificultad con la cual Meade se desenvuelve en diferentes ambientes. Se comenta que en la cancillería hizo muy buena química con la gente, pero se notaba a leguas que el estilo diplomático y acartonado lo incomodaba. El traje puede ser el mismo que porta en Hacienda, pero los protocolos que acompañaban el encargo no eran necesariamente los que mejor le acomodan.

Sin duda disfrutó la Sedesol, visitar casas en Tultepec, entregar televisiones en San Juan Chamula. Estuvo en el sector de desarrollo social muy poco tiempo. Su atuendo cambió en las giras, se quitó el traje, abandonó la camisa almidonada y los mocasines para vestir y, como las costumbres lo indican, se vistió con unos caquis con botas todo terreno y camisa de manga corta, de esas "institucionales" con ingente y colorido logo gubernamental sobre el corazón. Al principio le parecía entretenido, pero el discurso es acotado, versa repetidamente sobre las seis carencias, y las giras están muy concentradas en la entrega de subsidios. En realidad, Meade Kuribreña nunca se mimetizó con el cargo.

Ciertamente su trayectoria provoca que los temas de Hacienda le sean más cercanos que los de cualquier otra secretaría. Sin embargo, el cambio abrupto al que tuvo que someterse le está costando trabajo. Las circunstancias en las que ha tenido que desenvolverse no lo tienen contento. Quizá porque las posibilidades de convertirse en ficha presidencial se reducen al ser el responsable de los dineros públicos. Sumemos a ello el papel de pararrayos que ha debido asumir en esa encomienda.

ESTRATEGIA DE BAJO PERFIL

Con Calderón no proyectó una personalidad protagónica. Siempre mantuvo su papel institucional, y en ese gabinete no tenía acceso real al círculo de los elegidos. Aunque en el gobierno de Enrique Peña Nieto sí existieron posibilidades de que se convirtiera en una figura presidenciable más visible, ha optado por mantener un perfil extremadamente cauto que no pone nunca en riesgo la seguridad de su posición. Adopta un lenguaje no verbal que refleja timidez. Su temperamento cauteloso genera la sensación de que no compite directamente con nadie.

Su estoicismo para no alimentar sus expectativas de llegar a Los Pinos podría responder a su propia historia familiar. La carrera política de su padre, don Dionisio, se desarrolló en los tiempos priistas, cuando los funcionarios se movían esperando ganar un puesto superior, con consecuencias a veces catastróficas, que no sólo producían inestabilidad económica, sino que desmembraban a la familia ocasionando enormes frustraciones. Quizás el temor de caer en el profundo abismo de las expectativas rotas y el desempleo intermitente lo lleva a contener las ambiciones políticas.

LA SILLA PRESIDENCIAL ACALAMBRA

Pocos lo creerían, pero es así. Normalmente las expresiones faciales de Meade no muestran muchos cambios, pero cuando se acerca una cita con el presidente Peña Nieto la tensión en su mandíbula y el movimiento intenso de sus manos revelan el estrés que experimenta. Es extraño que, con una trayectoria técnica tan sólida, tenga temor de cometer algún error frente al presidente. La autoridad vinculada al cargo, más que el respeto natural derivado de la admiración por la capacidad intelectual, lo pone en jaque. Lo mismo sucede cuando recibe llamadas del mandatario; se muestra interesado en descifrar si el tono de voz con el que se dirige a él emite afinidad o lejanía, incluso calcula si la llamada tiene una duración considerable para colgar con la satisfacción de estar entre sus allegados.

Es de los secretarios de Estado que más asiduamente hace mención de su superior cuando aparece en medios o al dar algún discurso. En uno de esos actos multitudinarios de gobierno promovido por la Sedesol, Peña Nieto se presentó ante más de 1 000 "beneficiarios" acompañado de Meade Kuribreña. El secretario dedicó su discurso a elogiar a Peña Nieto. Fue complaciente y hasta adulante, repitió más de diez veces "se lo debemos al Señor Presidente". Aprovechaba a conciencia el hecho de estar rodeado de un público agradecido que nada cuestiona.

HOY, HOY, HOY

Para ilustrar el temperamento de servidor público comprometido de José Antonio Meade, el doctor Luis Rubio usó una frase que retomó de Fernando Solana: "En este cuarto hay dos tipos de funcionarios: los que están haciendo su chamba y quienes están haciendo su siguiente chamba". Meade Kuribreña sin duda es de los que están haciendo su trabajo. Lo demuestra su temple para defender una decisión increíblemente complicada como el incremento a la gasolina, con un costo político enorme y, sin embargo, estaba haciendo su chamba. Sus cartas presidenciables no están colocadas en una actitud protagónica, sino en dar prioridad al cumplimiento de sus funciones.

Meade Kuribreña también tuvo que dar la cara por el incremento internacional de los precios de las gasolinas y del crudo en enero de 2017, que fue de 18 y 33% respectivamente, lo que fue utilizado para cuestionar tanto la eficacia de la reforma energética como la liberalización de los precios. Los que saben afirman que se tenía previsto realizar esto en 2018 pero fue necesario adelantarse un año, generando con ello otra crisis en la de por sí desgastada Presidencia de la República.

Un integrante de su equipo de trabajo me dice con toda honestidad que, aunque Meade es cuidadoso para no mostrar sus aspiraciones presidenciales, claramente quiere ser presidente. "La noche que lo nombraron secretario de Hacienda, para sustituir a Luis Videgaray, estaba demacrado y el ambiente en la oficina era de velorio. Sin embargo, su temperamento disciplinado nunca le permitiría contradecir al presidente".

En algún momento expresó su deseo de convertirse en primer mandatario de México; sin embargo, hasta este momento no se ha "destapado" como un presidenciable en las ya cercanas elecciones, y debe mantenerse atento a una economía cada vez más débil frente a ciudadanos cada vez más molestos. Todo viene cayendo en una bola de nieve. El encarecimiento continuo de los productos básicos y del transporte, que junto con el gasolinazo han desencadenado masivas protestas sociales. Con los próximos aumentos previstos para la gasolina, su papel en los meses del fin de sexenio será el de amortiguar un gobierno que día con día pierde puntos de aprobación.

Para ningún integrante del gabinete resultará más costoso el gasolinazo con el que arrancó el año 2017 que para Meade Kuribreña. La defensa que hizo públicamente no abordó de frente una de las principales razones del abrupto anuncio, el cual según los expertos, responde al tipo de cambio que, con la caída del peso, generó un desequilibrio rotundo con los precios internacionales de la gasolina. La decisión en el Congreso para el aumento del precio de la gasolina se tomó antes de que Meade Kuribreña fuera nombrado secretario de Hacienda. Igualmente, la idea de detener el ajuste periódico a los precios de las gasolinas se realizó durante el periodo electoral de 2016, cuando sus funciones no le permitían incidir en un rumbo distinto.

CLUB DE TOBI

Nunca emite comentarios machistas, no exhibe ningún comportamiento discriminador; no obstante, se rodea preferentemente de hombres. Entre las pocas colaboradoras que tiene en cargos de alto nivel está Vanessa Rubio, quien asegura que Meade tiene un trato equilibrado y clara conciencia de género.

Sin embargo, en los pasillos no es novedad la dinámica de "club de Tobi" que domina el ambiente laboral de los altos niveles de dirección. En cierta medida fueron las críticas cada vez más sonoras las que lo motivaron para incorporar a una mujer como subsecretaria en Hacienda.

MÁS TRANSPIRACIÓN QUE INSPIRACIÓN

Difícilmente en su paso por las cuatro secretarías hay alguna iniciativa de largo alcance que lleve su nombre. Meade, en cambio, se dedica a consumar hasta sus últimas consecuencias las tareas que le son asignadas. Durante el breve periodo en que dirigió Sedesol realizó más actos públicos que muchos de sus antecesores, y en más de la mitad salió de la Ciudad de México. Álvaro Delgado documenta 246 actos públicos más la firma de 85 acuerdos o convenios en Sedesol.

LA MALDITA PRENSA

Todo indica que los periodistas que han hecho críticas a su desempeño le provocan resentimiento. Es de los que le hacen sentir su molestia a sus críticos. Algunos de ellos lo interpretan como arrogancia, otros como un falso victimismo. El hecho es que recurre a frases en las que resalta que no se merece ser criticado. Eduardo del Río ha sido su jefe de prensa a lo largo del peregrinaje por distintos ministerios, y a pesar de que los reflectores de la crítica no se ceban sobre la figura de Meade Kuribreña, se esmera en poner suficiente distancia con los periodistas que se atreven a cuestionar las decisiones de su superior.

ENTRE EL PAN Y EL PRI

Su historia familiar y su trayectoria profesional coinciden en dotarle de la habilidad de adaptación gracias a que su especialidad técnica parece no tener camiseta ideológica. Esta virtud podría ser un punto a su favor cuando el Partido Revolucionario Institucional y el Partido Acción Nacional vislumbren el posible avance de las izquierdas, ya que en ambos partidos, sin ser militante, tiene confianzas bien cimentadas y apoyos que podrían considerarlo un buen candidato. No obstante, se da por descontado que en el PRI encontrará resistencias de los grupos que están inconformes con el desempeño de Peña Nieto y que consideran a Meade Kuribreña uno de sus cercanos. En el PAN tampoco será fácil la decisión de descartar a Margarita Zavala como candidata y, en caso de que sucediera, en la fila están ya formados el joven Ricardo Anaya y Rafael Moreno Valle.

Para momentos extraordinarios se requieren candidatos extraordinarios. Hay candidatos naturales y sistémicos, y Meade Kuribreña entra más en el grupo de los que no resultan ordinarios en primera instancia. Sin embargo, debido a la situación crítica que ha debido asumir, a los movimientos que realiza el PRI y a la reincorporación de Videgaray al gabinete, su futuro como candidato se debilita. Sus posibilidades están sostenidas por una delgada cuerda. A su favor cuenta con tres condiciones: primero, la dificultad del ahora secretario de Gobernación, Osorio Chong, puntero entre los priistas según las encuestas, para revertir los errores y el desprestigio que su partido ha acumulado durante este sexenio; segundo, el vínculo que los ciudadanos infieren que tiene Luis Videgaray con Trump; y tercero, las posibles alianzas que el PRI podría tejer con el PAN apostando a jugarlo todo con tal de seguir manteniendo el monopolio del poder repartido entre ellos, sin que la izquierda tenga demasiada injerencia en el porvenir de México.

NOTAS

Agradezco el tiempo y la disposición dedicados a conversar conmigo de la maestra Vanessa Rubio Márquez, al doctor Luis Madrazo Lajous y al doctor Luis Rubio Freidberg. Sus impresiones y anécdotas me ayudaron a percibir con mejor lente el perfil de José Antonio Meade Kuribreña. Agradezco también a las fuentes que solicitaron anonimato y que enriquecieron invaluablemente los insumos de investigación. A diferencia de otros posibles candidatos, la información accesible sobre la trayectoria y alianzas políticas de Meade Kuribreña es todavía muy escasa. Comparto aquí algunas de las fuentes a las que recurrí para tejer su biografía.

Aguirre, A. (6 de enero de 2017), El brindis de los itamitas, *El Economista*. Recuperado el 12 de enero de 2017 de: http://eleconomista.com.mx/columnas/columna-especial-politica/2017/01/06/brindis-itamitas

Gobierno de la República (2016), *Directorio*. Recuperado el 13 de enero de 2016 de: https://www.gob.mx/estructuras

Lozano, N. (2016), Las cuentas de Videgaray, *Gatopardo*. Recuperado el 12 de enero de 2017 de: http://www.gatopardo.com/reportajes/las-cuentas-videgaray/

Mendoza, L. (primero de diciembre de 2016), Placeres y negocios, *Reforma*. Recuperado el 12 de enero de 2017 de: http://www.reforma.com/aplicacioneslibre/articulo/default.aspx?id=996276&md5=9a6849277710d4091107b119d80c79a&ta=0dfdbac11765226904c16cb9a d1b2efe&lcmd5=8adf49eb6f550635a3464fbd d55e3e6c

Redacción (22 de noviembre de 2016), El encuentro de Videgaray y Meade... en el Azteca, *El Universal*. Recuperado el 12 de enero de 2017 de: http://www.eluniversal.com.mx/entrada-de-opinion/columna/bajo-reserva-periodistas-el-universal/nacion/politica/2016/11/22/el

Redacción (22 de noviembre del 2016), Luis Videgaray y Antonio Meade también estuvieron en el Monday Night de la NFL, *SDPnoticias*. Recuperado el 12 de enero de 2017 de: http://www.sdpnoticias.com/

deportes/2016/11/22/luis-videgaray-y-jose-antonio-meade-tambien-estuvieron-en-el-monday-night-de-la-nfl

Redacción (13 de enero 2017), Así defendieron los secretarios de Hacienda, Energía y el titular de Pemex el gasolinazo, *Animal Político*. Recuperado el 12 de enero de 2017 de: http://www.animalpolitico. com/2017/01/gasolinazo-comparecencia-pemex-hacienda/

Redacción (8 de febrero de 2016), ¿Quién es Mikel Arriola, nuevo director del IMSS?, *El Financiero*. Recuperado el 12 de enero de 2017 de: http://www.elfinanciero.com.mx/nacional/quien-es-mikel-arriola-nuevo-director-del-imss.html

Camarena, Salvador (20 de abril de 2016), "La receta de Meade para ¿abatir? la pobreza", *El Financiero*: http://www.elfinanciero.com.mx/opinion/la-receta-de-meade-para-abatir-la-pobreza.html

Camarena, Salvador (14 de septiembre de 2016)." Meade, ¿honesto para qué?". *El Financiero*. http://www.elfinanciero.com.mx/opinion/meade-honesto-para-que.html

Urrutia, A. (8 de septiembre de 2016), Renuncia Videgaray; Meade va a Hacienda y Miranda a Sedesol, *La Jornada*. Recuperado el 11 de enero de 2017 de: http://www.jornada.unam.mx/2016/09/08/politica/002n1pol

http://semanariocritica.com/en-corto/jose-antonio-meade-diplomacia-con-vision-economica/

http://www.cunadegrillos.com/2016/04/05/se-dedica-la-esposa-jose-antonio-meade/

Entrevista a la embajadora de Irlanda en México: http://macroeconomia.com.mx/2015/06/lazos-historicos-de-mas-de-400-anos-unen-a-mexico-e-irlanda/

Cortés Rodríguez, Raúl (21 de septiembre de 2016), "Bajo el manto de Salinas", *El Universal*: http://www.eluniversal.com.mx/entrada-de-opinion/columna/raul-rodriguez-cortes/nacion/2016/09/21/bajo-el-manto-de-salinas

MAITE AZUELA

Es maestra en Políticas Públicas por la Universidad de Concordia, en Canadá. Defensora de derechos humanos y lucha anticorrupción. Actualmente es columnista en *SinEmbargo.mx*. Fue articulista en *El Universal* de 2010 a 2015. Colaboró como analista en Foro TV y UNO TV. Como servidora pública colaboró en instituciones como el Instituto Nacional Electoral (INE) y el Instituto Nacional de Acceso a la Información Pública (INAI). Desde la sociedad civil impulsó la reforma política para garantizar las candidaturas independientes y otros mecanismos de participación, al igual que la reforma educativa que estableció el sistema profesional magisterial. Es profesora en la Universidad Nacional Autónoma de México y en la Universidad Iberoamericana.

LOS OTROS

Los que siempre están ahí, los que quieren...
y hasta los que estorban

RITA VARELA

No encabezan las preferencias en las encuestas de intención de voto, no son las figuras más populares entre los ciudadanos, ni tampoco gozan de la confianza o del apoyo de las dirigencias de los partidos, pero la política no es una ciencia exacta. Son tan frecuentes los giros inesperados que incluso los aspirantes de menor envergadura o que arrastran estigmas a ojos de los votantes, sienten que tienen alguna probabilidad.

Y justamente porque los caminos a la Presidencia son en ocasiones inescrutables (véase si no el caso de Donald Trump), abordamos en este capítulo los "otros casos". Incluso si sus posibilidades son escasas, no hay duda de que desempeñarán un papel en la guerra soterrada que tendrá lugar en 2017 en la disputa por las candidaturas.

LUIS VIDEGARAY CASO
El regreso del ángel caído

"Yo no conozco la Secretaría de Relaciones Exteriores más que como se le puede conocer desde fuera, no soy un diplomático [...]. Ustedes han dedicado su vida entera a ello, se los digo de corazón y se los digo con humildad, vengo a aprender de ustedes, vengo a hacer equipo con ustedes".

Así le dijo Luis Videgaray Caso a sus subalternos, minutos después de que el presidente Enrique Peña Nieto anunciara el 4 de enero de 2017 su designación como titular de la Secretaría de Relaciones Exteriores (SRE) y, por tanto, el regreso a la escena pública del hombre que el 7 de septiembre de 2016, apenas 119 días antes, había salido por la puerta de atrás de la Secretaría de Hacienda y Crédito Público (SHCP) y del círculo más influyente en el poder político de México. Pero, más importante aún, de la carrera presidencial para representar al Partido Revolucionario Institucional (PRI) rumbo a 2018.

Ese 7 de septiembre, el día de su renuncia en Los Pinos, el rostro del primer mandatario y el de él, desencajados, lo decían todo. Junto a ellos, otros dos presidenciables parecían quedarse solos en esa batalla: José Antonio Meade Kuribreña, quien sustituyó a Videgaray Caso en la dependencia hacendaria y, en particular, Miguel Ángel Osorio Chong, titular de la Secretaría de Gobernación (Segob).

La visita del entonces candidato republicano Donald Trump a la residencia oficial de los mandatarios mexicanos, el miércoles 31 de agosto de 2016, considerada por los opinadores más influyentes de México y Estados Unidos como "un error histórico y político", le costó el puesto al amigo de más de una década, al asesor estrella y "gran cuate" del presidente.

Él había sido, por encima de Claudia Ruiz Massieu Salinas, entonces titular de la SRE, el de la idea y el operador de la invitación al magnate neoyorquino, quien basó gran parte de su campaña presidencial en agresiones verbales y amenazas en contra de México y los inmigrantes mexicanos.

Cuatro meses más tarde, tras el triunfo de Trump como presidente, tomó posesión como titular de Relaciones Exteriores con el discurso ante el cuerpo diplomático mexicano de "vengo a aprender de ustedes". Una desafortunada frase que, lejos de interpretarse como un acto de humildad, provocó el enojo y decenas de ácidos memes en redes sociales.

"¿Viene a aprender? Pero el aprendizaje nos costará 205 199 pesos y 005 centavos al mes", repetían ciudadanos en Twitter. "No más: Videgaray es un desvergonzado", comentaban otros desde Facebook.

> La decisión de nombrar al doctor Luis Videgaray como secretario de Relaciones Exteriores de México nos deja escépticos y no sabemos si entenderla como un premio a la falta de capacidad de gestión, un acto surrealista o un proceso de codependencia de Enrique Peña Nieto con el exsecretario de Hacienda y Crédito Público. El propio nombrado secretario reconoció su falta de conocimiento sobre la cancillería que le ha sido encargada por el presidente.

Esto comentó el doctor Jesús Amador Valdés Díaz de Villegas, profesor del Departamento de Estudios Empresariales de la Universidad Iberoamericana Ciudad de México.[1]

En tanto, Agustín Gutiérrez Canet, quien hasta junio de 2016 fungió como embajador de México en Rumania, dijo en conferencia de prensa que el nombramiento de Videgaray se percibía como "una mezcla de ignorancia y soberbia".

---

[1] Valdés Díaz de Villegas, Jesús Amador, *La vuelta al ruedo de Luis Videgaray*, Universidad Iberoamericana, 5 de enero de 2017: http://ibero.mx/prensa/analisis-cual-es-la-verdadera-razon-del-nombramiento-de-videgaray

El diplomático, quien ingresó al Servicio Exterior Mexicano en 1979, expuso: "Hay una confusión enorme entre ser diplomático y ser obsecuente. El diplomático está para defender los intereses de México ante quien sea, basándose en los principios del derecho internacional. Y uno de ellos es el de la reciprocidad".

Y añadió: "Ser diplomático no es ser pusilánime, ni miedoso. Quien tenga miedo de defender los intereses de México no es un diplomático, es un traidor".[2]

El 13 de noviembre de 2016, ya cuando Trump había logrado el triunfo en las elecciones del 8 de noviembre, Jorge Zepeda Patterson, escritor y analista político y director del diario digital *SinEmbargo.mx*, escribió un artículo en el que se refirió a "los aduladores" de Videgaray que lo tachaban de visionario por haber sido el único que anticipó la llegada del neoyorquino a la presidencia de Estados Unidos.

> Así que no, Videgaray no me parece un visionario, ni mucho menos. Peor aún, pudo haber sido, de manera involuntaria, un cómplice en el triunfo de Trump. Se trajo al republicano por las razones equivocadas y con resultados contraproducentes. En ese sentido, nunca podremos quitarnos la sombra de la duda: el magnate ganó por una suma de varios factores que hoy se analizan, pero hay uno que no es deleznable: ¿cuánto pesa en esa suma una exhibición que le hizo lucir "presidenciable" frente a los votantes indecisos?".[3]

Así, Luis Videgaray Caso volvió al ruedo de la política mexicana y al casillero de los "suspirantes" a la Presidencia en 2018. Pero las condiciones cambiaron radicalmente en cuatro años: su fracaso en conseguir las metas económicas prometidas, los escándalos que lo ligan a presunta corrupción, sus gazapos al asesorar al presidente en áreas que él mismo dice desconocer, han borrado la estrella con la que llegó en 2012 a la cúspide del poder, ésa que lo colocaba como el relevo natural de Peña Nieto en la Presidencia de México.

[2] Gutiérrez Canet, Agustín, conferencia de Prensa, Universidad Iberoamericana, 12 de enero de 2017: http://ibero.mx/prensa/al-aceptar-cargo-videgaray-muestra-ignorancia-y-soberbia-exembajador

[3] Zepeda Patterson, Jorge, "Videgaray, ¿visionario o cómplice de Trump?", *SinEmbargo.mx*, 13 de noviembre de 2016: http://www.sinembargo.mx/13-11-2016/3114691

El amigo personal, el "cuate"

"Peña Nieto tiene cuatro asesores importantes: Videgaray, Videgaray, Videgaray y Videgaray", dijo en broma un alto dirigente del PRI, citado por el diario *The Wall Street Journal* el 30 de abril de 2012, y cuando el exgobernador del Estado de México estaba ya en plena campaña rumbo a las elecciones presidenciales del primero de julio de ese mismo año.

El dirigente tricolor, cuyo nombre no revela el diario, no se equivocaba: Luis Videgaray Caso fue durante casi cuatro años del actual sexenio no sólo uno de los hombres más cercanos al presidente Enrique Peña Nieto, sino también su amigo, asesor personal en diversos asuntos, y ahora, ya en 2017, de nuevo un secretario importante en la SRE.

La relación entre Videgaray y Peña ha sido ampliamente reseñada, pero nunca hubiera sido posible si el primero no hubiera hecho la carrera de Economía en el Instituto Tecnológico Autónomo de México (ITAM). Ahí tuvo como profesor a Carlos Sales —"una de las personas con mayor impacto en mi vida", dicho por el propio Videgaray—, quien lo llevó a la SHCP, en un cargo menor pero cercano al hombre más importante en esa dependencia. Era entonces la segunda mitad del sexenio del presidente Carlos Salinas de Gortari, y Pedro Aspe Armella fungía como titular de la SHCP; Carlos Sales, a su vez, se desempeñaba como asesor del secretario.

Fue en ese paso por Hacienda que Videgaray consiguió una beca del Consejo Nacional de Ciencia y Tecnología (Conacyt) para estudiar el doctorado en el Massachusetts Institute of Technology (MIT), donde Pedro Aspe tenía una fuerte influencia, luego de ser uno de los alumnos preferidos del doctor Rüdiger Dornbusch, economista alemán quien tuvo un enorme impacto en las políticas públicas que se aplicaron en América Latina en los años 80 y 90 del siglo XX.

En 1998 Luis Videgaray volvió a México tras concluir su doctorado en el MIT, donde defendió la tesis *The Fiscal Response to Oil Shocks* [La respuesta fiscal a los impactos petroleros].

Dos años antes, a su salida de Hacienda, Aspe Armella fundó Protego Asesores, ahora fusionada con la estadounidense Evercore Partners, una firma que tiene un área especializada en asesoría en "finanzas públicas locales" y cuyo producto estrella son los esquemas que ofrece a sus clientes —estados o municipios— para que puedan acceder a los mercados de crédito, aun estando ya fuertemente endeudados.

"El objetivo de Protego es apoyar a los participantes en el mercado de deuda estatal y municipal, en el diseño y ejecución de estrategias y transacciones específicas, tendiendo de esta manera un puente entre los oferentes y los demandantes de recursos financieros del mercado", expuso la firma en una presentación escrita de sus servicios de "Asesoría financiera estratégica a estados y municipios", de acuerdo con una investigación del diario digital *SinEmbargo.mx,*[4] realizada por la periodista Sandra Rodríguez.

Por eso no resultó extraño que, a su regreso de Boston, el ahora doctor en economía ingresara a las filas de Protego, en donde su maestro Sales también era socio. En 2001 Videgaray, nacido en la Ciudad de México el 10 de agosto de 1968, asumió la Dirección de Finanzas Públicas Estatales y Municipales en la empresa de Aspe. En diciembre de 2002 la intermediaria financiera fue contratada por el Gobierno del Estado de México, que entonces gobernaba el priista Arturo Montiel Rojas.

El mandatario requería un mecanismo de acceso a los mercados financieros debido a sus altos niveles de endeudamiento, ya que buscaba ser candidato a la Presidencia de la República. El problema es que en los tres primeros años de su gobierno estatal, de acuerdo con la SHCP, había aumentado la deuda pública en casi 40%, al pasar de 22 410 millones de pesos en 1999 a 31 200.4 millones en 2002.

El secretario de Administración de Montiel Rojas era Enrique Peña Nieto, quien se convertiría en el candidato natural para sucederlo al frente del ejecutivo local.

"El Estado de México presenta una compleja situación financiera derivada de sus altos niveles de endeudamiento, combinados con una creciente demanda por servicios públicos", describió Protego en su documento de promoción del mercado de deuda pública y que se registra en la investigación de *SinEmbargo.mx.* "El Estado [de México] tiene la más baja calificación entre los estados de la república", añadió la firma.

La solución que la firma de Aspe y la oficina de Videgaray propusieron al gobernador Arturo Montiel, narra la periodista Rodríguez, fue "la

---

[4] Rodríguez, Sandra, "Aspe, Videgaray, Aportela: los años dorados Protego/Evercore dejaron al país deuda histórica", *SinEmbargo.mx*: http://www.sinembargo.mx/26-12-2016/3128618

primera emisión de deuda para un estado o municipio" contraída sin la garantía de las participaciones federales y usando, en cambio, el Impuesto Estatal sobre Nómina.

"El programa de certificados bursátiles fue por 2 000 millones de pesos que fueron colocados exitosamente en la Bolsa Mexicana de Valores entre diciembre de 2002 y marzo de 2003. Ésta ha sido la emisión de mayor tamaño realizada hasta la fecha por un estado o municipio mexicano", expuso Protego en una presentación que data de 2004.

Esa "reestructuración" de deuda necesitaba un ajuste a la ley respectiva y ahí fue que, incluso desde antes de ser nombrado secretario de Finanzas de Montiel, Peña, quien entonces fungía como coordinador de los diputados priistas en el Congreso mexiquense, comenzó a trabajar con Videgaray.

El mismo Videgaray narró en un perfil publicado por la revista *Gatopardo* que ambos fueron a comer para definir el plan. Ahí Peña "me contó que tenía aspiraciones a ser gobernador del estado, así que empezamos a trabajar".[5]

La operación fue un éxito y desde entonces "nos hicimos cuates", dice también Videgaray, quien a la toma de posesión de Enrique Peña Nieto como gobernador del Estado de México, se convirtió en secretario de Finanzas, Planeación y Administración (de septiembre de 2005 a marzo de 2009). El capitalino, como lo fue en la campaña electoral de 2012 y en los cuatro años en que se desempeñó como titular de la SHCP, se volvió imprescindible para el de Atlacomulco, a pesar de que no contaba con experiencia política.

Videgaray Caso se afilió al PRI en 1987 como parte del Frente Juvenil Revolucionario, tenía entonces 19 años, pero nunca disputó un puesto de elección popular. Su primera y única experiencia, como diputado federal, llegó en 2009, por la vía de la representación proporcional —es decir, no por el voto directo de los electores—, al formar parte de la LXI Legislatura del Congreso de la Unión de México, donde fue presidente de la Comisión de Presupuesto y Cuenta Pública. Sin embargo, el 29 de marzo de 2011 solicitó licencia al cargo para ocuparse de la campaña del priista Eruviel Ávila Villegas al gobierno del Edomex, en la que se anotó otro éxito: el PRI triunfó con 61.47% de los votos.

---

[5] Lozano, Nacho, "Las cuentas de Videgaray", *Gatopardo*: http://www.gatopardo.com/reportajes/las-cuentas-videgaray/

Para entonces, la disciplina y la capacidad de negociación del doctor Videgaray eran ya ampliamente reconocidas dentro y fuera del PRI.

DE LA CUMBRE A LA DECEPCIÓN

El 14 de diciembre de 2011 Luis Videgaray Caso se convirtió en el coordinador de la campaña presidencial de Enrique Peña Nieto y, *de facto,* en uno de los personajes políticos más importantes del país.

En la prensa nacional y extranjera se hablaba fuerte sobre el doctor del MIT, quien, algunos apostaban desde entonces, sería el candidato natural para suceder a Peña Nieto si éste ganaba la elección de julio de 2012.

Tan seguros estaban todos de que así sería, que el propio Videgaray —siendo coordinador de la campaña de Peña— registró su nombre como marca para usarlo en campañas publicitarias: la primera solicitud de marca se dio de alta el 8 de marzo de 2012 a las 14:53:47 horas; unos 45 segundos después presentó otra petición ante el Instituto Mexicano de la Propiedad Industrial (IMPI) para sellar su identidad, de acuerdo con notas periodísticas difundidas hasta el 17 de mayo de 2016.

Pero aquella campaña del 2012 no fue tan fácil como la de Eruviel Ávila en el Edomex. Considerada como la más sucia en la historia de América Latina, lo mismo por *The New York Times, Bloomberg* y *The Washington Post*, así como por Organizaciones No Gubernamentales (ONG) que fungieron como observadores, Videgaray se mantuvo en el centro de las principales acusaciones por fraude y compra de millones de votos: lo mismo por la vía del reparto de tarjetas bancarias de Monex, de monederos electrónicos de Soriana, del gasto excesivo en medios de comunicación —principalmente en Televisa y TV Azteca— que por el uso de *hackers* para espiar y desplegar "propaganda negra" contra sus rivales: la panista Josefina Vázquez Mota y el entonces perredista Andrés Manuel López Obrador.

Además, el propio Peña Nieto, enfrentado a públicos más exigentes y con los medios de comunicación encima, comenzó a ser protagonista de gazapos y muestras de rechazo imposibles de controlar para su jefe de campaña, como la del 11 de mayo de 2012, cuando alumnos de la Universidad Iberoamericana en la Ciudad de México lo echaron de su campus con gritos de "asesino".

Aun así, el PRI recuperó la Presidencia de la República tras 12 años de ausencia, y el 1 de diciembre de 2012 el asesor estrella se convirtió en secretario de Hacienda y, de entrada, en el aspirante más poderoso a la candidatura en 2018.

Sin embargo, más allá de Peña Nieto —a quien un día después del triunfo del primero de julio el diario alemán *Der Spiegel* describió como un hombre telegénico, joven, guapo, pero de "poco talento político" e "intelectualmente débil"—, la decepción comenzó con el "brillante" doctor Videgaray Caso.

En una decisión que aún no se ha explicado oficialmente, Videgaray Caso y su equipo en Hacienda decidieron, en el primer año del gobierno de Peña, sacar el gasto público y la inversión en infraestructura, lo que provocó un freno en la economía que apenas creció 1.3% en 2013.

Ese año también permitió ver un rostro de Videgaray que se conocía poco: el del funcionario soberbio que no da explicaciones y que, peor aún, no tuvo nunca un plan B.

La dosis se repitió en 2014, cuando además se aplicó una reforma fiscal que afectó al aparato productivo y golpeó a los empresarios y a los consumidores. Ese año, la economía creció 2.1 por ciento.

Las malas noticias económicas, además, se unieron a las de la impunidad y la violencia. Llegaron los casos de las masacres en Tlatlaya y Ayotzinapa, que impactaron al mundo, y ya el 9 de noviembre el sitio digital *Aristegui Noticias* destapó el escándalo que más ha dañado la imagen presidencial: la "Casa Blanca" de Angélica Rivera Hurtado, esposa del primer mandatario, comprada en más de siete millones de dólares a Grupo Higa, propiedad del empresario Armando Hinojosa Cantú, beneficiado con contratos federales millonarios y también cercano a Peña Nieto desde la época de su mandato en el Edomex.

Casi un mes después, el 11 de diciembre, *The Wall Street Journal* publicó que también Luis Videgaray había adquirido una casa en Malinalco, Estado de México, a Grupo Higa. Al entonces secretario de Hacienda no se le acusó de un acto ilegal. "Pero la operación se suma a la aparición de conflictos de intereses que han dañado la credibilidad y la popularidad de Peña Nieto, que llegó al poder prometiendo un cambio en las prácticas del Partido Revolucionario Institucional", expuso el diario neoyorquino.

También, según el diario, ese nuevo escándalo era "una muestra viva de los amplios vínculos comerciales y personales entre el contratista y los altos funcionarios del gobierno".

En respuesta a las preguntas del WSJ, Luis Videgaray dijo que compró la casa a Hinojosa Cantú en octubre de 2012, menos de dos meses antes de que Peña Nieto asumiera el cargo de presidente. "No hubo ningún conflicto de intereses. Hice el trato cuando yo no tenía cargos públicos", dijo.

Pero "la transacción fue inusual", afirmó *The Wall Street Journal*, ya que Videgaray se hipotecó con el grupo del señor Hinojosa Cantú con 532 000 dólares, de acuerdo con los documentos, "pero por alguna razón, Videgaray dijo que después pagó la hipoteca en su totalidad". El daño a su imagen estaba hecho y su autodefensa no había hecho sino dañarla más.

La economía, además, comenzó a naufragar en 2015, cuando ya eran serios también los efectos de la caída por el precio del petróleo. Hasta septiembre de 2016 el peso se había devaluado en 56% de su valor; la deuda pública del país se elevó a un nivel histórico: 51.9%, algo no visto ni en la peor crisis financiera desatada tras el sexenio de Carlos Salinas. La deuda subnacional —la de los estados y municipios— alcanzó un récord de 529 718.6 millones de pesos en junio de 2016.

Standard and Poor's puso el dedo en la llaga: "La corrupción y escándalos de conflicto de interés entre altos funcionarios del Gobierno Federal en México han golpeado a la economía y ahuyentado a las inversiones, las cuales generan empleos".

El "deslucido" y "decepcionante" crecimiento económico de México es resultado de la ausencia de un sistema político basado en transparencia, rendición de cuentas y aplicación de la ley, determinó la calificadora. Las contundentes cifras, aunadas al alza de la pobreza y la desigualdad en México, revelaron que el doctor Videgaray, el economista laureado en el MIT, no había podido con el reto.

Ya entonces no era un presidenciable sólido: había perdido el fulgor ganado en las batallas electorales. Ahora era un secretario de Hacienda desacreditado al que, dicho por especialistas financieros, el Banco de México (Banxico), a cargo de Agustín Carstens Carstens, estaba salvando del naufragio.

Luego llegaría la cereza del pastel: la invitación a Donald Trump, el candidato republicano que basó su campaña en el insulto y las amenazas contra los mexicanos, para visitar Los Pinos. Mientras Trump insultaba al país, los mexicanos se preguntaban a quién se le ocurrió el disparate de invitarlo a la casa presidencial en México.

La respuesta llegó pronto. El 3 de septiembre, el diario *The Washington Post* señaló a Luis Videgaray Caso como el artífice de la visita del magnate. Y luego todo fue rápidamente cuesta abajo. El 7 de septiembre el secretario de Hacienda renunció a su cargo. El amigo del presidente tocó suelo.

Pero cuando todo el mundo pensaba que el sueño de 2018 se había terminado para él, 119 días después reapareció como titular de la SRE, como el hombre que dará la cara ante Trump por su amigo el presidente.

Sin embargo, hoy las condiciones son distintas: entra como un cuestionado "aprendiz" de canciller, rechazado por la opinión pública y, de acuerdo con las encuestas, lejos ya de los otros priistas que aspiran y suspiran por la Presidencia de la República.

RAFAEL MORENO VALLE ROSAS
"Mr. Publicidad"

En las principales ciudades del país algún transeúnte o conductor se ha preguntado: ¿quién es ese hombre que está en la foto del espectacular?, ¿en la valla de la avenida principal?, ¿en las portadas de las revistas del quiosco de la esquina?, ¿en el anuncio iluminado del paradero de autobús?, ¿en los andenes de las estaciones del Metro y del Metrobús? Bueno, pues ese hombre es Rafael Moreno Valle Rosas, ahora exgobernador de Puebla, pero quien desde el primer año de su mandato fue proclive a difundir su imagen más allá de la entidad que gobernó.

Y aunque miles de mexicanos han visto sus fotos desde hace meses —lo mismo en Guadalajara que en Monterrey, en León que en Toluca, en Querétaro que en Villahermosa y Tijuana—, apenas en septiembre de 2016 dijo que a partir del primero de febrero de 2017 —el día que terminó su gubernatura— se entregará "en cuerpo y alma" a buscar la candidatura presidencial de su partido, el PAN, para 2018.

Esa búsqueda "en cuerpo y alma", como es evidente y consta en diversos reportes de prensa, particularmente en las denuncias ante el Instituto Nacional Electoral (INE), comenzó mucho tiempo atrás.

Y es que en el PAN, más marcado que en otros partidos, la competencia por la candidatura presidencial de 2018 fue prematura: ahí están los autodestapes de los precoces Margarita Zavala Gómez del Campo, esposa del expresidente Felipe Calderón Hinojosa; del propio Ricardo Anaya Cortés, presidente nacional del blanquiazul y, por supuesto, de Moreno Valle Rosas, quien tiene años persiguiendo un solo objetivo: ser presidente de la República.

Inspirado en la figura del general Rafael Moreno Valle, gobernador de Puebla entre 1969 y 1975, el ahora exmandatario poblano tuvo a su favor pertenecer a una familia poblana con dinero y poder. El político, quien nació el 30 de junio de 1968, estudió la licenciatura de economía y de ciencias políticas en el Lycoming College, en Williamsport, Pensilvania, en 1991, donde fue merecedor del *Magna cum laude*. También es doctor en jurisprudencia por la Escuela de Leyes (School of Law) de la Boston University, y tiene estudios de posgrado en administración de empresas por la Harvard University Extension School.

Pero el clan Moreno Valle no siempre tuvo el dinero y el poder de los que hoy goza. Los cimientos los puso el abuelo, quien nació en Atlixco el 13 de agosto de 1917, y murió en la Ciudad de México el 13 de febrero de 2016, justo nueve días después de que su nieto inauguró —acompañado del presidente Enrique Peña Nieto— el Hospital de Traumatología y Ortopedia Doctor y General Rafael Moreno Valle, en reconocimiento al jefe de familia, quien también gobernó esa entidad de 1969 a 1972.

El abuelo, recuerdan aún los más viejos en Atlixco, tuvo un origen humilde que lo llevó al Colegio Militar, una institución que le daría sustento, disciplina y la carrera de médico. Al casarse con Lucina Suárez, integrante de una familia de campo y con fortuna, su destino cambió radicalmente y abrió un modesto sanatorio en la Ciudad de México. Sin embargo, la vida le tenía deparados grandes planes al también general brigadier.

Como ortopedista, cuentan en Puebla, atendió a la señora María Izaguirre de Ruiz Cortines, y en 1952, cuando Ruiz Cortines ya era candidato a la Presidencia de la República, el general le pidió a la señora que lo recomendara con su marido para ser senador por su estado natal. El primer escalón de su carrera política fue superado y de ahí vino un ascenso meteórico: en 1967 se convirtió en secretario de Salubridad en el gobierno de otro poblano famoso, el presidente Gustavo Díaz Ordaz, y el primero de febrero de 1969 asumió el cargo como gobernador de Puebla.

El doctor y el nieto, los dos Moreno Valle que han llegado a la gubernatura de esa entidad, tienen, de acuerdo con sus críticos y opositores, historias en común y que se unen con un criticado eslabón: el uso de la represión.

Sólo 15 días después de tomar posesión, el 15 de febrero de 1969, el general Moreno Valle ordenó truncar una manifestación de campesinos en Huehuetlán el Chico, en la Mixteca poblana, donde se protestaba contra la toma de posesión de un presidente municipal; se dio un bloqueo al Palacio Municipal y el gobernador envió al general Eusebio González Saldaña, jefe de la 25 zona militar, y al inspector general de policía, coronel Joaquín Vázquez Huerta, para arreglar el asunto: en ese encontronazo murieron 18 campesinos. Este hecho, que aún se recuerda vívidamente, es uno de una larga cadena que se le critica al doctor en su gobierno, calificado "de mano dura".

Y su nieto, sólo al hacer una recopilación de denuncias en la Comisión Nacional de Derechos Humanos (CNDH) y las recomendaciones que ésta le hizo al exmandatario, no canta mal las rancheras.

Uno de los episodios que marcó su sexenio, mismo que inició el primero de febrero de 2011, es justo la represión de su policía contra los pobladores de San Bernardino Chalchihuapan, el 9 de julio de 2014. Los ciudadanos protestaban por la desaparición de las oficinas del Registro Civil en las Juntas Auxiliares, que son autoridades comunitarias desconcentradas de los municipios poblanos.

El gobierno poblano desalojó un bloqueo en la autopista Puebla-Atlixco y ahí se desató un choque entre ciudadanos y policías, que dispararon latas de gas lacrimógeno y otros proyectiles, según argumentaron en los primeros reportes. Pero meses más tarde, de acuerdo con un informe de la CNDH, se reportaron "violaciones graves a los derechos humanos" y la práctica de "criminalización de la protesta"; entre otros perjuicios, se comprobó que eran balas de goma.[6]

Ahí fue herido José Luis Alberto Tehuatlie Tamayo, de 13 años. El proyectil le perforó el cráneo y el menor falleció diez días más tarde.

El hecho no sólo tuvo repercusión en México, sino a escala internacional. Semanas antes, el gobernador había sido objeto de fuertes

[6] Recomendación núm. 2VG/2014. Sobre la investigación de violaciones graves a los derechos humanos iniciada con motivo de los hechos ocurridos el 9 de julio de 2014, en el municipio de Ocoyucan, Puebla, Comisión Nacional de los Derechos Humanos, 11 de septiembre de 2014.

señalamientos por proponer al Congreso, el 7 de mayo anterior, una ley que contenía mecanismos para hacer prevalecer el "orden colectivo" y no descartaba el uso de "armas no-letales" por parte de los policías, como última medida para defenderse a sí mismos o a terceros de agresiones.

El Congreso de la entidad la aprobó el 19 de mayo, con el apoyo del PAN, PRI, PRD, Panal y partidos locales. Luego vendría una cascada de críticas contra la llamada "Ley Bala" y los señalamientos de "gobierno represor". Después estalló la violencia en Chalchihuapan, que provocó la muerte del niño Tehuatlie Tamayo y un centenar de presos políticos, de acuerdo con diversas ONG.

El 24 de julio, ante la presión social dentro y fuera de Puebla, Moreno Valle envió al Congreso estatal una propuesta para derogar dicha ley y solicitar al Legislativo la elaboración de una nueva norma en esta materia.

"En virtud de que esta ley desde su aprobación ha sido estigmatizada con temas que, a pesar de no estar incluidos en su texto, han generado una errónea percepción de la misma, considero pertinente su revisión integral con objeto de emitir un nuevo ordenamiento formulado por los integrantes del Congreso que sustituya la anterior", planteó la nueva iniciativa firmada por el mandatario.

Esos fueron los momentos de mayor "fama" del gobernador poblano. Ahí fue donde se conoció su rostro a nivel nacional… y no tuvo necesidad de pagar publicidad a ningún medio: el "favor" se lo hizo él solo.

La huella de "la Maestra" Gordillo

El exmandatario poblano hizo toda su carrera política en el PRI, y al final lo dejó en 2010 para participar en la elección del 4 de julio de ese año por la coalición Compromiso por Puebla, integrada por el PAN, el PRD, Convergencia y el Partido Nueva Alianza (Panal). Con esa coalición ganó la ansiada gubernatura que, además, alentó su aspiración presidencial. Y esa aspiración, se dice lo mismo en el PRI —su partido de origen— que en el PAN, nació bajo la tutela de la entonces líder magisterial Elba Esther Gordillo Morales. A la Maestra, Moreno Valle la conoció en San Lázaro, cuando ella era líder de la Cámara de Diputados. Su padrino político, Melquiades Morales Flores, de quien en una primera etapa fue asesor y luego secretario de Finanzas de su gobierno en Puebla (del primero de febrero de 1999 al 31 de enero de 2005), lo condujo a ganar la confianza de la entonces poderosa dirigente del Sindicato Nacional de Trabajadores de la Educación (SNTE).

Era 2003 y Moreno Valle alcanzó la diputación federal por el distrito VIII de Puebla, y aunque nunca llegó a presidir una comisión relevante, sí ganó la amistad de Gordillo Morales, a quien apoyó en su guerra intestina contra el priista Emilio Chuayffet Chemor.

A la mitad de esa legislatura federal, Moreno Valle solicitó licencia para optar en 2005 por una diputación local —por la vía plurinominal—, y ahí se convirtió en el presidente de la Gran Comisión del Congreso local. Sin embargo, no terminó su gestión; en cambio, renunció al PRI en 2006 para asumir la candidatura al Senado de la República por el PAN, y ese movimiento —en pleno inicio del gobierno panista de Felipe Calderón Hinojosa— terminó por cerrar el candado de compromisos con la Maestra, quien aún en la cúspide del poder político lo apoyó con la fuerza del SNTE para acceder a la gubernatura de Puebla.

Luego de la detención de Elba Esther Gordillo, la madrugada del 26 de febrero de 2013, el periodista poblano Yonadab Cabrera Cruz describió en el *Periódico Central* una entrevista, concedida en 2009 por el entonces senador de la República, al también periodista Enrique Núñez. En el programa *Zona Cero* Moreno Valle la calificó como su "gran aliada" y dejó ver que el triunfo en las elecciones de 2006 se lo debía en gran medida a la Maestra.

> Cuando Enrique Núñez le preguntó si la veía como una madrina política, Moreno Valle respondió: "Como una gran aliada. Es decir, como un apoyo innegable que yo agradezco, en 2006, donde hubo un esquema de trabajo coordinado entre el PAN y Nueva Alianza, una alianza *de facto* entre ambos partidos políticos que nos permitió finalmente ganar la Presidencia de la República [la del panista Calderón Hinojosa], ganar la senaduría [la de Moreno Valle] y en eso ella fue un factor clave, no lo voy a negar.

Y al preguntarle si le daba dinero, Moreno Valle respondió: "No, nunca ha habido un apoyo económico de su parte, obviamente hay una relación personal, hay una relación afectiva y un gran respeto, que le tengo desde que fue mi coordinadora en la Cámara de Diputados; sin embargo, ha habido un apoyo político que no te voy a negar".[7]

No obstante, para el 5 de mayo de 2015, fecha en que el semanario *ZETA* publicó una entrevista con el entonces gobernador, el amor y la amistad con la lideresa que lo encumbró en Puebla se le había olvidado.

—Hay testimonios que señalan a la Maestra Elba Esther Gordillo como una parte importante en su carrera política. ¿Cómo definiría su relación con la Maestra? —le preguntaron los periodistas Adela Navarro, Rosario Mosso e Isaí T. Lara Bermúdez.

—Bueno, yo fui diputado federal de la 59 Legislatura por el PRI, y en ese sentido ella fue la coordinadora del grupo parlamentario. La Maestra era presidenta del SNTE, todos los gobernadores del país, y el propio presidente de la República, teníamos y tenemos una relación con el SNTE, por lo menos la mitad del presupuesto se va al sector educativo.

—O sea, no era su amiga —insistieron los periodistas.

—No, sí. Teníamos una relación de coordinación, compartíamos un proyecto de calidad educativa y que se ha reflejado en Puebla, yo cuando llegué al gobierno de Puebla éramos el estado número 24 en educación media superior, en la Prueba ENLACE. En materia de matemáticas, hoy somos el cuarto lugar nacional.

—En el ámbito personal, fuera de lo institucional, ¿había una amistad con ella? —preguntaron Navarro, Mosso y Bermúdez.

—Hay una relación, como ya te comenté, y es una relación de plena comunicación que trajo buenos resultados —fue la respuesta de Moreno Valle.

—¿La ha visitado presa? —le consultaron.

—No —respondió el "amigo" de Elba Esther.[8]

---

[7] Cabreza Cruz, Yonadab, "Elba Esther Gordillo, la amiga que Rafael Moreno Valle nunca ha negado", *Periódico Central*: http://www.periodicocentral.mx/2014/politicas/elba-esther-gordillo-la-amiga-que-rafael-moreno-valle-nunca-ha-negado-7008
[8] Navarro, Adela; Mosso, Rosario; Bermúdez Lara, Isaí T., "Moreno Valle: Puebla, frontera blindada", *ZETA*, 5 de mayo de 2015: http://zetatijuana.com/2015/05/05/moreno-valle-puebla-frontera-blindada/

Gasto excesivo
y deuda oculta

Si algo se criticó al ahora exgobernador Rafael Moreno Valle Rosas es su excesivo protagonismo en los medios de comunicación y el despliegue de recursos para promover su imagen, en contraste con la pobreza que es uno de los problemas más graves en Puebla. El Consejo Nacional de Evaluación de la Política de Desarrollo Social (Coneval) planteó que 64.5% de la población era pobre en 2012, y para 2014 la cifra continuaba en el mismo punto: 64.5%. Puebla es el tercer estado más pobre del país por debajo de Chiapas y Guerrero.

Tampoco reveló la cuantía real de la deuda pública de la entidad que, de acuerdo con investigadores y la propia Auditoría Superior de la Federación (ASF), supera con mucho a lo que el gobierno de Moreno Valle reportó en 2016. El panista recibió, en febrero de 2011, una deuda pública de 9 104 millones de pesos, y en el primer semestre de 2016 aseguró que incluso se había reducido a 8 474 millones de pesos.

Para el Centro de Estudios Espinosa Yglesias el total de pasivos es en realidad de 24 655 millones de pesos. "El caso más grave (entre las deudas ocultas de los estados) es Puebla: el gobierno estatal reportó a la Secretaría de Hacienda (y a la sociedad en general en el último informe del gobernador Rafael Moreno Valle, Eje 3, p. 353) una deuda de 8 609 millones de pesos al 31 de diciembre de 2015, mientras que el total de pasivos en realidad es de 24 655 millones de pesos", planteó el Centro.

En tanto, Eudoxio Morales Flores, investigador de la Benemérita Universidad Autónoma de Puebla (BUAP), dijo a *SinEmbargo.mx* que la deuda "oculta" que deja Moreno Valle es de 76 000 millones de pesos, lo que compromete las finanzas del estado hasta 2062.[9]

Gracias al entramado legal generado por la Casa de Bolsa Evercore —propiedad de Pedro Aspe Armella, exsecretario de Hacienda del gobierno de Carlos Salinas de Gortari, y donde trabajó Luis Videgaray Caso, extitular de la SHCP—, sostuvo el académico, Moreno Valle entregó a la firma la administración de cientos de miles de millones de pesos de impuestos estatales —unos 550 000 millones hasta 2062— que, en lugar

---

[9] Rodríguez Nieto, Sandra, "La deuda oculta por Moreno Valle es de 76 000 millones hasta 2062: académico", *SinEmbargo.mx*, 28 de noviembre de 2016: http://www.sinembargo.mx/28-11-2016/3120239

de llegar a la Secretaría de Hacienda del estado, se fueron al Fideicomiso Irrevocable de Administración y Fuente de Pago número F/0144, que garantiza de forma indefinida el pago de pasivos contraídos por el mandatario, como las obras públicas de gran escala que inauguró con bombo y platillo.

"Puebla lidera en deuda oculta. Eso Moreno Valle no lo puede contradecir", dijo Morales en una charla con la periodista Sandra Rodríguez. "Toda deuda, sea contingente, sea Proyecto de Prestación de Servicios (PPS) o sea Asociación Público Privada (APP), al final de cuentas es deuda, aunque le haya cambiado ese artículo Sexto a la Ley de Deuda Pública y le haya puesto otros apellidos", agregó.

Doctor en finanzas públicas e investigador del Centro de Estudios del Desarrollo Económico y Social de la BUAP, Morales investiga el tema de la deuda pública de Puebla desde el inicio del sexenio morenovallista, y a partir de que escuchó al mandatario afirmar que la construcción de diversas obras —el Museo Barroco, la Plataforma Audi, el Segundo Piso, entre otras— no aumentarían los compromisos financieros del estado.

En este contexto, un día después de que Moreno Valle presentara su último informe de gobierno —el 15 de enero de 2016—, la organización civil Mexicanos contra la Corrupción y la Impunidad (MCCI) afirmó: "Rafael Moreno Valle asegura que no endeudó al estado que dejará de gobernar el primero de febrero; sin embargo, las siguientes generaciones de poblanos tendrán que pagar al menos 47 000 millones de pesos en compromisos financieros que el saliente mandatario de Puebla no reconoce como deuda, pero que sí heredará a sus todavía gobernados", refirió un informe realizado por Dulce Ramos.[10]

La asociación civil consideró que Moreno Valle no debió concluir su gubernatura "sin cumplir a cabalidad, y en un elemental ejercicio de transparencia", con su obligación de informar todos los detalles sobre los compromisos financieros que dejará a su estado.

"De no ser así", refirió MCCI, "entonces quedará claro a quién iban dirigidas las palabras de Moreno Valle, pronunciadas hacia el final de su

---

[10] Ramos, Dulce, *Rafael Moreno Valle esconde una deuda pública multimillonaria que los poblanos deberán pagar*, Mexicanos contra la Corrupción y la Impunidad AC, 16 de enero de 2017: https://contralacorrupcion.mx/informate/rafael-moreno-valle-esconde-una-deuda-publica-multimillonaria-los-poblanos-deberan-pagar/

último informe de gobierno, cuando aseguró que en la era de la posverdad, el populismo 'sobresimplifica tanto problemas como soluciones'".

"Comprometer pagos provenientes de dinero público para las siguientes décadas, y optar por no llamarlo 'deuda pública', es exactamente sobresimplificar tanto problemas como soluciones", destacó la organización no gubernamental.

Pero ni Rafael Moreno Valle ni ninguna autoridad se dieron por enterados. Él ya salió de Puebla y hoy está, "en cuerpo y alma", entregado a la búsqueda de ser el candidato del PAN a la Presidencia de la República.

MANLIO FABIO BELTRONES
El omnipresente

"En muchos de los casos los electores dieron un mensaje de políticas públicas equivocadas, políticos que incurrieron en excesos, que no tuvieron conductas transparentes y que no actuaron de manera responsable", dijo Manlio Fabio Beltrones Rivera, el día de su renuncia a la presidencia nacional del Partido Revolucionario Institucional (PRI), su cargo de poder más reciente.

El experimentado político sonorense, quien tiene ya más de 40 años metido en las entrañas del poder en México, le lanzó algunas de sus últimas frases entre líneas como líder del tricolor a los gobernadores e incluso al presidente Enrique Peña Nieto.

"Sus respectivos partidos recibieron la sanción de una ciudadanía vigilante que premia o castiga con su voto; es oportuno parafrasear a Colosio (Luis Donaldo): 'Lo que los gobiernos hacen, sus partidos lo resienten'".

Era 20 de junio de 2016 y habían transcurrido 15 días luego de la derrota histórica del PRI en las urnas. El tricolor perdió siete de las 12 gubernaturas en juego, cuatro de ellas por primera vez desde que nació el PRI: Durango, Tamaulipas, Quintana Roo y Veracruz; esta última, una entidad estratégica en elecciones presidenciales, pues hasta el 6 de junio de 2016 era la tercera del país con el padrón más alto de electores

(5.6 millones o un 7.9% nacional), sólo detrás del Estado de México y la Ciudad de México.

Así, el PRI arrancó el sexenio del presidente Enrique Peña Nieto con el dominio de 65.2% de los estados; sin embargo, ahora tiene su nivel más bajo en la historia en cuanto al control estatal y perdió su mayoría: sólo gobierna 15 estados, que a su vez representan 46% del territorio y 44.9% de la población en el país.

El castigo al PRI en las urnas, han comentado diversos analistas políticos, es una sanción directa de los ciudadanos a sus gobernantes, incluido por supuesto el primer mandatario del país. Con una aprobación de entre 22 y 24% en promedio, de acuerdo con las más recientes encuestas a inicios de diciembre de 2016. Según los diarios *Reforma* y *El Universal*, y Consulta Mitofsky, a sólo dos años de que concluya su mandato, el político mexiquense es el presidente de México peor calificado desde que se miden los niveles de aprobación del Ejecutivo federal. Sus últimos cuatro antecesores —Carlos Salinas de Gortari, Ernesto Zedillo Ponce de León, Vicente Fox Quesada y Felipe Calderón Hinojosa— no rebasaron índices de 50% de desaprobación entre sus gobernados. Peña Nieto alcanzó su más alto nivel de aprobación en mayo de 2013, con 57%, y desde entonces inició un descenso paulatino.

Y es justo a esta situación a la que se refirió Manlio Fabio Beltrones, quien se convirtió en presidente nacional del PRI el 20 de agosto de 2015, luego de liderar —desde el primero de septiembre de 2012— la fracción priista de la Cámara de Diputados y sacar con éxito, para su partido y para el presidente, todas las reformas estructurales que hasta ese momento propuso Peña Nieto, incluyendo la llamada "joya de la corona": la reforma energética.

Eran, entonces, días de triunfo para el sonorense, y nadie dudaba que más allá de los dos funcionarios federales más cercanos a Peña, Miguel Ángel Osorio Chong y Luis Videgaray Caso, el también exgobernador de Sonora se perfilaba como un serio aspirante a la candidatura presidencial del tricolor para 2018.

Pero los ciudadanos dieron su veredicto en junio de 2016, y Manlio y el PRI resintieron el tamaño de la crisis.

"Lo que los gobiernos hacen, sus partidos lo resienten", reclamó con oficio político en ese discurso que invitó a la reflexión a un PRI que, a la luz de sus acciones, no parece estar dispuesto a tomar consejos ni a corregir el rumbo.

El 21 de junio, un día después de su renuncia, Beltrones Rivera se entrevistó con el periodista Ciro Gómez Leyva, en el programa que este último conduce en Radio Fórmula. Ahí, el político que el 30 de agosto de 2016 cumplió 64 años, compartió más puntos de vista sobre la dolorosa derrota.

"El presidente reflexionó conmigo desde el inicio. Lo que yo pienso es que el partido necesita esta sacudida para reflexionar de mejor manera; insisto, si no hay consecuencias sobre lo que sucedió, la reflexión va a ser muy limitada", dijo.

Y también anunció que no estaba en sus planes buscar la Presidencia de la República en 2018: "Hoy no está en mi pensamiento el buscar una candidatura, en mi horizonte está perfectamente bien claro que tengo que buscar cómo reforzamos a un partido político que tiene mucho que dar".

¿DISCIPLINADO O TAIMADO?

No es la primera vez que Beltrones Rivera sufre un traspié, y tampoco es la primera vez que se recupera y vuelve con más fuerza.

Durante sus más de 40 años de carrera política —que comenzó en 1968, cuando a los 16 años de edad se sumó al PRI— se le ha señalado de todo: desde tener vínculos con el crimen organizado cuando fue gobernador de Sonora, hasta diversos casos de corrupción. También, hay que decirlo, se ha convertido en una figura omnipresente del priismo, un personaje con el don de la ubicuidad que mueve hilos no sólo dentro de su partido, sino que extiende su poder hacia otros institutos políticos y sectores del Gobierno Federal y de los de nivel estatal.

Originario de Villa Juárez, Sonora, donde nació un 30 de agosto de 1952, estudió la licenciatura en economía en la Escuela Nacional de Economía de la Universidad Nacional Autónoma de México, de donde se graduó en 1974 y en donde conoció al hombre que lo colocaría en sus primeros cargos públicos: Antonio Zorrilla Pérez, su maestro en la facultad y quien lo acercaría a su mentor histórico, Fernando Gutiérrez Barrios, de quien se convirtió en secretario particular cuando tenía 23 años.

De la mano del veracruzano Gutiérrez Barrios —capitán del ejército y titular de la Dirección Federal de Seguridad, de 1964 a 1970, durante el gobierno del presidente Gustavo Díaz Ordaz, una policía secreta seriamente cuestionada por perseguir a los movimientos opositores de la época—, Manlio hizo carrera como diputado federal en 1982 a la edad de 30 años, y como presidente del PRI en Sonora en 1985, donde inició una relación más estrecha con Salinas de Gortari, entonces secretario de Programación y Presupuesto del gobierno de Miguel de la Madrid Hurtado, y serio aspirante a la Presidencia de la República.

Esa amistad lo catapultó al Senado de la República (1988), para después volver a ponerse a las órdenes de Gutiérrez Barrios, quien, desde el primero de diciembre de 1988 hasta el 4 de enero de 1993, se desempeñó como secretario de Gobernación; el político veracruzano nombró a Beltrones como subsecretario de Gobierno, Desarrollo Político y Derechos Humanos.

Ya para 1991, apoyado por su poderoso mentor y por el propio presidente Salinas, se convirtió en gobernador de Sonora; tenía entonces 39 años.

Fue en ese cargo donde recibió algunos de los más serios señalamientos: desde espiar a sus opositores —acusación que le realizó abiertamente el panista Manuel Espino Barrientos y que quedó consignada en su libro *Señal de alerta, advertencia de una regresión política*,[11] donde también destacó la cercanía que tuvieron Manlio Fabio y el presidente panista Felipe Calderón— hasta endeudar al estado y encubrir a sus hermanos por corrupción y ligas con criminales, como los hermanos Arellano Félix.

Ya en el tramo final de su gubernatura, Beltrones Rivera padecería el peor escándalo al que ha estado sometido, y cuya sombra aún lo persigue. El domingo 23 de febrero de 1997 el periódico *The New York Times* publicó un reportaje de Sam Dillon, entonces corresponsal del diario en México, en colaboración con Craig Pyes, cuyo título era: "Los lazos de las drogas manchan a dos gobernadores". Esos dos mandatarios eran Jorge Carrillo Olea, de Morelos, y Manlio Fabio Beltrones Rivera, de Sonora. La principal acusación, de acuerdo con citas de documentos del gobierno estadounidense citados por *TNYT*, era su relación con Amado

---

[11] Espino Barrientos, Manuel, *Señal de alerta: advertencia de una regresión política*, Editorial Planeta, México, 2008.

Carrillo Fuentes, el "Señor de los Cielos", señalado entonces como el narcotraficante más poderoso del mundo.

Manlio interpuso una denuncia por difamación ante la Procuraduría General de la República (PGR), y luego de meses de polémica entre el diario, los periodistas y el gobernador de Sonora, la fiscalía mexicana lo exoneró, lo mismo que a Carrillo Olea. La PGR planteó en un boletín oficial que el texto era calumnioso y a los gobernadores "no se les puede considerar responsables de los hechos atribuidos".

Sin embargo, en el último párrafo de ese boletín quedó consignado el mensaje por el que, hasta la fecha, la imagen del político sonorense quedó marcada: "La Procuraduría General de la República no certifica la conducta de ninguna persona".

HASTA SIN EL PRI, LA VUELTA AL PODER

Beltrones hizo una pausa en su carrera con la llegada de Ernesto Zedillo a Los Pinos y el rechazo por el salinismo y, luego, cuando en 2000 el PRI perdió la presidencia.

Fue hasta 2003, ya con el gobierno panista, que regresó como diputado en la LIX Legislatura. En 2006 Manlio Fabio fue electo senador y cerró el sexenio foxista como coordinador del PRI en la Cámara Alta.

A la llegada de Calderón a la presidencia, Manlio se convirtió en un interlocutor entre el nuevo presidente y el PRI. Tenía derecho de picaporte en Los Pinos, algo que por supuesto causó encono entre los panistas.

Cuando Calderón lanzó la guerra contra el narcotráfico, el 11 de diciembre de 2006, fue el primero en rechazar las críticas.

En su libro *¿Qué querían que hiciera?: Inseguridad y delincuencia organizada en el gobierno de Felipe Calderón*, Luis Astorga, especialista en temas de seguridad nacional, menciona cómo Beltrones le dio a Calderón todo su respaldo: "Esta es la hora para no regatearle al Gobierno Federal y al presidente de la república ningún apoyo en la tarea que está llevando a cabo".[12]

---

[12] Astorga, Luis, *¿Qué querían que hiciera?: Inseguridad y delincuencia organizada en el gobierno de Felipe Calderón*, Grijalbo, México, junio de 2015.

Sin embargo, luego, ante las críticas por la cauda de violencia y muerte que esa estrategia trajo al país, el propio Beltrones, dice Astorga, acusó a Calderón de actuar "irresponsablemente" y no reconocer que su sistema de procuración de justicia era "un fracaso".

Ya en 2011, y de cara a la elección presidencial de 2012, el "jefe Manlio" se perfiló por la candidatura priista. Sin embargo, tenía enfrente al favorito del partido: el entonces gobernador Peña Nieto, quien al final sería candidato y presidente. Manlio Fabio declinó y apoyó la campaña del mexiquense. Esto lo convirtió en una figura central en sus primeros tres años y medio del sexenio. Luego vino el 6 de junio de 2016, y Beltrones decidió, una vez más, hacer un alto…, no retirarse, simplemente hacer un alto.

En el libro *Los Suspirantes 2012*, coordinado por Jorge Zepeda Patterson, el periodista Miguel Ángel Granados Chapa (Pachuca, Hidalgo, 10 de marzo de 1941-Ciudad de México, 16 de octubre de 2011) escribió un extenso perfil sobre el sonorense denominado "el profesional" y que, con su impecable pluma, arranca con las siguientes líneas: "Si a la Presidencia de la República se arribara por escalafón, o si su ocupante fuera escogido por un cazador de talentos a partir de sus vivencias profesionales y de su experiencia de vida, Manlio Fabio Beltrones tendría acaso las mayores posibilidades de suceder en 2012 a Felipe Calderón".[13]

Algo hace pensar a Manlio Fabio que esa afirmación de Granados Chapa aún podría sostenerse para las siguientes elecciones. Tras una breve pausa en su camino, el sonorense volvió a dar señales de vida política tomando como pretexto las agresiones de Donald Trump a México. En una serie de mensajes difundidos por redes sociales presentó algunas ideas de lo que debería hacer el país para enfrentar las amenazas del presidente estadounidense.

El viejo zorro y sus aspiraciones no han muerto.

---

[13] Zepeda Patterson, Jorge (Coordinador), *Los Suspirantes 2012*, Temas de hoy, primera edición, mayo de 2011.

EMILIO ÁLVAREZ ICAZA LONGORIA
La otra izquierda

"Estamos aquí porque queremos hacer a un lado el 'menosmalismo', el 'menospeorismo' y, peor aún, la resignación y desesperanza ante lo que vemos, sentimos y queremos", dijo Emilio Álvarez Icaza Longoria, el 27 de febrero de 2017.

Desde un pequeño templete instalado en la emblemática Plaza de las Tres Culturas de Tlatelolco, en la Ciudad de México, el sociólogo y derechohumanista mexicano presentó el movimiento Ahora, con el que, como candidato independiente, pretende colocar su nombre en las boletas de la elección presidencial de 2018.

"Estamos ahora aquí para decirle a la clase política que escuche bien: a todos y todas aquellas que nos han traicionado, todos aquellos que se han adueñado de nuestro dinero, de nuestras instituciones e incluso han hipotecado nuestro futuro y el de nuestros hijos e hijas, que no queremos más pactos de corrupción e impunidad con los que nos han gobernado", agregó el hombre que ese día comenzó una carrera para conseguir 80 000 firmas de apoyo antes de septiembre de 2017 y convertirse en candidato ciudadano a la Presidencia de la República.

Y si algo predomina en la carrera de Álvarez Icaza Longoria es precisamente su cercanía con los ciudadanos en uno de los problemas más graves del México actual: la vulnerabilidad de los derechos humanos.

De 1994 a enero de 1999 fue director del Centro Nacional de Comunicación, A. C. (Cencos) —fundado por su padre, José Álvarez Icaza Manero, y por su madre, Luz Longoria Gama, también derechohumanistas—, un organismo que ha apoyado diferentes causas ciudadanas y sociales.

La pareja Álvarez Icaza Longoria fue miembro del Movimiento Familiar Cristiano, del que se separaron en 1968, en protesta por el silencio que una parte de la jerarquía católica mexicana guardó ante el movimiento estudiantil, de 1968, y la matanza de estudiantes del 2 de octubre de ese mismo año en Tlatelolco.

Emilio Álvarez Icaza, su hijo, hoy de 51 años, es sociólogo por la Universidad Nacional Autónoma de México y tiene una maestría cursada en la Facultad Latinoamericana de Ciencias Sociales. Está casado con Raquel Pastor Escobar, quien es fundadora de Infancia Común, A.C., una organización que trabaja contra la explotación sexual infantil; y tiene tres hijos: Guadalupe, Luisa y Jesús.

Desde julio de 2012 también se desempeñó como secretario ejecutivo de la Comisión Interamericana de Derechos Humanos (CIDH).

Mucho antes, en octubre de 2001, la II Legislatura de la ALDF lo eligió, por unanimidad, presidente de la Comisión de Derechos Humanos del Distrito Federal (CDHDF), y en 2005 fue ratificado para un segundo periodo, para terminar en 2009.

Es en ese cargo donde Emilio alcanzó relevancia nacional, particularmente luego de la tragedia del 20 de junio de 2008, cuando en una redada en la discoteca New's Divine, en la Delegación Gustavo A. Madero, operada por las fuerzas policiacas del entonces Gobierno del Distrito Federal —presidido por Marcelo Ebrard—, nueve jóvenes y tres policías murieron por asfixia.

La CDHDF, en un hecho inédito, responsabilizó de los hechos —el 8 de julio de 2008— a la procuraduría local, a la Secretaría de Seguridad Pública del Distrito Federal y a las autoridades delegacionales en Gustavo A. Madero. El resultado del operativo, planteó Álvarez Icaza, no fue producto de un concierto de errores y sí de una política pública "en la que se criminaliza a los jóvenes, en particular a los más pobres"; política que se aplica de manera "sistemática e institucionalizada" y resulta "imprescindible desmontar".[14]

También planteó que las "redadas" en contra de los jóvenes tenían como objetivo real "asegurar a un grupo numeroso de personas que se suponía estaban siendo víctimas de corrupción de menores"; sin embargo, los adolescentes no fueron tratados como víctimas del delito, sino como presuntos delincuentes, se les violaron "de manera grave" sus garantías individuales, y a pesar de las muertes provocadas, las autoridades "permitieron y continuaron con las violaciones a los derechos de las y los jóvenes que fueron trasladados a tres sectores de la policía y luego ante el Ministerio Público".

Además del informe especial, el entonces presidente de la CDHDF presentó la recomendación 11/2008, con 40 puntos recomendatorios, entre los cuales se encuentra una exhortación al gobierno capitalino para que ofrezca una disculpa pública no sólo a las víctimas, sino a la sociedad en general.

En una entrevista con *Proceso*, realizada el 10 de julio de 2008, Álvarez Icaza contó cómo transmitió al entonces jefe de Gobierno algunos detalles de ese informe en el que, políticamente, no le iba nada bien.

Le hizo notar a Ebrard que el respeto a los derechos humanos es una vieja demanda de la izquierda en la capital del país y por eso invocó en su informe la memoria de dos figuras emblemáticas que fueron reprimidas en su momento: Heberto Castillo y Benita Galeana. El presidente de la CDHDF le señaló al jefe de Gobierno: "No voy a pedir que remuevas a los funcionarios, no es mi atribución. Pero vas a tener elementos suficientes para poder tomar una decisión, la que mejor convenga a la Ciudad de México y a sus habitantes".

Según el ombudsman, Ebrard respondió que "entendía" el mensaje y le aseguró que cada quien asumiría las decisiones que le correspondieran; luego lo felicitó por el trabajo de la comisión y le dijo que al día siguiente acudiría puntual, a las diez de la mañana, a la presentación de su informe.

---

[14] Salgado, Agustín, "Autoridades policiales obstaculizaron deliberadamente investigaciones: Álvarez Icaza", *La Jornada*, 9 de julio de 2008: http://www.jornada.unam.mx/2008/07/09/index.php?section=capital&article=039n2cap

Pero, a punto de cumplirse diez años de la tragedia, las familias de los jóvenes fallecidos y de otro que, por las heridas, tiene hasta hoy serios problemas físicos, reclaman que no haya ninguna autoridad en la cárcel por aquel operativo fallido, que fue encabezado por el entonces director del Mando Único Policial (Unipol), Guillermo Zayas González, bajo las órdenes de quien era secretario de Seguridad Pública, Joel Ortega Cuevas.

PROS Y CONTRAS

Si ahora no llega a la meta de las 80 000 firmas, dice Emilio Álvarez Icaza, los integrantes del movimiento no participarían en las elecciones presidenciales, pero si consigue esos simpatizantes, de septiembre de 2017 a enero de 2018 buscarán obtener el 1% del padrón electoral.

"[Queremos] generar condiciones de no sólo una candidatura independiente a la república, sino al Congreso, al Senado, diputados y también en los estados", expuso el aspirante presidencial en una entrevista con *El Financiero-Bloomberg*.[15]

Ahora, insistió el sociólogo, es una iniciativa de un grupo de ciudadanos que no se sienten representados por los actuales aspirantes presidenciales. "No quiero un asunto de dinero que signifique compraventa de contratos, eso es lo que luego nos tiene con las 'casas blancas' [...], no podemos entender que el dinero en la política signifique compraventa de voluntades", mencionó.

Entre los académicos, periodistas y escritores que apoyan la iniciativa Ahora, destacan Sergio Aguayo Quezada, Denise Dresser Guerra, Javier Sicilia Zardain y Rogelio Gómez Hermosillo, fundador de Alianza Cívica y quien además ha sido compañero de muchas batallas de Álvarez Icaza.

Gómez Hermosillo se refiere a Emilio como un hombre que ha hecho de la defensa de los derechos humanos "un compromiso de vida" que ha incomodado a muchos políticos. También considera que en todos los puestos que le ha tocado presidir, Álvarez Icaza Longoria se ha desempeñado como "un modelo de la promoción de la cultura, educación, conciencia, tolerancia y no discriminación".

---

[15] Risco, Javier, "Emilio Álvarez Icaza va por 80 000 adhesiones", *El Financiero-Bloomberg*, 27 de febrero de 2017.

Sin embargo, y a pesar de las amplias simpatías que su nominación despierta, particularmente en un círculo de académicos, no todos los intelectuales del país parecen estar tan entusiasmados con la candidatura del sociólogo y derechohumanista.

Sabina Berman Goldberg, escritora y periodista, destacó las virtudes de Emilio, incluyendo que él, al principio, le parecía un candidato independiente "formidable", pero no la convenció el discurso con el que lanzó su candidatura.

"Pues bien, luego de los discursos de sus allegados y de él mismo en el templete de la Plaza de las Tres Culturas, ya no estoy segura de ello", escribió en la revista *Proceso*.[16]

> Lo que escuché fue mucho enojo. Un enojo comprensible y compartido: ¿quién en México no está furioso por nuestras circunstancias? Y luego, lo que escuché fue una sola idea martillada una y otra vez por cada orador: que nuestra desgracia son los políticos profesionales que han secuestrado la vida democrática de México para extorsionarla, para sacarle todo el dinero posible y llevárselo a sus cuentas de banco. Una idea de nuevo compartida. ¿Hay alguien que en México tenga hoy otro diagnóstico de nuestra política? Hasta los culpables reconocen, luego de dos tequilas, que la corrupción ha envenenado moralmente al país. Lo malo es esto. Luego, desde ese templete, no se escuchó nada. Sólo metáforas del enojo y de la única idea.

Y Berman cuestiona:

> Que el enojo y la idea sean el punto de partida de una candidatura independiente a la Presidencia, es natural. Posiblemente sólo por fuera de los partidos establecidos puede surgir la candidatura de un político honesto. Pero el enojo y esa idea única no pueden ser el contenido de la agenda de un candidato a la Presidencia. Hace falta el futuro en la narrativa de la nueva plataforma que presentó Álvarez Icaza. Hace falta que nos cuente, en su idioma recio y nítido, qué México ve para dentro de dos años. Y dentro de tres años. Y de

---

[16] Berman, Sabina, "Las buenas intenciones de Álvarez Icaza", *Proceso*, edición 2105, 5 de marzo de 2017.

seis. No basta llamar a nuestro país *el Infierno*, necesitamos la visión de aquello en que ese Infierno se puede convertir, y la narrativa del camino para llegar a ese nuevo territorio. Un camino posible.

Fue lo que planteó la cuatro veces ganadora del Premio Nacional de Dramaturgia en México y el Premio Juan Ruiz de Alarcón.

Por otra parte, otros críticos han planteado que la candidatura de Emilio Álvarez, en caso de fructificar y llegar a la boleta electoral, tendrá el efecto de dividir el voto de la izquierda y fragmentar aún más el sufragio de oposición. Algo que podría beneficiar al PRI, toda vez que, se asume, cada voto a favor del luchador de los derechos humanos equivaldría a un voto menos a favor de López Obrador, el enemigo a vencer por el partido en el poder.

Álvarez Icaza no se inmuta e insiste en que la agenda política del líder de Morena no es democrática y que su campaña, la propia, tendrá el propósito de incorporar en la agenda del debate electoral temas claves de transparencia, democratización y derechos humanos. Sólo al término de los comicios sabremos si la candidatura favoreció a la democracia o al PRI. Aunque, antes de eso, tendrá que recibir el espaldarazo de los ciudadanos para poder convertirse en candidato independiente. En sí mismo una proeza.

IVONNE ORTEGA PACHECO
El camino del Mayab… a Los Pinos

"**E**s tiempo de que los políticos estén del lado de la gente. Quiero ser candidata de mi partido, quiero estar cerca de la gente, de lo que nos hemos alejado, de los ciudadanos".

Así lo dijo la priista Ivonne Aracelly Ortega Pacheco el 16 de enero de 2017, al anunciar en una entrevista en el programa *Despierta*, que conduce en Televisa el periodista Carlos Loret de Mola, que había solicitado licencia en la Cámara de Diputados para buscar la candidatura del Partido Revolucionario Institucional (PRI) a la Presidencia de la República.

A pregunta de Loret de Mola sobre si el país está listo para tener una presidenta, la ahora diputada yucateca con licencia, quien nació el 27 de noviembre de 1972 en Dzemul y fue gobernadora de su estado del 1 de agosto de 2007 al 30 de septiembre de 2012, respondió: "México está listo para ser gobernado por la capacidad, sin importar si el Ejecutivo federal es encabezado por una mujer o por un hombre".

Así, la también exsecretaria general del PRI —del 11 de diciembre de 2012 al 20 de agosto de 2015— se unió a la lista de los suspirantes tricolores por la candidatura de 2018.

Su "autodestape", sin embargo, no generó sorpresa. Ya desde el 28 de marzo de 2016, en una entrevista con *El Universal*, la entonces diputada y presidenta de la Comisión de Comunicaciones y Transportes de la

Cámara Baja, confesó su deseo de ser la candidata priista a la Presidencia de la República.

> Por supuesto, no hay político, de cualquiera de los partidos, que esté en la política y que su máximo sueño no sea ser presidente de la República, pero también tengo muy claros los momentos y los tiempos. Hoy soy diputada federal, tengo que trabajar por la comisión que presido, que es de Comunicaciones, tengo que entregar buenos resultados, y si esas condiciones le pueden interpretar a mi partido y a la gente que puedo ser candidata del PRI y presidenta de México, por supuesto.
>
> He competido nueve veces en diez años, fui presidenta municipal, diputada local, diputada federal, senadora, gobernadora, siempre en la competencia al [en el] interior de mi partido, soy competidora, soy corredora, me gusta correr la carrera, pero ahorita estoy concentrada en lo que tiene que ser, que es entregar buenos resultados en lo que hoy tengo, que es lo que te puede dar tu mejor carta de presentación.[17]

También se refirió a lo que significaba para ella que la gente la considerara "presidenciable":

> Para mí es un altísimo honor, una niña que nace en un pueblo pobre, que es de una familia pobre, que no tiene la oportunidad de ir a la escuela, que ha tenido que estudiar su carrera, la secundaria y la preparatoria, ahorita una maestría, en línea, y estar contemplada en esa lista, de entrada es un altísimo honor, pero también un altísimo compromiso de tener muy bien los pies sobre la tierra, de tener claridad de lo que es más importante, de lo que piensa y siente la gente.

Ortega Pacheco es una mujer "luchona", como ella misma se autonombra, que comenzó de cero, que dejó la escuela a temprana edad por la falta de dinero en casa, que retomó los estudios ya bien entrada su juventud.

---

[17] Jiménez, Horacio, "Quiero estar en la boleta de 2018 junto a Zavala: Ivonne Ortega", *El Universal*, 28 de marzo de 2016: http://www.eluniversal.com.mx/articulo/nacion/politica/2016/03/28/quiero-estar-en-la-boleta-de-2018-junto-zavala-ivonne-ortega

Hizo la secundaria abierta y terminó la preparatoria cuando fue diputada federal por primera vez (en septiembre de 2003), y en 2012 obtuvo la licenciatura en derecho por el Centro Universitario de España y México. Actualmente estudia la maestría en la Facultad Latinoamericana de Ciencias Sociales (Flacso México) y también se ostenta como empresaria porcícola.

En el viejo sillón es un libro autobiográfico que escribió en primera persona, y donde Ortega narra la influencia que tuvo su madre, Isabel Pacheco, en su formación, y destaca las enseñanzas de su abuelo, Álvaro Pacheco Solís, y de la casa de éste, donde vivió y aún vive.

> Sin proponérmelo, en esa histórica casa, situada en la calle 21 número 110-A, por 20 y 22, había empezado una etapa fundamental de mi vida, un periodo de formación, de aprendizaje: una lección eterna de valores. Por otra parte, llamar histórica a la casa de mi abuelo no es gratuito, pues ahí nacieron en distintas épocas don Rogerio Chalé, emblemático líder socialista de Yucatán, y don Víctor Cervera Pacheco, exgobernador del estado e importante ideólogo social del priismo, hijo de una hermana de mi abuelo. Es decir, fue casa de un casi gobernador, de un "regobernador" y de la primera gobernadora electa de Yucatán. La misma casa, el mismo pueblo. Ahí radico hasta la fecha y ahí, también, enterré el ombligo, el *tuch*, como decimos en maya, de mi hijo Álvaro Humberto. En ese sitio sembré una ceiba. Siguiendo la tradición de mi cultura, uno nunca se va del lugar en el cual está enterrado su *tuch*. Por eso pegué un cartelito que dice: "Aquí está enterrado mi *tuch*. Atte. Álvaro Humberto".[18]

Y es que es justo el priista Víctor Cervera Pacheco, único que ha gobernado Yucatán por diez años y en dos periodos distintos —del 16 de febrero de 1984 al 31 de enero de 1988, y luego del primero de agosto de 1995 al 31 de julio de 2001—, calificado de "cacique", quien es considerado el "primer padrino político" de la exgobernadora.

Durante el sexenio de Ivonne Ortega se acuñó el concepto del "Cerverismo sin Cervera", pues el poderoso tío, quien marcó época en la política yucateca y fue secretario de la Reforma Agraria en el sexenio de

---

[18] Ortega, Ivonne, *En el viejo sillón*, Planeta, 2015.

Carlos Salinas de Gortari, falleció el 18 de agosto de 2004 y no vio a su sobrina tomar protesta de la gubernatura a la que él tanto se aferró.

Polémicas y acusaciones

Pese a cultivar una buena imagen en los medios de comunicación y a tener una intensa actividad en las redes sociales, la carrera política de Ivonne Ortega no está carente de críticas e incluso de acusaciones, recabadas principalmente en sus seis años al frente del gobierno yucateco, del que salió el 30 de septiembre de 2012.

Aún se menciona, por ejemplo, que la también exalcaldesa de Dzemul, supuestamente disparó la deuda pública del estado, pues cuando la priista recibió el control del gobierno de parte del panista Patricio Patrón Laviada, los pasivos eran de apenas 300 millones de pesos. Pero, de acuerdo con datos proporcionados por la exdiputada federal panista Rosa Adriana Díaz Lizama, en 2008 el monto ascendía a los 730.9 millones de pesos, llegó a los 2 076.1 millones en 2009, pasó a 2 898 millones de pesos en 2010 y, calcula, concluyó en 12 912 millones de pesos en septiembre de 2012.

Los partidos de oposición le criticaron en ese tiempo su "bondad" en los pagos a medios de comunicación, como Televisa y TV Azteca, y le exigieron revelar el monto real del endeudamiento, pero ella los ignoró y argumentó que eran "provocaciones".

También fue blanco de ataques por "su debilidad por las fiestas y la farándula" con cargo al erario público, según documentó una buena parte de la prensa local. En sus pachangas, realizadas en hermosas locaciones de la entidad, desfilaron actrices y actores de las mencionadas televisoras, además de políticos, funcionarios federales y líderes sindicales. Desde Galilea Montijo, Edith González, Roxana Castellanos, Silvia Pinal, Carmen Salinas, Vicente Fox Quesada y Martha Sahagún, Juan Gabriel, Roberto Hernández Ramírez, Manlio Fabio Beltrones Rivera, Marco Antonio Bernal hasta Víctor Flores, entre otros. Además, claro, de todos los gobernadores del PRI de la época.

Asimismo, amasó críticas porque su familia, de acuerdo con varias investigaciones periodísticas, fue de las más beneficiadas en su sexenio y cobró en la nómina oficial.

Guadalupe Ortega Pacheco, hermana de la exjefa del ejecutivo estatal, fue presidenta del DIF desde el principio de su gobierno y renunció al ser incluida en la lista de candidatos a diputados federales plurinominales del PRI, meta que consiguió en septiembre de 2012, cuando llegó a la LXII Legislatura.

Lucía Guadalupe Canto Lara, prima de Ivonne, se desempeñó como jefa de la Unidad de Contacto Ciudadano, responsable del programa "Ayudar", y luego, antes de finalizar el sexenio, se convirtió en diputada federal suplente en el Distrito 02.

También Álvaro Rubio Rodríguez, primo político de la entonces gobernadora, fue secretario del Sindicato de Trabajadores del Sector Salud y obtuvo después mayoría de votos en la elección de diputado local por el VI Distrito, con cabecera en Kanasín.

Otro caso es el de Domingo Argimiro Ortega Graniel, primo de Ortega Pacheco, quien durante el sexenio de la priista ganó la presidencia municipal de Dzemul.

Con todo el poder en las manos, Ivonne también tuvo una "ahijada política". El 8 de noviembre de 2011 Alejandro Benítez Rosas publicó en el diario digital *SinEmbargo.mx* un reportaje titulado "Angélica: Alcaldesa de los 'asegunes'", donde se destacó que Angélica del Rosario Araujo Lara debía toda su carrera política a la entonces gobernadora, quien en tres años la condujo a una dirección general en el gobierno del Estado, a una diputación federal y después a la alcaldía de Mérida.

"Ambas comparten la misma marca de ropa —Ibonica—, el gimnasio, la asesora de medios, los conciertos y sobre todo el gusto por el poder", redactó Benítez Rosas. De acuerdo con la propia Angélica Araujo, conoció a Ivonne Ortega cuando ésta era alcaldesa de Dzemul y comenzaron su amistad, misma que algunos califican como "complicidad".

En el texto referido se planteó que "incluso existen demandas judiciales en contra de Angélica Araujo por desvío de recursos públicos federales, uso indebido de atribuciones y peculado; además de una demanda de juicio político en el Congreso local de Yucatán".

Los últimos días de agosto de 2012 el nombre de Araujo atrajo las miradas luego de que el alcalde electo de Mérida, Renán Barrera Concha, diera a conocer que en su administración contaba con una "coordinación de estética e imagen" que tenía, entre otras funciones, la de mantener la presentación y arreglo personal de la exalcaldesa priista.

Barrera Concha también dijo que durante la gestión de Araujo se crearon más dependencias bajo la figura de institutos, lo que engrosó la burocracia y dañó el servicio a la ciudadanía en áreas como la atención a las mujeres, salud y deporte.

Pero entre los escándalos más difundidos de la exgobernadora está la construcción del Palacio de la Civilización Maya, concebido en un principio como la primera pieza de un "Disneylandia Maya" en Yucatán. "Vamos a hacer un Disneylandia, pero con cultura", dijo el 21 de diciembre de 2009.

"Es momento de despertar, es momento de que, desde Yucatán, con esta gran obra, volvamos a inspirar a los mexicanos y digamos a todo el país que aquí se siguen haciendo grandes cosas, que en este México no hay ni un sueño que no podamos alcanzar, manifestó Ortega Pacheco, vestida a la manera de gran sacerdotisa maya", reportó el diario *La Jornada*.[19]

En un área de 520 000 metros cuadrados se construirían, en una primera etapa, el estacionamiento y las bases para cinco edificios, con un costo de 70 millones de pesos, provenientes de recursos federales. Para la segunda y tercera etapas se habló de un presupuesto de 140 millones de pesos. No obstante, en 2012 se pospuso la entrega del proyecto hasta el año 2014, por llevar un avance de sólo 50%. Al final, en noviembre de 2014 estaban construidos 13 000 metros cuadrados que, desde entonces, se convirtieron en un elefante blanco.

LOS AMIGOS DE LA EXGOBERNADORA

Ya desde 2011, y luego en 2012, cuando Enrique Peña Nieto se convirtió en candidato a la presidencia por el PRI, Ivonne Ortega se manifestó como una de las más importantes piezas de apoyo del político mexiquense. Una investigación del Grupo Megamedia, publicada a principios de abril de ese año, reveló que además de la amistad, el gusto por la farándula y sus vínculos con Televisa, a la gobernadora y al entonces candidato

---

[19] Boffil, Luis A, "Construirán en Yaxcabá, Yucatán, una nueva Disneylandia, pero con cultura", *La Jornada*, 22 de diciembre de 2009:
http://www.jornada.unam.mx/2009/12/22/cultura/a03n1cul

"telégenico" los unió un proyecto político en el que ella se veía como secretaria de Estado, cosa que al final no sucedió.

No obstante, planteó el reportaje, Ivonne estuvo con EPN desde el principio y no tuvo problemas "en disponer de recursos públicos para viajar y apoyarlo". Según la investigación, la gobernadora había gastado hasta entonces casi diez millones de pesos en aeronaves privadas que en varias ocasiones habían tenido como destino el Estado de México.

En agosto del 2010, informó ese medio, la yucateca viajó junto con otros nueve gobernadores priistas a McAllen, Texas, para acordar una estrategia a favor de las aspiraciones presidenciales de Peña. En un rancho propiedad del exgobernador de Coahuila, Enrique Martínez y Martínez, los mandatarios acordaron proteger al mexiquense de cualquier ataque por parte de la administración de Felipe Calderón Hinojosa y sellaron así "El Pacto de McAllen".

Pero ahora, a más de seis años de distancia, la "amistad" con Peña Nieto no parece tan fuerte, e incluso Ortega Pacheco le critica su política económica, la falta de resultados en materia de pobreza y desigualdad, y los "gasolinazos" de inicios de 2017.

Para Leticia Paredes Guerrero, profesora e investigadora de la Universidad Autónoma de Yucatán, las propuestas que difunde la exgobernadora en las redes sociales para disminuir los efectos del "gasolinazo" son sólo una estrategia mediática para mantenerse en el escenario político nacional. "Es un acto de populismo, demagogia y cinismo, porque tuvo y tiene el poder para cumplir lo que propone, pero no lo hizo", dijo.

Cuando Ivonne Ortega fue gobernadora de Yucatán, añadió la académica, pudo hacer realidad lo que ahora dice: reducir los sueldos de funcionarios, practicar la transparencia, combatir la corrupción y mejorar el ferrocarril. "Pero nunca hizo realidad su tren bala ni castigó a los funcionarios que desviaron recursos públicos, y fomentó la impunidad. Incluso, ella misma y su familia adquirieron propiedades y ella gastó muchos millones en su imagen", afirmó Paredes Guerrero.

"Como dirigente del PRI también pudo hacer muchas cosas para evitar el "gasolinazo", pero no lo hizo. Y como diputada federal no se ha opuesto a nada en la Cámara de Diputados.

"Quienes tenemos memoria histórica sabemos que difícilmente hará realidad lo que dice", expuso la doctora y antropóloga del Centro de

Investigaciones Dr. Hideyo Noguchi de la Universidad Autónoma de Yucatán (UADY).[20]

Otro de los políticos cercanos a Ivonne es el expresidente Carlos Salinas de Gortari, quien en el sexenio de la yucateca apareció cuando más lo necesitaba. El 28 de diciembre de 2010 el exmandatario y la priista se reunieron en Mérida. En su cuenta de Twitter (@IvonneOP) confirmó ese encuentro privado: "Hoy recibí una visita muy especial... ¡Bienvenido, don Carlos!", escribió entonces. Luego, el expresidente hizo algunas declaraciones a la prensa: "No se hagan bolas […]. Ivonne Ortega es la gobernadora". Y remató: "La seguridad en Yucatán no sólo se siente, se ve".

Para los observadores políticos de la entidad, ése no fue un viaje de placer, sino uno destinado a allanarle el camino a Ivonne, quien entonces era víctima del llamado "fuego amigo". El mensaje, se dijo entonces, "fue para Emilio Gamboa Patrón y sus empresarios", quienes, por desacuerdos económicos e incluso de aumento de impuestos, apuntaban a la cabeza de la gobernadora para forzar un interinato. Carlos Salinas le apagó el fuego y de paso, con su presencia y señal de amistad, la convirtió en una mujer más poderosa.

El 2 de agosto de 2011, en el cuarto informe de la gobernadora, Salinas hizo acto de presencia y vestido con guayabera blanca, por supuesto, robó cámara, de acuerdo con los reportes de prensa. Meses después, el 28 de noviembre, "Don Carlos" retornó a la capital yucateca para presentar su libro *¿Qué hacer? La alternativa ciudadana*, en la UADY, donde la gobernadora también fungió como anfitriona.

El 20 de abril de 2013, ya cuando Ivonne Aracelly no era gobernadora, Emiliano Salinas Occelli, hijo del influyente expresidente, se casó con la actriz Ludwika Paleta y lo hizo en la exclusiva hacienda Tekik de Regil, propiedad del empresario mexicano Roberto Hernández. Una de las invitadas de honor era, por supuesto, la ahora "suspirante" a la presidencia.

Así las cosas, Ivonne Aracelly Ortega Pacheco afirma que en el PRI tiene "amigos" que la apoyan, aunque también ya ha acusado "fuego amigo" desde las redes sociales. Y desde el inicio de 2017 la yucateca

[20] Chan Caamal, Joaquín, "Advierten falta de congruencia", *Diario de Yucatán*, 11 de enero de 2017.

comenzó a recorrer la república promoviendo su movimiento "Hazlo por México", una plataforma que, dice ella, se financia con recursos propios y de instituciones privadas para llegar a su nueva meta: llevar el Mayab hasta Los Pinos.

SILVANO AUREOLES CONEJO
¿Bateador emergente?

Dos días antes de confirmar su renuncia a la presidencia nacional del Partido de la Revolución Democrática (PRD) —el 16 de junio de 2016—, cargo que dejó finalmente el 2 de julio de ese mismo año, Agustín Basave Benítez habló de Silvano Aureoles Conejo: de los ataques del perredista en su contra, de la cercanía que el gobernador de Michoacán sostenía con el Partido Revolucionario Institucional (PRI) y, en específico, con Manlio Fabio Beltrones Rivera, quien entonces todavía era el mandamás del tricolor; de la injerencia que el de Zitácuaro tenía en el Sol Azteca y, por supuesto, de las aspiraciones presidenciales del también conocido como "enamoradizo" y "ojo alegre" gobernador.

"Es evidente que al PRI-Gobierno le encantaría que Silvano Aureoles fuera el candidato del PRD a la Presidencia de la República y sólo, como él dice, porque su discurso es el mismo: el PRD no debe aliarse con nadie, porque se desdibuja. Es exactamente el sueño dorado del PRI, que el PRD vaya con un candidato mal posicionado y sólo, porque así ganan caminando la Presidencia de la República, tranquilamente, sin ningún problema",[21] declaró Agustín Basave el 20 de junio de 2016, cuando tanto el PRI

---

[21] Carrizalez, David, "Silvano Aureoles es la carta del PRI para 2018: Basave", *El Universal,* 20 de junio de 2016:http://www.eluniversal.com.mx/articulo/nacion/politica/2016/06/20/silvano-aureoles-es-la-carta-del-pri-para-2018-basave

como el presidente Enrique Peña Nieto ya traían una tendencia a la baja importante en las preferencias electorales.

En específico, el exlíder nacional del PRD insistió en los supuestos servicios que Aureoles Conejo estaba prestando al PRI con el "divide y vencerás", aplicado particularmente a Mancera Espinosa, jefe de Gobierno de la Ciudad de México, y quien es actualmente el personaje cercano al PRD —pero no militante de ese partido—, con más influencia política en la escena nacional (aunque aún no decide si se postulará por este partido a las elecciones presidenciales de 2018).

Detrás del ascenso del político, nacido el 23 de agosto de 1965 en Carácuaro de Morelos —aunque algunos también ubican su lugar de nacimiento en Zitácuaro—, además de Basave, otros correligionarios y analistas apuntan al omnipresente Manlio Fabio Beltrones, hombre cercano al perredista michoacano.

Silvano y Manlio trabajaron juntos en las tres legislaturas federales anteriores: de 2006 a 2012 desde el Senado de la República, y de 2012 a 2015 en la Cámara de Diputados. Pero fue en la LXII Legislatura, desde sus respectivas bancadas, que ambos cerraron la pinza y gestionaron y operaron el Pacto por México con el que arrancó el gobierno de Enrique Peña Nieto en diciembre de 2012, y otras de las llamadas reformas estructurales del sexenio peñanietista.

Manuel Rafael Huerta Ladrón de Guevara, diputado del Partido del Trabajo (PT), definió a Aureoles Conejo por dos eventos que, a su juicio, muestran cómo jugó siempre para el PRI y el gobierno.

El primero, cuando el michoacano, entonces presidente de la Mesa Directiva, le pidió que retirara sus palabras, luego de que en un debate calificó a Peña Nieto como "un ratero y muy cabrón", porque se roba los presupuestos. "Tuve que ir con un documento por escrito para que regresaran mis palabras. Eso pasó en octubre del año pasado."

"El otro hecho es cuando recogí las firmas porque 197 diputados sugeriríamos la comisión de investigación para saber la corrupción de Grupo Higa y Peña Nieto. Cuando le fui a pedir la firma a él, se negó, y dijo que como presidente del Congreso no podía firmar",[22] recordó

[22] Rosagel, Shaila, "Silvano Aureoles tiene en Michoacán el apoyo de Beltrones, afirman politólogos y diputados", *SinEmbargo.mx*, 24 de mayo de 2015: http://www.sinembargo. mx/24-05-2015/1353636

en una entrevista con *SinEmbargo.mx*. Ese evento ocurrió en diciembre de 2014.

"Esto lo describe como izquierda sumisa y dócil. Silvano, sin ser completamente 'Chucho', se achuchó", expuso el diputado (refiriéndose a la corriente Nueva Izquierda o "Los Chuchos" que encabeza Jesús Ortega Martínez).

Luego, citó el legislador, están también sus declaraciones en torno a los sucesos del 21 de enero de 2015, cuando el PRI dijo que lo publicado por *The Wall Street Journal* sobre la propiedad que el presidente Enrique Peña Nieto compró a un empresario de Ixtapan de la Sal, en el Estado de México, era un "golpeteo electoral" y que "hay grupos interesados en desgastar la figura presidencial". Silvano Aureoles, añadió, fue el primero en exigir que se aclarara de dónde había sido filtrada esta información y saber quiénes "están interesados en que por esa vía se desgaste el Gobierno".

Ya como candidato al gobierno de Michoacán, en marzo de 2016, el propio Manlio Fabio reconoció su cercanía con el michoacano, pero institucionalmente afirmó que su candidato era el priista José Ascención Orihuela Bárcenas, eterno aspirante a gobernar la entidad.

En una gira por Michoacán, el político sonorense externó que la competencia electoral no lo iba a distanciar de Aureoles. "Silvano es mi amigo y mi compañero en la Cámara de Diputados, lo fuimos también en la Cámara de Senadores, en donde coincidimos y siempre nos hemos respetado. Pero mi candidato es el del PRI y es mi amigo, José Ascención Orihuela, *Chon,* como el candidato de todos los priistas, y creemos que trae una inmejorable propuesta de gobierno, y por eso es que venimos hoy a sumarnos con él", dijo Manlio.

Al final, Silvano ganó las elecciones del 7 de junio de 2015, y el primero de octubre de ese mismo año asumió como gobernador del estado para el periodo 2015-2021.

AUREOLES, ¿BATEADOR EMERGENTE?

Hasta hace poco a Silvano se le consideraba un aspirante más a la candidatura presidencial por el PRD. Pero a medida que el tiempo pasa y

Miguel Ángel Mancera, quien se ostenta como apartidista, se niega a registrarse como militante del Sol Azteca, la figura del michoacano alimenta las esperanzas.

Sin embargo, ya en febrero de 2017, sin el apoyo activo de Beltrones —quien renunció a la presidencia nacional del PRI el 20 de junio de 2016—, el hombre que gobierna Michoacán hace más de año y medio se ha forjado sus propias crisis políticas que, de acuerdo con analistas políticos, lo ponen en desventaja para alcanzar la meta de 2018: desde facilitarle un helicóptero a la actriz y cantante Belinda para que asistiera a los eventos de la visita del Papa Francisco a Michoacán, hasta sus enfrentamientos con los maestros que se oponen a la reforma educativa y el resurgimiento de la violencia por parte del crimen organizado en la entidad, además de los encontronazos con otros jefes políticos perredistas.

Su gobierno no ha estado exento de complicaciones y, en octubre de 2016, anunció ocho cambios en su gabinete. También se le ha señalado por contratar a una empresa de servicios médicos, Hova Helth, S.A. de C.V., de origen mexiquense, que cobra exámenes de laboratorio con sobrecostos.[23]

En campaña, Silvano prometió fortalecer el sistema educativo en Michoacán, otorgar más becas, apoyos al campo y fomentar la equidad de género, entre otros temas en los que no ha avanzado. Pero la promesa central fue resolver el problema de la seguridad pública, cosa que tampoco ha resuelto y ni siquiera aminorado.

En 2016, de acuerdo con cifras del Secretariado Ejecutivo del Sistema Nacional de Seguridad Pública (SESNSP), Michoacán ocupó el cuarto lugar entre los estados con más víctimas de homicidio en la república, al sumar 2 714 casos, cifra que supera la registrada en 2014 (2 683) y la de 2015 (2 368). De esta forma, los secuestros y "levantones", los asesinatos, la toma de carreteras, la extorsión y, en general, la presencia del crimen organizado, siguen siendo cosa de todos los días en la entidad.

Aun así, el ingeniero agrónomo por la Universidad de Chapingo y admirador del general Lázaro Cárdenas del Río, no quita el dedo del renglón. "Me pueden reclamar cualquier cosa, menos que no trabaje.

[23] Gutiérrez, Héctor, "Aureoles paga por servicios médicos para el estado… hasta cinco veces más", *El Financiero*, 12 de enero de 2017: http://www.elfinanciero.com.mx/nacional/aureoles-paga-por-servicios-medicos-para-el-estado-hasta-veces-mas.html

Existe un problema de percepción en todo el mundo, hay una situación de poca credibilidad en la clase política, todo lo que digas la gente no te cree, pero con hechos vas ganando adeptos", dijo en una charla con la revista *Vanidades*, donde también expuso que su sueño es tener "un país mejor" en términos "de lo que yo aspiro como persona, es tener mejores condiciones de vida para todos, porque el tema de la injusticia y la inequidad, que es una cuestión que lastima, no lo puedo dejar de lado porque es parte de mi condición de vida".

Esto último haciendo referencia a sus dificultades económicas en la niñez y como hijo de una madre soltera; Aureoles estudió y trabajó desde niño, y afirma que superó las barreras gracias al apoyo de su madre y de las mujeres que lo han rodeado en su vida. "He vivido rodeado de mujeres, nací y crecí con tres de ellas, me casé y viví con tres mujeres, les tengo una profunda admiración. Nací en un mundo machista y aprendí el principio elemental del respeto a sus derechos."[24]

Éste es el gobernador, el miembro fundador del PRD, creado en 1989, que aspira a estar en las boletas de 2018… aunque, de acuerdo con una reciente encuesta de preferencias electorales, se ubique en el lugar 21 de los 27 aspirantes que hasta ahora se mencionan. La esperanza es lo último que muere.

---

[24] Uriarte, Miguel, "Silvano, el eterno jinete de la vida", *Vanidades*, 16 de octubre de 2016: http://www.vanidades.com/estilo-de-vida/16/10/6/entrevista-silvano-aureoles-conejo-gobernador-michoacan/

MANEJO DE
REDES SOCIALES*

Suspirante	Seguidores en Twitter	Fans en Facebook	Actividad promedio	Destacado
Andrés Manuel López Obrador	2 439 000	1 894 892	2 mensajes por día	Mucha interacción de los seguidores
Margarita Zavala	893 379	521 298	2 mensajes por día	Acoso sexista: "vieja", "vete a la cocina", "no opines de política"
Miguel Ángel Osorio Chong	1 227 619	163 205	4 mensajes por día	Sube mayormente videos con su imagen
Ricardo Anaya	244 451	662 149	1 mensaje por día	Promoción de eventos propios
José Narro	10 500	6 262	2 mensajes por día	Muy poca interacción de seguidores
Eruviel Ávila	805 444	737 964	2 mensajes por día	Pura promoción del Edomex
Miguel Ángel Mancera	2 850 035	611 661	6 mensajes por día	Pura promoción de la CDMX
Aurelio Nuño	327 311	211 481	3 mensajes por día	Las burlas por el episodio "LER" no han parado

Suspirante	Seguidores en Twitter	Fans en Facebook	Actividad promedio	Destacado
José Antonio Meade	589 222	55 166	4 mensajes por día	Promueve eventos a los que asiste. Poquísima interacción
Luis Videgaray	1 006 347	5 169	Mensajes cada 2 días	Muy informativo. Poca interacción
Rafael Moreno Valle	445 783	1 905 601	2 mensajes por día	Muchas fotos de él con otros políticos
Manlio Fabio Beltrones	785 000	503 501	Mensajes cada 2 días	Alto contenido de relaciones públicas
Emilio Álvarez Icaza	31 000	3 238	8 o 10 mensajes por día	Mucho respaldo de seguidores. Pocas agresiones
Ivonne Ortega	252 264	283 004	3 o 4 mensajes por día	Mucha interacción. Insultos por ladrona como gobernadora
Silvano Aureoles	108 469	258 970	10 mensajes por día	Contenido de eventos a los que asiste

*Datos correspondientes al 22 de marzo de 2017.